Banco Interamericano

Análisis de costos marginales y diseño de tarifas de electricidad y agua

Estudios de caso

EDITOR

Yves Albouy

COLABORADORES

Jorge Infante
Fernando Lecaros
John Schaefer
Carlos Vélez

1983

ii

Los resultados de los trabajos presentados en este libro, así como las opiniones expresadas, son de la exclusiva responsabilidad de los autores y no reflejan necesariamente las posiciones del Banco Interamericano de Desarrollo o de las entidades citadas.

Análisis de costos marginales
y diseño de tarifas de
electricidad y agua

ISBN: 0-940602-11-3
1983
Esta publicación puede solicitarse a:

Banco Interamericano de Desarrollo
808 17th St. N.W.
Washington, D.C. 20577
Estados Unidos de América

Canje:
Biblioteca
Banco Interamericano de Desarrollo

PREFACIO

Desde su creación, el Banco Interamericano de Desarrollo ha apoyado trabajos innovativos que buscan la aplicación de principios y conceptos
económicos sólidos, con el fin de lograr una mayor eficiencia en la
utilización, y equidad en la distribución, de los recursos de sus países miem-
bros. Esta preocupación ha sido expresada en varias formas, una de las cuales
es la publicación de los dos libros que constituyen esta serie: *Análisis de
costos marginales y diseño de tarifas de electricidad y agua—Notas de
metodología, y Estudios de caso.* Ambos libros constituyen parte integral del
proyecto ATN/SF-1720-RE aprobado por el Directorio Ejecutivo del Banco
el 5 de abril de 1979.

El objetivo primordial de este proyecto fue estudiar la conveniencia de
aplicar, en los países de la región, tarifas con base en costos marginales en los
sectores de electricidad y de acueducto y alcantarillado. Dicho propósito se
logró mediante el análisis de la metodología y la aplicación de la misma en
estudios de caso. El resultado de dicho ejercicio permitió establecer la
validez del análisis de costos marginales en el uso racional de los servicios y
en la planificación de las inversiones.

Después de tres años de trabajos, podemos concluir que existe interés y
buenas posibilidades para aplicar la metodología como base analítica de ambos sectores. Sin embargo, aunque hay un acuerdo general en cuanto a las
bases conceptuales para la aplicación del método, subsisten problemas tales
como la asignación de costos entre usuarios, por falta de información sobre
sus patrones de consumo. Situaciones como ésta evidencian la necesidad de
estudios adicionales para poner en práctica, a nivel de empresas, las tarifas a
costo marginal.

Hernán A. Aldabe, Gerente
Departamento de
Desarrollo Económico y Social

iv

SIGLAS

Entidades en Bolivia:

ENDE: Empresa Nacional de Electricidad
ELFECSA: Empresa de Luz y Fuerza Eléctrica de Cochabamba, S.A.
COBEE: Compañía Boliviana de Energía Eléctrica

Entidades en Venezuela:

CADAFE: Compañía Anónima de Administración y Fomento Eléctrico
EDELCA: Energía del Caroní
ENELVEN: Energía Eléctrica de Venezuela
ENELBAR: Energía Eléctrica de Barquisimeto
ELEVAL: Energía Eléctrica de Valencia
E. de C.: Electricidad de Caracas
FIV: Fondo de Inversión Venezolano
OPSIS: Oficina de Operación de Sistemas Interconectados

Entidades en México:

SADM: Servicios de Agua y Drenaje de Monterrey
CAPDM: Comisión de Agua Potable y Drenaje de Monterrey
SARH: Secretaría de Agricultura y Recursos Hidráulicos
CFE: Comisión Federal de Electricidad

Entidades en Colombia:

EE. PP.: Empresas Públicas de Medellín
ACUAS: Acueducto y Alcantarillado S.A.
EMPOS: Empresas de Obras Sanitarias
INSFOPAL: Instituto de Fomento Municipal
INS: Instituto Nacional de la Salud
DNP: Departamento Nacional de Planeación

Unidades físicas y monetarias

AT: Alta tensión
MT: Mediana tensión
BT: Baja tensión
1 BTU: British Thermal Unit (0,25 kilocaloría)
1 m³: Metro cúbico (35,5 pies cúbicos = 1.000 litros)
Mm³: Hectómetro cúbico (= 1 millón de m³)
km: kilómetro = 1.000 m.
km²: Superficie de un kilómetro cuadrado
1 m³/s: Flujo de un m³ por segundo = (1.000 l/s)
lhd: Litro por habitante por día
1 kW: Potencia de un kilovatio
1 kWh: Kilovatios-hora: energía asociada al suministro de 1 kW durante una hora
MW: Megavatios (= 1.000 kW)
GW: Gigavatios (= 1.000.000 kW)
1 kV: Kilovoltio (= 1.000 V)
MVA: Megavoltio Amperio (= 1.000 kVA)
kVAR: Kilovoltio Amperio Reactivo (= 1.000 VAR)
TWh: Teravatios-hora: energía asociada al suministro de 1 GW durante 1.000 horas (1.000.000.000 kWh)
US$: Dólar de los Estados Unidos de América
Bs: Bolívares de Venezuela (≅ $0,2)
C$: Peso colombiano (≅ $0,02)
b$: Peso boliviano (≅ $0,04)
P: Peso mexicano (≅ $0,04)
MBs: Millones de bolívares
MP: Millones de pesos
c: Centavos, o céntimos (1/100)
mills: Un milésimo de US$
O.&M.: Operación y mantenimiento (costos)
A&G: Administración y generales (costos)

INDICE GENERAL

INDICE GENERAL (Cont.)

NOTA INTRODUCTORIA

Los servicios públicos, particularmente los de electricidad, agua potable y alcantarillado, satisfacen las necesidades de mejoramiento del bienestar social y son factores imprescindibles del desarrollo económico.

El financiamiento de grandes programas de expansión en ambos sectores constituye una de las necesidades más apremiantes para las economías de nuestros países y, por lo tanto, es indispensable lograr un uso racional de los escasos recursos financieros externos y domésticos disponibles, tomando en cuenta los verdaderos costos de las posibles alternativas y orientando el consumo hacia niveles compatibles con estos costos.

Durante mucho tiempo, los economistas han reconocido en los costos marginales un sistema de precios que alienta esta asignación eficiente de los recursos. En situaciones de competencia rige este sistema. Un movimiento para extenderlo a los monopolios de servicios públicos se originó en Europa hace un cuarto de siglo y recientemente se ha ido extendiendo a otros continentes.

El presente libro contiene estudios de costos marginales y tarifas de electricidad y agua efectuados en cuatro países latinoamericanos por el Banco Interamericano de Desarrollo como parte de un amplio programa de adiestramiento.

El esfuerzo realizado prueba que es posible en poco tiempo llevar a cabo un trabajo de gran valor demostrativo y capaz de orientar las decisiones en ambos sectores.

En el proceso se han confirmado igualmente las buenas perspectivas recientemente observadas en cuanto al porvenir de este enfoque en los países de la región, a saber:

- inmediatamente, el uso del análisis marginalista en la planificación, proporciona una oportunidad para familiarizarse con esta herramienta e impartir un dinamismo propio a su difusión hacia el área tarifaria;

- a mediano plazo, existe un conjunto de factores favorables para la aplicación de tarifas marginalistas, particularmente en el sector eléctrico, como lo demuestran las iniciativas tomadas en varios países latinoamericanos.

Presentación
de los trabajos

Yves Albouy, Editor

Obtuvo su grado de Ingeniero de la Escuela Superior de Electricidad de París, siguiendo simultáneamente el curso de Licencia en Economía. Fue becado de la Universidad de Harvard para una Maestría y trabajos de postgrado. En 1971, se vinculó a Electricité de France como economista de la Gerencia General y en 1976 como jefe de proyectos en la Gerencia de Operaciones. En 1980, fue contratado por el BID para dirigir el Programa de Adiestramiento sobre Costos Marginales. Actualmente, es asesor en la Oficina Central de Proyectos del Banco Mundial.

INTRODUCCION

El diseño de tarifas sobre la base del costo marginal ha despertado un interés creciente en la última década. En América Latina, este interés se ha manifestado recientemente por medio de la participación y organización de seminarios y estudios por parte de casi todos los países. Varios de ellos ya aplican efectivamente el enfoque marginalista en la elaboración de tarifas eléctricas.

El Banco Interamericano de Desarrollo se ha unido al esfuerzo común a través de acciones de adiestramiento. Entre octubre de 1980 y mayo de 1981, organizó dos seminarios sobre el tema, así como estudios de casos en dos empresas de electricidad y dos de agua potable y alcantarillado en la región. En el primer semestre de 1982, dictó dos cursos de los cuales participaron más de cien profesionales de ambos sectores.

El material esencial para estos cursos se ha agrupado en dos libros de texto: *Notas de metodología*, y el presente informe sobre los estudios de casos.

A continuación se presentan estos cuatro estudios en forma general, con un resumen de conclusiones sobre el enfoque marginalista y sus perspectivas de aplicación en América Latina.

En los capítulos siguientes se presentan los estudios por orden de complejidad creciente en cada sector. Se ha procurado conservar la originalidad de cada uno, tanto en la forma—más concisa para el segundo y el tercer estudio—como en la substancia dictada por la situación imperante en cada caso. Para los efectos didácticos se redactó cada capítulo de manera que se pueda leer en forma autónoma con sólo un mínimo de referencias; también, se espera que el grado de detalle sea suficiente para dejar clara la metodología del cálculo.

Cabe resaltar, sin embargo, que estas versiones publicadas son únicamente resúmenes de los trabajos efectuados. La labor desempeñada en un tiempo muy corto por un grupo de trabajo en cada una de las empresas involucradas ha sido verdaderamente excepcional, y la calidad de los estudios debe mucho a la dedicación de los autores y de los coordinadores locales.

Nuestro agradecimiento va también al personal secretarial de cada grupo y de la sede del Banco. Los errores, omisiones y otras deficiencias son de la exclusiva responsabilidad de los autores.

1. ESTUDIOS DE CASO EN EL SECTOR ELECTRICO

1.1 Antecedentes

Los dos casos tratados son los de la Empresa Nacional de Electricidad en Bolivia (ENDE), y la Compañía Anónima de Administración y Fomento Eléctrico en Venezuela (CADAFE). Sin embargo, como en ambos países la búsqueda de una mayor eficiencia está conduciendo a una interconexión cada día más importante con otras compañías, el análisis de costos marginales se ha extendido a todo el sistema interconectado de generación y transmisión y a algunas redes de distribución representativas.

1.2 Análisis de costos marginales

El sistema de Bolivia es el más sencillo y lo aprovechamos para ilustrar los principales aspectos del análisis marginalista.

La consecuencia de un cambio marginal del consumo en energía es una variación en los requerimientos a las turbinas de gas, cuando no vierta agua en los embalses. El costo marginal correspondiente es una función de la dispersión estadística de la hidrología y del valor económico del gas, el cual depende de las posibilidades de comercialización.

En cuanto a capacidad, un incremento de la demanda máxima en las horas cargadas, en general se puede compensar adelantando una inversión en turbogás o en plantas hidroeléctricas; en este último caso, se comprueba que los ahorros de combustible compensan el suplemento de inversión, por lo cual no debe asignarse este suplemento al costo de capacidad.

Se asigna este costo de la planta de turbogás al período seco y a las horas de punta según la distribución de los riesgos de racionamiento por falta de agua o falta de potencia.

Para un abastecimiento marginal del mismo factor de carga que la demanda total, el costo así calculado es mas o menos igual al calculado a largo plazo y de acuerdo al programa de reconversión hidroeléctrica, lo que indica que se avecina a una proporción "óptima" de esa energía a partir de 1986.

En Venezuela, el sistema es mucho más grande y esta reconversión tomará más tiempo; en 1983 a precios internacionales del petróleo, el costo marginal a corto plazo del kWh es todavía el doble del calculado a largo plazo, y en 1990 un 10% superior. Además, en este proceso surgirán sobrecapacidades en el segundo quinquenio, lo que indica que el costo de capacidad en esta época estará relacionado con el retiro de plantas existentes y que la inversión de las plantas de turbogás instaladas en 1983 deberá asignarse, en gran parte, al período intermedio y sufrirá una depreciación muy fuerte.

Otro rasgo interesante es que en Venezuela el costo de la energía es inicialmente típico de un sistema termoeléctrico y exhibe diferencias marcadas entre el día y la noche. Luego evoluciona hasta mantenerse parejo todas las horas del día, durante todo el año, lo cual es propio de un sistema fuertemente hidráulico como el de Bolivia.

Concluyendo con el caso de Venezuela, señalamos el esfuerzo hecho en el análisis de la red de distribución para aislar la parte del costo no afectada

por la variación de la demanda por ser en realidad asimilable a un costo de
infraestructura; también, el intento de reflejar en lo posible el conocimiento
de las cargas (en particular su diversidad) en la repartición de los cargos
tarifarios.

1.3 Diseño de tarifas

a) Nivel tarifario

Observemos, particularmente en Bolivia, que la tasa de rentabilidad legal no
corresponde a las necesidades futuras de financiamiento (esta tasa debería
rebasar el 15% en algunos años).

ENDE tendrá déficit mientras no cobre el costo marginal; CADAFE
tendría excedentes enormes al cobrar toda la energía sobre la base de ese
costo que es el de las plantas termoeléctricas mientras la contribución de esa
fuente no baje a un nivel más adaptado al precio del petróleo.

A largo plazo, sería posible que se repita el "milagro" observado
durante quince años en compañías como Electricité de France, es decir, que
para un sistema integrado con rendimientos de escala apenas crecientes, los
desajustes financieros de la venta al costo marginal son pequeños cuando la
demanda crece a una tasa cercana a la tasa de descuento y que rigen dos condiciones: pocas distorsiones entre precios contables y económicos, y estructura del sistema de abastecimiento adaptada a estos precios. Entonces estos
ajustes son manejables y pueden variar según las reglas contables y la parte
de los costos de infraestructura y conexión que se quiera asignar al cargo por
cliente.

Se repite también la pregunta que surge en este período de transición,
para todos los grandes sistemas eléctricos, o sea, que mientras a largo plazo el
nivel del costo marginal parece aceptable social y financieramente, se debe
buscar la mejor manera de distribuir en el tiempo y suavizar para el sector—y el consumidor—el esfuerzo financiero excepcional que representa
hoy la reconversión del parque generador a una energía primaria más barata
como la hidráulica.

Finalmente, se plantea el problema de implantar un sistema de tarifas
entre empresas eléctricas procurando la mayor eficiencia posible en las
transferencias de energía y en la planificación del sistema interconectado.

Esto implica resolver una contradicción entre los precios de los combustibles vigentes en la operación diaria y aquéllos utilizados en la
planificación, lo cual es conducente a que el sistema sea mal diseñado o
utilizado. En particular, si los intercambios de energía hidroeléctrica se
cobran muy por debajo del costo marginal, no se desarrollarán las cantidades
adecuadas de plantas de cada clase, ni serán operadas en forma eficiente.

b) Estructura tarifaria

En ambos casos fue posible aproximar los costos marginales con una estructura tarifaria muy sencilla:

- un costo de energía por kWh constante para todas las horas del año;
- un costo por capacidad que se cobra parte por kWh y parte por kW de
  demanda máxima registrada durante los días hábiles.

El peso relativo del cargo por kW que representa el 100% de los costos de capacidad para las tarifas de intercambios en la red de interconexión, disminuye con el nivel de voltaje y el factor de utilización hasta desaparecer completamente en baja tensión.

La sencillez de esta estructura se debe a que:

i) existen muchas justificaciones de naturaleza técnica, económica y social para no diferenciar tarifas de distribución entre zona rural y zona urbana a pesar de la diferencia substancial en los costos,

ii) no aparecen en la generación diferencias horarias en los costos de energía, ni problemas de capacidad en las horas de punta. Esta tendencia previsible para el quinquenio 1985-90 resulta del aumento importante en la capacidad de regulación de los proyectos hidroeléctricos emprendidos después de los aumentos del precio internacional del petróleo.

Este fenómeno no tiene un carácter general y permanente: por ejemplo, problemas de punta todavía existen en Venezuela y seguirán existiendo en Brasil; variaciones estacionales en el costo de la energía existen en Brasil, Colombia y Chile, y en Bolivia surgen problemas para garantizar el suministro en la temporada seca.

Sin embargo, es importante notar que las estructuras sencillas de costos marginales serán la regla más que la excepción en América Latina durante el período 1985-95.

Las justificaciones para otros subsidios, que no sean los destinados a la equiparación entre zonas rurales y urbanas, no aparecen tan fuertes como en el caso del consumo de agua para higiene pública.

En países desarrollados, los descuentos en el precio del kWh otorgados a los usuarios residenciales disminuyen la eficiencia y la claridad de la señal tarifaria si el consumo es grande y si el consumo es pequeño representan relativamente poco dinero, en general menos de lo que cuesta un aparato eléctrico o la propia conexión al servicio.

En las regiones donde el goce de la energía eléctrica es un privilegio, estos subsidios aparecen injustos.

Los subsidios para grandes consumidores—en particular usuarios industriales—deberían ser excepcionales y transitorios porque llevan a las empresas a incorporar ineficiencias en el aparato productivo por un largo tiempo, y esto a cambio de un ahorro en inversiones cada día más pequeño, si se considera el progreso acelerado de tecnologías modernas y procesos eficientes en el uso de la energía eléctrica.

Los objetivos de la eficiencia son compatibles con subsidios para los usos residenciales cuando aparecen excedentes, una vez pagadas a su costo las energías primarias y entonces tienden a orientarlos hacia rebajas en el cargo por clientes y ayuda a programas de electrificación. Estos cargos corresponden en todo caso a costos marginales muy difíciles de relacionar con el consumo y no influyen en el nivel de consumo para la gran mayoría. En cambio, un subsidio aquí puede facilitar mucho el acceso a los servicios.

De no ser suficientes estas ayudas para absorber los excedentes, se pueden admitir bloques subsidiados para consumos mensuales inferiores a 50 kWh.

Al fin y al cabo, la estructura resulta todavía mucho más sencilla que la existente, ya que las tarifas actuales se dividen en numerosas categorías, cada una con un subsidio diferente que se suma a menudo al subsidio general recibido a través de energía primaria y capital, por debajo de su costo económico.

Por diseño, esta tarifa fundada en los costos marginales sería perfectamente compatible con los procedimientos usuales de simple medición y los registradores de demanda instalados en las redes de mayor voltaje; pero en este último caso sería necesario dar un sentido más estricto a la definición de la demanda máxima contractual y aplicar penalidades para clientes que la rebasen. Se podría pensar también, en el futuro, en un uso generalizado de fusibles y disyuntores para introducir un cargo por kW en bajo voltaje e incentivar una mejor utilización de la red de distribución.

2. ESTUDIOS DE CASO DEL SECTOR DE AGUA POTABLE Y ALCANTARILLADO

2.1 Antecedentes

Los pocos ejemplos de estudios tarifarios sobre la base de costos marginales que existen en este sector, generalmente carecen de detalles en el análisis económico y en el proceso de reconciliación con otros criterios, notablemente el financiero; en la aplicación concreta de estas tarifas, el atraso con respecto al sector eléctrico es aún más considerable quizá por el alto contenido social de estos servicios y porque no absorben tantos recursos; en consecuencia, los programas de expansión y los pliegos tarifarios son determinados separadamente por ingenieros y contadores.

Si se puede otorgar el beneficio de la duda en favor de este enfoque para pequeños sistemas en zonas rurales, en cambio las consideraciones de eficiencia en la planificación y en el uso racional del agua están pasando al primer plano en los sistemas, cada día más costosos, que abastecen a las grandes urbes de América Latina.

Los dos casos estudiados son los Servicios de Agua y Drenaje de Monterrey en México (SADM) y el sistema de agua y saneamiento de las Empresas Públicas de Medellín (EE.PP.) en Colombia.

Para efectuar el análisis de costos marginales en una forma que muestre la problemática del uso eficiente de los recursos, incluimos en Medellín represas que se comparten con la empresa de generación eléctrica, y en Monterrey, obras de captación tan lejanas y costosas que pasaron a cargo de otras entidades gubernamentales.

2.2 Análisis de costos marginales

Los estudios confirman nuestra intuición según la cual el análisis de costos, en principio, no difiere mucho de lo efectuado en el sector eléctrico, especialmente en América Latina, donde predomina la hidroelectricidad. De hecho, un requisito previo en el cálculo de los costos de producción de agua es el conocimiento de los costos de la electricidad que entra en el bombeo o que se podría generar con el agua divertida para el acueducto.

Enfrentamos aquí una primera dificultad: los precios de la energía cobrados en el mercado no son sino una pequeña fracción de los precios de eficiencia: un cuarto, según resultó de un estudio reciente en Medellín, la mitad según nuestra evaluación en Monterrey.

Estos subsidios parecen tener una doble consecuencia sobre la planificación: un diseño económicamente costoso y proyecciones de demanda demasiado altas, porque cuando el costo de expansión del abastecimiento está debidamente tomado en cuenta, aparecen varios medios alternativos más baratos para conservar el agua: tratamiento de aguas negras, ubicación de fugas, cortes nocturnos, etc.

Realizamos el análisis con precios de mercado y de eficiencia para comparar los resultados y utilizamos en forma fructífera la analogía con los conceptos desarrollados en el sector eléctrico como los de planta marginal, costo de capacidad, balance costo-beneficio al margen de los planes de expansión y operación.

En Monterrey, el trabajo permitió determinar para el resto del ejercicio un volumen y un costo alternativos mucho más bajos que lo indicado por los planes actuales para el agua adicional necesaria hasta 1988.

En Medellín, el estudio permitió elaborar diseños de presas y bombeos que disminuyan en un grado óptimo el conflicto entre generación eléctrica por un lado y por el otro el abastecimiento de agua y los programas de dilución para desinfectar el río.

2.3 Diseño de tarifas

a) Nivel tarifario

En ambos casos, la tasa de rentabilidad sobre activos fijos no puede servir de base a la determinación del nivel de ingresos porque es muy variable: en Monterrey, oscila entre 1 y 8% con la tarifa actual.

Por otro lado, el costo contable promedio alcanza solamente a un 50% del costo marginal a precios de eficiencias. Aproximadamente, la mitad de esta discrepancia parece debida a la distorsión subrayada anteriormente entre las prácticas contables y la realidad económica: esto es particularmente sensible en Medellín, donde la energía hidroeléctrica sacrificada o utilizada para bombear en las horas de punta está registrada a un 20% de su valor económico; en Monterrey, el costo contable aumenta del 30% si se quiere cobijar el costo verdadero de toda la energía y de la expansión programada.

El resto de la diferencia descansa en una serie de factores de carácter más permanente:

- un financiamiento con préstamos muy baratos en términos reales,
- la captación del agua marginal a partir de fuentes extraordinariamente lejanas (en Monterrey) o conflictivas con la generación eléctrica (en Medellín).

Este último efecto de rendimientos decrecientes no es tan fuerte en otros sistemas e irá perdiendo su importancia cuando estas fuentes de gran tamaño se vuelvan más competitivas y predominantes en el abastecimiento.

Entretanto, los ingresos generados por la venta al costo marginal podrían autofinanciar una expansión del sistema muy superior a la prevista.

De acuerdo a lo anterior, quizá convendría revisar el sistema de reglas y precios contables, bajar el costo de oportunidad del capital, y/o dedicar el excedente residual para los subsidios a categorías de usuarios con menores ingresos en la forma que comentamos a continuación.

b) Estructura tarifaria

Las tarifas sobre la base del costo marginal suelen resultar muy sencillas: un costo por m³ común a todas las categorías de consumidores (exceptuando subsidios); esto se debe principalmente a cuatro razones:

- El diseño de los sistemas de captación, conducción y tratamiento se determina con referencias a volúmenes anuales.

- Los costos adicionales incurridos para la regularización diaria o anual y el bombeo en zonas más altas son relativamente pequeños.

- Todos los usuarios están conectados en la misma red de distribución (no hay niveles intermedios como en las redes eléctricas).

- La responsabilidad de un usuario en la expansión de la red colectiva de distribución es aproximadamente proporcional al volumen de su consumo en m³.

Dos tipos de complicaciones pueden surgir con frecuencia, a saber:

- Una variación estacional del valor del agua no filtrada cuando existen estrangulamientos estacionales en sistemas vinculados al acueducto como los de riego o de generación hidroeléctrica.

- La existencia de uno o dos bloques de consumo con tarifa social cuando los subsidios en los cargos fijos por cliente no alcanzan para absorber el superávit eventual generado por la tarifa de costo marginal.

Como en el sector eléctrico, la eficiencia económica y redistributiva recomienda concentrar los subsidios en el cargo por cliente, y desde un punto de vista técnico esto es también la mejor solución por dos razones: 1) es difícil relacionar el costo de una gran parte de la red de distribución con la magnitud del consumo individual y 2) existen en la práctica varias razones para financiar esta parte separadamente de la tarifa.

Sin embargo, con miras al volumen del excedente y a las consideraciones de salubridad pública, es perfectamente aceptable aquí complementar las rebajas en estos cargos y las ayudas a los programas de habilitación de viviendas con uno o dos bloques de consumo a precios descontados para consumos inferiores a 10 ó 20 m³ por mes.

En todos los casos, la estructura resultante puede acomodarse con los procedimientos y aparatos de medición existentes ya que las tarifas actuales consisten en numerosas categorías con precios escalonados.

3. CONCLUSIONES GENERALES SOBRE EL ENFOQUE MARGINALISTA

3.1 Consideraciones de eficiencia

Los costos marginales constituyen un resumen sintético de las condiciones bajo las cuales se realiza la igualdad entre demanda y oferta de servicios, tomando en cuenta las carestías, los estrangulamientos y las interacciones de la empresa con otras entidades.

No se apoyan en una rentabilidad financiera volátil y controvertible, sino en el criterio claro, racional y aceptado del costo mínimo para la comunidad.

Tienen un gran poder de estructuración y de autocontrol, y, con un esfuerzo inicial de algunos meses, permiten mejorar la adopción de una multitud de decisiones dentro y fuera de la empresa.

Por tanto constituyen un vehículo de comunicación y un marco de referencia privilegiado para:

    i) la planificación de los sistemas de abastecimiento y de su operación,

   ii) el diseño de tarifas y acción comercial,

  iii) la supervisión intra e intersectorial por el gobierno.

Estas son las cualidades que se destacan con más frecuencia en las aplicaciones mejor implantadas, particularmente en Europa. El consenso, allí, es que las ventajas señaladas justifican pasar a la práctica, mientras que la referencia a un óptimo de Pareto tan enfatizada por la teoría pasaría a un segundo plano, especialmente en situaciones de óptimo segundo cuando existen distorsiones de precios en otros mercados.

Con modestia y realismo, quizá el caso del marginalismo se articula mejor en términos de racionalidad que en términos de un óptimo general. Además el acto de tomar decisiones racionales sobre la base de tal conjunto de precios, aun sabiéndolo imperfecto y cambiante, implica una visión coherente del futuro y proporciona elementos de estabilidad.

Por ejemplo, mantener en la red eléctrica la proporción de plantas hidroeléctricas que minimice el costo económico de generación es un objetivo poco controvertible y esto estabiliza el costo de la electricidad, aun cuando varía el precio de los demás energéticos.

Este conjunto de precios puede considerarse como una hipótesis central de trabajo sobre la cual se pueden y deben asentar las decisiones importantes de operación e inversión dentro del sector energético.

Luego, será lógico extender este marco de racionalidad, precios del crudo y del kWh a los grandes consumidores y, progresivamente, a los menos grandes.

3.2 Compatibilidad con otros criterios para el diseño de tarifas

En un sentido estricto, la equidad de las tarifas basadas en el costo marginal es parecida a la del mercado, que es aceptable para varios segmentos de la población.

Las proyecciones de flujos de fondos que sólo permiten determinar con la precisión requerida y en moneda corriente el nivel promedio de las tarifas, ponen a menudo en evidencia que la venta al costo marginal generaría desajustes, y en particular, excedentes financieros. Se pueden reducir significativamente estos desajustes al introducir más racionalidad económica en el sistema de abastecimiento y en el conjunto de precios y prácticas contables.

Los desajustes residuales corresponden a transferencias deseables desde el punto de vista de la eficiencia. Se compensan mutuamente en buena medida entre las varias partes de una red eléctrica interconectada, lo que justifica un mínimo de integración técnica y financiera. Sin embargo, quedan superávit en los sectores de menor crecimiento como el de agua.

La teoría marginalista recomienda utilizar esos excedentes para subsidiar en primer término los cargos de conexión y programas de infraestructura (electrificación rural y saneamiento de viviendas) y disponer luego rebajas para los primeros bloques de consumo. Así esos excedentes permitirían suavizar la transición del sistema actual a un objetivo más racional y, al fin y al cabo, conservar en las tarifas sus mejores aspectos redistributivos.

En conclusión, no se pretende aquí que el marco de racionalidad marginalista sea aplicable inmediatamente a toda la economía, pero, como lo demuestran numerosos ejemplos, es deseable aprovecharlo en cuanto se presenten las condiciones favorables para aplicarlo en un sector y en un país determinados.

4. PERSPECTIVAS DE APLICACION EN AMERICA LATINA

En comparación con el contexto en el cual se desarrolló la práctica marginalista europea hace 30 años, existen en América Latina circunstancias favorables para su introducción, a saber:

- Exigencias de planificación más apremiantes.
- Concentración del consumo de electricidad en un número reducido de grandes usuarios.
- Estructura de costos marginales más sencilla.
- Grandes progresos en las tecnologías para medición, lectura y facturación.
- Reajustes tarifarios más frecuentes debidos a la inflación.

Estos factores tienen diferentes incidencias según la etapa de aplicación que se considere.

Etapa 1: Análisis de costos marginales y su uso en la toma de decisión dentro de las empresas

En el horizonte inmediato, la difusión de las técnicas para el análisis de costos marginales no padece tanto de la falta de información disponible, como de deficiencias en su estructuración y en la capacidad de análisis de los equipos.

En ambos sectores, la escasez creciente de recursos esenciales como energía y capital ha vuelto más apremiante la exigencia de racionalidad, particularmente, en tres áreas: la determinación del grado de confiabilidad económicamente óptimo de los servicios, el diseño de las obras y el trazado de políticas operativas en forma congruente y eficiente.

Un obstáculo serio a este objetivo es que se usan precios de mercado interno muy lejanos de su valor económico en la planificación del sistema y en su operación, o dos sistemas de precios incoherentes entre sí.

Debe seguir siendo de interés prioritario para el Banco, dar el ímpetu inicial para implantar en los órganos de planificación los metodos de análisis marginalista y de determinación de precios económicos para energía, mano de obra y capital.

Etapa 1 bis: Tarifas de intercambio entre empresas de un mismo sector o entidades gemelas agua-electricidad

Para dar este paso que constituye una extensión del primero, debe existir un nivel mínimo de integración técnica y financiera en función del volumen de los intercambios económicamente deseables.

Este nivel es más que suficiente en algunos países, en particular en el sector eléctrico. En otros existen "federaciones" de redes y/u organismos de planificación y financiamiento que podrían servir de marco para la constitución del "pool" de recursos comunes que se requiere.

En el caso de sistemas fraccionados en empresas con autonomía completa, será necesario armar esquemas financieros imaginativos, por ejemplo aportes mutuos de capital.

En todo caso, y para completar el proceso de racionalización empezado con la determinación de precios de cuenta económicos, será recomendable establecer reglas contables comunes, en particular, el uso del valor de reposición para la revaluación de los activos fijos.

Etapa 2: Ventas a los grandes consumidores

a) Sector eléctrico

Esta etapa es particularmente importante para el sector eléctrico en América Latina porque una gran parte del consumo se concentra en un número reducido de usuarios importantes y que, si vale el ejemplo europeo, ellos suelen responder con eficiencia a la señal tarifaria.

El período 1982/1986 coincidirá a menudo con la reconversión de los sistemas de generación como consecuencia de las alzas recientes del petróleo y del gas; las inversiones necesarias en esta época serán excepcionalmente importantes. Los costos marginales a precios frontera son altos, lo que en teoría resolvería el problema financiero; pero no parece aconsejable desde ningún otro punto de vista, ni practicable, apoyar el nivel y la estructura de las tarifas sobre estos costos marginales de corto plazo.

A partir de 1986, gracias al alto potencial hidroeléctrico de la región y a su grado de aprovechamiento, la electricidad desempeñará un papel clave en el desarrollo, lo cual se confirma con el nivel muy competitivo del costo marginal de este fluido hasta el año 2000. Esto hará a la vez *necesario y posible* el acercamiento de las tarifas al nivel de los costos marginales para los consumos de alta o mediana tensión.

La transición puede ser lenta o rápida según la situación propia de cada país. En todo caso, el proceso debe ser sostenido e irreversible. Al mismo tiempo los precios de otros productos estrechamente vinculados con la electricidad (energías substitutas y aparatos de utilización) se deben alinear progresivamente con su costo económico.

b) Sector de agua potable

De la misma manera conviene encaminarse hacia una racionalización de los consumos de agua importantes en las grandes urbes de la región. Dado el nivel tarifario actual, la aplicación de una tarifa más eficiente induciría, sin duda alguna, a iniciativas para la conservación del agua, el tratamiento y el nuevo empleo de aguas negras y otras fuentes, en sustitución de la captación de nuevas fuentes y programas de saneamiento cada día más costosos. Esta aplicación debe ser gradual y acompañada por una reglamentación adecuada para enmarcar esas iniciativas (uso de pozos privados y otros equipos).

El párrafo anterior indica que los precios de eficiencia para la energía no se utilizarían solamente en la planificación, sino que también podrían cobrarse en la actualidad para los consumidores de mayor tamaño, incluyendo las empresas de agua.

Etapa 3: Ventas a los consumidores medianos y pequeños

Para esta última fase, en general la más delicada, varios elementos entran en consideración:

- Por una parte, los problemas técnicos de la adaptación son mínimos, porque la estructura de costos marginales que prevalecerá en la región es muy sencilla, mucho más sencilla que las tarifas actuales, que, por varias razones históricas, contienen generalmente transferencias redistributivas escalonadas en un sinnúmero de categorías de usuarios.

- Por otra parte, se trata de un consumo mal conocido, relativamente menos elástico al precio y con un contenido político y social bastante grande.

Esto significa que los objetivos iniciales deben limitarse a una racionalización de la estructura acerca del nivel tarifario determinado por la cobertura de los gastos contables restantes.

La transición no tiene que ser tan rápida como en el caso de consumidores importantes, y demasiada prisa podría ser contraproducente. En Europa, estas evoluciones han tomado entre cinco y diez años; sin embargo, el ambiente mucho más inflacionista que rige hoy en día puede facilitar la tarea especialmente en las rectificaciones de estructura.

A largo plazo, para mover adelante será necesario refinar el conocimiento del costo de servicio por categorías de usuarios, particularmente en el sector eléctrico, y por lo tanto es aconsejable iniciar desde hoy campañas de medición y estudios para determinar una tipología del consumo y prever su evolución.

Estudio I

El sistema eléctrico interconectado de Bolivia

John Schaefer

Posee una Maestría en Ingeniería Eléctrica y el Doctorado en Ingeniería Industrial de la Universidad de Stanford, Estados Unidos. En los años sesenta, trabajó en varias empresas del sector eléctrico y electrónico. A partir de 1969, desempeñó actividades docentes y participó en numerosos proyectos de ingeniería económica, como el estudio de costos marginales del Electric Power Research Institute. Ha efectuado varias publicaciones y misiones en América Latina. Es consultor independiente desde 1977.

INDICE

Secciones

Gráficos

Cuadros

Cuadros (Cont.)

Tablas en anexo

INTRODUCCION

La *Empresa Nacional de Electricidad* (ENDE) es la compañía eléctrica más grande de Bolivia. ENDE y la *Compañía Boliviana de Energía Eléctrica* (COBEE) producen y distribuyen más del 75% de la electricidad que consume el país.

En 1980 se interconectaron los sistemas de ENDE y COBEE; esta última utiliza la capacidad de ENDE para cubrir demandas máximas y entrega energía secundaria a ENDE. Aunque ahora se estudia la posible venta de las instalaciones de COBEE, en el presente estudio se supone que ambas empresas son financieramente independientes.

Desde 1980, Bolivia dispone de dos sistemas eléctricos principales: el Oriental, que suministra energía a Santa Cruz con cuatro turbinas a gas de 20 MW, y el Sistema Interconectado que sirve a La Paz, Cochabamba, Oruro, Sucre y Potosí (véase el gráfico 1-1). La interconexión con Santa Cruz está prevista para 1985.

ENDE vende electricidad en bloque a sus clientes, que en 1980 comprendían cinco empresas distribuidoras urbanas, quince centros mineros, once industrias y trece pueblos o cooperativas rurales.

Los clientes más importantes de ENDE son la *Cooperativa de Electrificación Rural* (CRE), de Santa Cruz, la minería estatal (COMIBOL) y la *Empresa de Luz y Fuerza Eléctrica de Cochabamba* (ELFECSA).

En la sección 1 del estudio se presenta una reseña del sistema eléctrico interconectado de Bolivia según existía en 1980, y de su expansión programada a la fecha. Se definen también alternativas para el valor económico del gas natural, que constituye un dato muy importante del estudio.

Este costo de oportunidad depende básicamente de los proyectos alternativos para utilizar este gas, pero pasará mucho tiempo antes de que se concrete una demanda de la misma importancia relativa que las reservas probables hoy en día. Aun el límite superior de este costo, que se deriva de las posibilidades de exportar el gas, permanece muy incierto porque no se relaciona con un arreglo contractual firme sino con una evolución probable del precio del petróleo. Los pronósticos al respecto son muy frágiles; apenas terminado el estudio, se tuvo que descartar una de las tres alternativas.

En la sección 2 se presentan varias técnicas de análisis marginalista sobre el caso, empezando con los métodos incrementales y terminando con la evaluación más precisa que se puede efectuar de los verdaderos costos marginales. Existe una buena consistencia entre ambos métodos para un crecimiento lento del precio del gas. Se cierra la sección con un ejemplo ilustrativo de cómo calcular el costo del servicio para varios usuarios.

La sección 3 utiliza estos resultados para el diseño de un objetivo tarifario en el año 1986. No cabe duda de que esta meta es ambiciosa, especialmente si se va deteriorando la tasa de cambio con respecto a las divisas que financian una gran parte de los costos de energía y de capacidad; es ambiciosa también si se considera que la estructura tarifaria actual conlleva subsidios muy variables de un cliente a otro.

Sin embargo, esta revisión tarifaria no sólo impulsaría una mayor eficiencia económica, sino también parece adecuada para evitar que el subsector eléctrico absorba una parte creciente de fondos públicos.

Las proyecciones financieras, que al igual que todos los cálculos de este estudio excluyen la inflación, se basan sobre un valor alto del gas, lo cual impacta más sobre el ingreso de ventas que sobre los gastos, de modo que los excedentes después de 1986 no aparecen tan firmes como el déficit durante el período transitorio.

En la última sección, se consideran tarifas de costo marginal para ELFECSA. Existen varias compañías distribuidoras en Bolivia, muchas de ellas no ligadas al sistema interconectado nacional. El caso de Cochabamba era relativamente conveniente y al mismo tiempo representativo de los problemas planteados por la falta de datos sobre las cargas.

Agradecimientos

El presente estudio debe mucho al coordinador local Jorge Cordero, al apoyo otorgado por la Gerencia de ENDE y sus ingenieros Fernando Ghetti, Marcelo Valenzuela y Jaime de la Serra. También agradecemos a los ingenieros O. Rocavado y J. Vargas de ELFECSA y N. Laguna y C. Meir de la COBEE por su valiosa colaboración.

1. DESCRIPCION DE ENDE

1.1 Reseña del sistema

El gráfico 1-1 (página 8) muestra un esquema general del sistema interconectado de Bolivia. El cuadro 1-1 presenta el nivel de consumo de cada grupo de consumidores, y el gráfico 1-2 (página 9) la curva de la carga nacional.

En los gráficos 1-3 y 1-4 (página 10) se muestran curvas de carga típicas de los clientes de ENDE. Se nota que la hora de máxima demanda de los clientes, al igual que para todo el sistema de ENDE, ocurre entre las 18:00 y las 21:00 horas; estos máximos se deben principalmente al consumo doméstico (luz, televisores, etc.). El nivel de consumo entre los clientes industriales de ENDE difiere sustancialmente; ENAF es el mayor, con un registro de 46,5 GWh en 1980. Generalmente la industria tiene curvas de carga más planas que las empresas distribuidoras urbanas. Los clientes mineros tienen también curvas de carga más planas que el sector urbano como se indica en el gráfico 1-5. Algunos clientes mineros cuentan con un poco de generación propia de escasa significación en su consumo.

En 1980 se interconectaron los sistemas de ENDE y COBEE; ésta utiliza la capacidad de ENDE para cubrir demandas máximas y entrega energía secundaria a ENDE.

Aunque ahora se estudia la posible venta de las instalaciones de COBEE, en el presente estudio se supone que ambas empresas son financieramente independientes.

Cuadro 1-1. La clientela de ENDE

Grupo	Ventas (GWh)		
	1979	1980	Variación (%)
Distribuidoras urbanas	329,8	381,6	15,7
Minería	159,6	188,5	18,1
Industria	48,4	71,8	48,3
Pueblos y cooperativas rurales	1,9	1,7	−10,5
Total	**539,7**	**643,6**	**19,3**

A partir de 1980, Bolivia opera dos sistemas principales: El Oriental que suministra energía a Santa Cruz con cuatro turbinas a gas de 20 MW y el Sistema Interconectado que sirve a La Paz, Cochabamba, Oruro, Sucre y Potosí (véase el gráfico 1-1). La interconexión con Santa Cruz está prevista para 1985.

Gráfico 1-1. Sistema interconectado nacional

Fuente: Plan Nacional de Electrificación, período 1980-90, ENDE, agosto de 1980.

Gráfico 1-2. Curvas de consumo para un miércoles típico

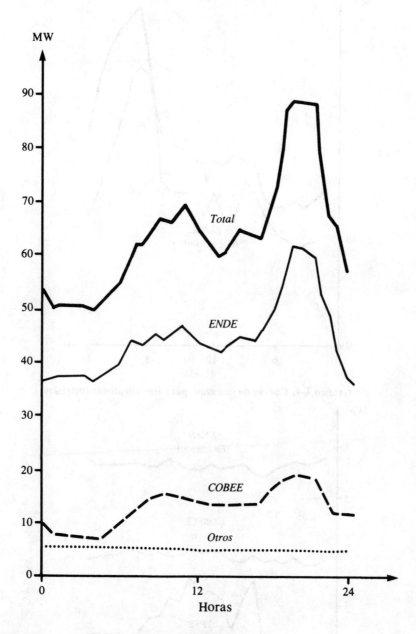

Fuente: *Anuario de Estadística Eléctrica, 1979*, ENDE.

Gráfico 1-3. Curvas de consumo de dos distribuidores municipales

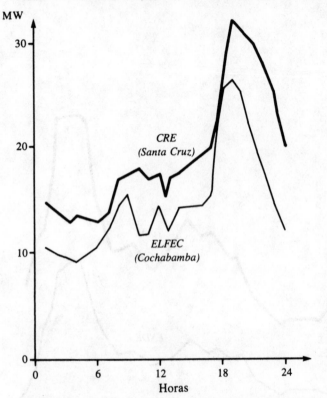

Gráfico 1-4. Curvas de consumo para tres clientes industriales

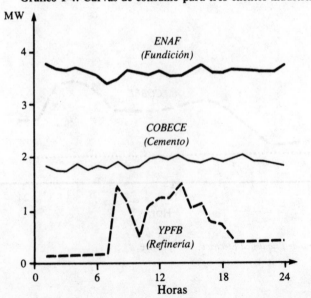

Gráfico 1-5. Curvas de consumo para dos clientes mineros

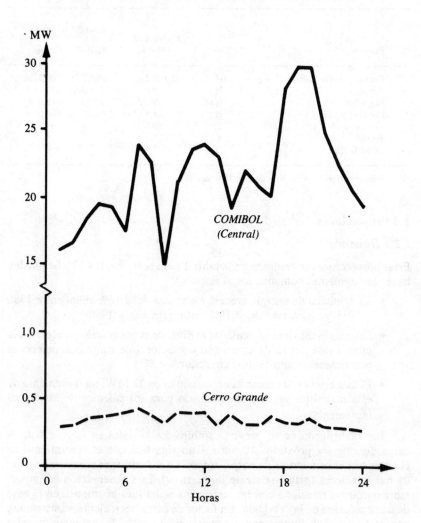

Como se muestra en el cuadro 1-2, el sistema interconectado de ENDE es predominantemente hidráulico. Como ocurre con muchos sistemas hidroeléctricos, está limitado por la energía, es decir no existen problemas en el suministro de cargas máximas, pero sí de energía, principalmente en años hidrológicos secos.

La demanda adicional de energía se cubre y cubrirá hasta 1984 con las plantas térmicas a gas en Sucre o Potosí.

Cuadro 1-2. El sistema de generación en Bolivia

Plantas	Tipo[a]	Capacidad (MW)	Energía (GWh) Media	Firme
Coraní y Santa Isabel	H	105,2	398,7	300,5
Zongo	H	109,0	575,2	539,0
Miguillas	H	19,1	120,0	118,0
Plantas pequeñas	H	18,1	104,0	104,0
Santa Cruz	T	80,0		
Sucre	T	21,0		
COMIBOL	D	3,5		

[a]H = hidroeléctrico, T = turbina de gas, D = diesel.

1.2 Proyecciones

1.2.1 Demanda

Estas proyecciones se resumen en la tabla 1 del anexo (página 57). Se pueden hacer los siguientes comentarios al respecto:

- La demanda de energía crecerá a una tasa del 9,16% anual entre 1980 y 1985 y a una tasa del 8,19% entre este año y 1990.

- Las cargas máximas calculadas al nivel de la generación, crecerán a la misma tasa anual, de modo que los factores de carga permanecerán prácticamente constantes, alrededor del 57%.

- El aumento de la demanda en un año es de 22 MW; un incremento de esta magnitud ha sido seleccionado para los cálculos de los costos incrementales.

Los planificadores no prevén cambios sustanciales en la forma de la carga durante los próximos 10 años. Esto significa que el crecimiento de clientes con altos factores de carga (minería e industria) se compensa con el de bajos factores (principalmente domésticos). Esta observación es importante porque se relaciona con las restricciones del suministro; así, en el caso de una evolución de la demanda con factor de carga decreciente, el sistema se encontraría en el futuro con un estrangulamiento de potencia y sería necesario considerar su incidencia en el diseño de las tarifas.

Finalmente, cabe indicar que los pronósticos de demanda no consideran los aumentos del precio de la energía eléctrica que seguramente ocurrirán en el futuro. Eventualmente se hará una revisión de los datos de 1981, año en el que tuvieron lugar incrementos importantes en el precio de la electricidad.

1.2.2 Expansión de la generación de ENDE

Las adiciones al sistema de generación se muestran en el cuadro 1-3. Este programa de adiciones fue seleccionado como la mejor alternativa entre varias otras en el "Plan Nacional de Electricidad—Período 1980-1990" de ENDE. El criterio de selección fue el de minimizar el costo, con una confiabilidad adecuada, bajo ciertas suposiciones del precio del gas natural y de la tasa de descuento.

La "energía firme" se refiere a condiciones de año seco; los planificadores consideran que la probabilidad de ocurrencia de año seco es de 0,4 y la de años normales y lluviosos 0,6.

La confiabilidad del sistema se evalúa para años secos tanto en términos de capacidad como de producción de energía. En cuanto a capacidad, el criterio de ENDE es el de contar con un margen de reserva del 10% de la carga máxima o la unidad más grande. El porcentaje anterior podría parecer pequeño, pero la experiencia demuestra que los cortes se deben a la transmisión.

Cuadro 1-3. Adiciones al sistema de generación

Plantas	Tipo de sistema[a]	Capacidad (MW)	Energía (GWh)	
			Media	Firme
Diversión, Río Vinto (1981)	H	—	63,3	46,9
Incremento, Coraní (1982)	H	—	—	47,0
Turbina, Potosí (1982)	T	16,0		
Turbina, Santa Cruz (1983)	T	20,0		
Diversión, R. Málaga (1984)	H	—	193,8	152,5
4ta. Unidad, Santa Isabel (1984)	H	17,2		—
Sakhahuaya I (1985)	H	36,0	184,9	164,5
Sakhahuaya II (1986)	H	36,0	177,7	157,8
Icla (1987)	H	90,0	392,0	341,0
Palillada I (1989)	H	82,5	554,9	554,0

[a]Fuente: "Plan Nacional de Electrificación, Período 1980-1990", ENDE, agosto de 1980.

La confiabilidad en la producción de energía es el problema más importante para ENDE; prácticamente todas las adiciones de generación, suministran energía. Aun la adición de la cuarta unidad en Santa Isabel evitará derrames de agua cuando los aportes alcancen el máximo en la central de Coraní.

Los gráficos 1-6 y 1-7 (páginas 14 y 15) muestran las adiciones de potencia y energía hasta 1990.

1.2.3 Transmisión

La única adición prevista al sistema de transmisión de ENDE es la interconexión entre los sistemas Oriental y Central, en 1985, obra que permitirá la operación coordinada del sistema termoeléctrico oriental y el sistema predominantemente hidroeléctrico del resto del país.

Las inversiones correspondientes a líneas de transmisión específicas a centrales, se incluyen en las inversiones de éstas.

Gráfico 1-6. Demanda de potencia y equipamiento

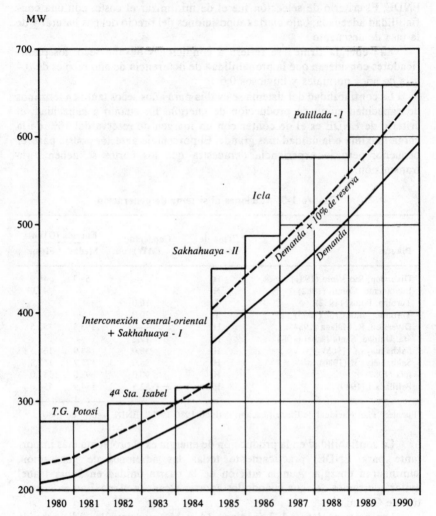

Fuente: "Plan Nacional de Electrificación, Período 1980–90", ENDE.

1.2.4 Subtransmisión

Se prevén solamente dos proyectos de subtransmisión. Ambos estarán con-
cluidos en 1986 y sus costos se muestran en el cuadro 1-4.

En 1983, las nuevas instalaciones de subtransmisión tendrán una carga
prevista del orden de 10 kVA con un factor de utilización del 50% aproximadamente. Un examen de otras subestaciones similares (de 6 kV a 69 kV
generalmente) revela un factor de utilización del 40% en promedio para el
sistema.

Gráfico 1-7. Demanda de energía y equipamiento

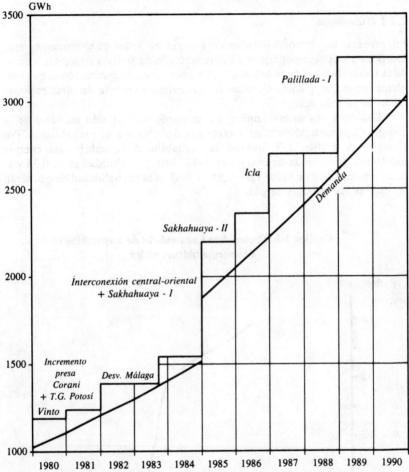

Fuente: "Plan Nacional de Electrificación, Período 1980–90", ENDE.

Cuadro 1-4. Proyectos de subtransmisión

	Proyecto		
	Coro-Coro	Talamayú	San Vicente
Voltaje (kV)	69	69	25
Longitud (km)	62	69	25
Subestación (MVA)	6,0	9,0	5,0
Inversión (US$ × 10⁶)	2,470	2,605	1,776
O & M (US$ × 10⁶)	0,049	0,052	0,036
Carga anticipada 1983 (MW)	4,24	6,7[a]	

[a]Promedio para los dos.

1.3 Balance entre generación y demanda

1.3.1 Hidrología

En general, las disponibilidades de energía en redes predominantemente hidroeléctricas como el sistema interconectado de Bolivia dependen mucho de la incertidumbre de la hidrología. En años secos, la generación debe complementarse con plantas térmicas o transfiriendo energía de otras regiones donde haya más agua.

Debido a esa incertidumbre, no se puede utilizar sólo un valor de la energía disponible; debe considerarse una distribución de probabilidad. Por ejemplo, el gráfico 1-8 muestra la probabilidad de cubrir con energía hidráulica la demanda de energía en 1988. Esta probabilidad es de 0,35 y el complemento de este valor $1,0 - 0,35 = 0,65$ es la probabilidad de que serán necesarias las turbinas de gas.

**Gráfico 1-8. Probabilidad acumulada de disponibilidad
de energía hidroeléctrica**

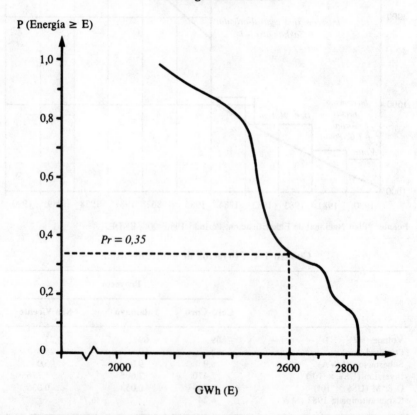

Fuente: Datos hidrológicos 1964–1973, sistema de 1988.

Un método simplificado consiste en considerar solamente dos eventos: año seco (que corresponde a energía firme) o año promedio. Este es el método que emplea ENDE en su planificación.[1]

Otro aspecto de importancia es el estacionamiento de las precipitaciones; en el período lluvioso (diciembre-abril) se embalsa hasta el 65% del agua.

Actualmente existe solamente un embalse (Coraní) de regulación anual e interanual (252 GWh). Las otras fuentes principales cuentan solamente con embalses de regulación diaria y semanal. En el futuro el aumento de la capacidad del embalse Coraní y la construcción de la central Icla permitirán disponer de una capacidad mayor que la actual.

1.3.2 Despacho de la generación

El balance entre generación y demanda se muestra en la tabla 2. Este balance se hace para los períodos seco y lluvioso; el período seco corresponde a siete meses (mayo a noviembre) y el lluvioso a cinco meses.

La tabla 2 muestra además al Sistema Oriental (Santa Cruz) aislado hasta 1984 inclusive, fecha hasta la cual la energía en dicho sistema será totalmente de origen térmico.

En las columnas "generación" y "año seco" las cifras más importantes son las de la energía hidroeléctrica. Cuando la energía hidráulica disponible no alcanza a cubrir la demanda se complementa con energía termoeléctrica. Puede observarse que, con excepción de 1983, no es necesario utilizar toda la energía termoeléctrica disponible; en dicho año (si fuera seco y no hubiera excedentes de agua en 1982) podría presentarse un déficit de energía que se muestra en la columna "energía" del balance.

El problema con este cálculo es el uso de una distribución probabilística binomial (con dos eventos, año seco y año normal) en vez de una distribución continua como la del gráfico 1-8. Este cálculo no representa bien ni los eventos como el tipo de año, ni los resultados como la necesidad de una planta nueva para mantener la confiabilidad.

Se observa en la tabla 2, que en el período lluvioso de varios años hidrológicos medios (o lluviosos) no se requiere ninguna generación térmica.

En los primeros años de la década de los ochenta, la capacidad de Coraní permitirá almacenar agua en la época lluviosa para consumo en la época seca reduciendo la probabilidad de déficit de energía en esta época; de aquí que, a diferencia de los sistemas con centrales de pasada, no existan diferencias estacionales en los costos marginales de la energía. Aun en los años secos, el riesgo de racionamiento se distribuye uniformemente en el año.

1.4 El valor del gas

Bolivia cuenta con yacimientos de gas relativamente grandes en el área de Santa Cruz.

---

[1]*Nota del editor*: Esta aproximación se ha revelado insuficiente para una buena asignación de los costos y el cálculo se ha efectuado de manera más exacta a continuación.

En la actualidad el aprovechamiento de los recursos gasíferos en Bolivia es muy limitado, ya que no existe un mercado doméstico. El consumo nacional se destina casi exclusivamente a la generación de energía eléctrica, y el único gasoducto para exportación a la Argentina no es susceptible de ampliación.

Ante la posibilidad de exportar gas a Brasil, el Banco Mundial estimó el costo de oportunidad del gas relacionándolo con el precio del barril de petróleo.*

El Banco Mundial estudió dos alternativas en función de la fecha de operación del gasoducto a construirse hacia el Brasil: 1986 (Alternativa 1) y 1991 (Alternativa 2).

La Alternativa 1 corresponde aproximadamente a US$20 por barril en 1981 y US$40 en 1986; la Alternativa 2 a US$18 en 1981 y US$40 en 1991. Después de 1991 se consideraron precios iguales.

Las estimaciones de costos de oportunidad fueron realizadas a principios de 1980, y en 1981, los valores de la Alternativa 2 parecían tan bajos que se han descartado aquí.

Cabe también observar que las proyecciones suponen incrementos sustanciales en los años de la fecha de puesta en operación del gasoducto al Brasil, 1986 o 1991. Según la clásica regla de Hotelling, mientras se pueda almacenar el gas, su valor en un año dado no podrá ser menor que el valor del año siguiente descontado a la fecha, menos los costos de almacenaje, de modo que no se justifican variaciones muy grandes del precio en valor presente, entre ahora y la comercialización.

Por lo anterior, se propone una tercera alternativa fundada en las siguientes premisas:

• Precio del petróleo en 1981 de US$35 por barril.

• Crecimiento del 5% anual de los precios reales del petróleo de 1981 a 1991.

• Almacenaje de gas por recuperación a costo despreciable.

• Crecimiento del costo de oportunidad, entre 1981 y 1986, con una tasa del 13% anual (tasa de descuento adoptada por el Banco Mundial para Bolivia).

Así, en 1986 el precio del petróleo sería $35 \times (1,05)^5 = 44,67$ US$/barril, y los otros valores anuales se muestran en el cuadro 1-5. Esta es la Alternativa 3.

---

*El equivalente calorífico de mil pies cúbicos de gas es $1,045 \times 10^6$ BTU$/5,659 \times 10^6 = 0,185$ barril de crudo. El costo de un gasoducto de 240 millones de pies cúbicos por día es de US$2,30 por mil pies cúbicos; el de la extracción y la operación de US$0,10. En 1986, el valor neto será entonces $0,185 \times 40 - 2,40 = $ US$5,0 en la frontera (o en Santa Cruz).

Cuadro 1-5. Costos de oportunidad del gas natural[a]
(US$ por mil pies cúbicos a boca de pozo)

Años	1980	1981	1982	1983	1984	1985	1986	1987	1988	1989	1990	1991
Alternativa 1	1,1	1,3	1,4	1,6	1,9	2,1	4,8	5,0	5,2	5,4	5,6	5,9
Alternativa 3	2,8	3,2	3,6	4,0	4,6	5,2	5,8	6,3	6,7	7,1	7,6	8,1

[a]Fuente: Ver el texto.
Para transporte a Santa Cruz, agregar US$0,2.
Para transporte a Sucre o Potosí, agregar US$0,3.

2. CALCULO DE LOS COSTOS MARGINALES DE ENDE

Esta sección presenta cuatro métodos de cálculo de los costos marginales y su aplicación al caso de ENDE:

- Costos incrementales de largo plazo. (CILP)
- Costo de la unidad marginal.
- Costo incremental promedio de largo plazo. (CIPLP)
- Costos marginales verdaderos.

2.1 Costos incrementales

Una primera forma de evaluar los costos marginales es el método de costos incrementales. Los problemas de este método son la especificación del incremento en la carga y la determinación de los efectos en las distintas categorías de gastos.

En cuanto al incremento de la carga, se decidió no diferenciarlo en el tiempo, sino más bien especificarlo como proporcional a la carga total en todas las horas del año y conservarlo constante para todos los años siguientes.

Se ha escogido un incremento negativo porque:

- Las tasas de crecimiento ya parecen altas.
- El aumento previsto en las tarifas bajaría la demanda.
- Será casi imposible adelantar los proyectos del plan, en el próximo quinquenio.

Esta reducción es de 20 MW en la hora de punta, y proporcional a la carga de 1980 en todas las otras horas. El incremento de la energía es 20 MW × 8.760 × 0,57 = 100.000 MWh o 100 GWh.

El próximo paso es la determinación de los cambios que se harían en el plan de expansión. Estos cambios pueden ser sustituciones de una planta por otra, cambios en la utilización del servicio de una o varias plantas, o cancelaciones de plantas. El criterio para optar por una u otra alternativa, es minimizar el valor presente del flujo de los costos conservando una buena confiabilidad del suministro.

ENDE determinó que dicho incremento permitiría la cancelación de la turbina de gas en Potosí, que va a ser puesta en servicio a fines de 1982.

La reducción de la carga y la cancelación de la turbina darían como resultado el balance de oferta y demanda, denominado Plan C* para distinguirlo del plan de base (Plan C), cuyo costo está resumido en la tabla 3 del anexo.

Se consideran dos categorías de variaciones de gastos en el cuadro 2-1: gastos de inversión y costos fijos de O & M relacionados con la decisión de instalar o no la turbina en Potosí, y gastos de operación relacionados con el suministro de energía (p.e. combustible).

Se puede considerar la primera categoría de gastos relacionada con la capacidad, como siempre ha sido con los costos contables. Es necesario anualizar estos valores. Se supone que la reducción de la carga comienza en 1982, y por lo tanto se actualizan al principio de 1982 (en millones de dólares).

$$\text{Valor actualizado} = 4,0 \times 1,13 + 4,0 + 0,08 \sum_{t=1}^{t=20} 1/(1,13)^t$$

$$= 2,13 \times 4,0 + 7,02 + 0,08 = 9,081$$

Luego, se anualiza este valor con el factor de recuperación

$\sum_{t=1}^{t=20} 1/(1,13)^t$ sobre la vida útil de veinte años a partir de 1983.[2]

$$0,13 \ (1,13)^{20} \ /[(1,13)^{20}-1] = 1/7,02 = 0,142$$

Anualidad $= 0,142 \times 2,13 \times 4,0 + 0,08 = 1,29$

El costo incremental de la capacidad se calcula como:

US$1,29 $\times$ 10^6/20.000 kW = 64,64/kW/año (o US$ 5,39/kW/mes)

Cuadro 2-1. Gastos relacionados con el incremento de la carga
Plan C*—Plan C
(Millones US$, alternativa 1)

Año	Inv. en generación	O & M fijo	Combustible O & M var.	Coeficiente de actualización
1981	−4,000			1,13
1982	−4,000		−0,959	1,00
1983		−0,08	−1,901	0,88
1984		−0,08	−1,155	0,78
1985		−0,08	−3,232	0,69
1986		−0,08	−6,799	0,61
1987		−0,08	−4,219	0,54
1988		−0,08	−7,338	0,48
1989		−0,08	−4,536	0,42
1990		−0,08	−5,083	0,38

[2]*Nota del editor*: Esta evaluación del costo depende a la vez de la fecha, lo que es normal, y del tamaño del incremento, lo que es de lamentar. En particular, una reducción alternativa de 16 MW en la carga hubiera resultado en el mismo plan C*, pero con un margen de reserva superior, traduciéndose en un costo mayor.

La otra categoría de costos incrementales en el cuadro 2-1 está relacionada con la reducción en los costos de combustible para 100 GWh de
energía. En valor presente, el CILP para 1982-90 es igual a: 19,547/4.800 =
US$0,041/kWh (41 mills).

Es necesario, a veces, considerar cambios en los gastos para la energía
antes de lanzarse al cálculo de los costos de potencia. Se supone un caso con
un incremento positivo, y que este incremento haga necesario adelantar una
planta hidroeléctrica, como Sakhahuaya. El costo de inversión para
Sakhahuaya es de US$1,235/kW, con un costo anual de adelantamiento
igual a: $0,13 (1,13)^{30}/[(1,13)^{30} - 1] = 13,341\%$ de este monto.

¿Es éste el costo adicional de capacidad? No, porque este adelantamiento
brinda ahorros de combustible sin relación con su costo.

Admitiendo que el adelanto de la cuarta unidad de Santa Isabel aumenta
muy poco la energía disponible, el costo de esta capacidad *de punta* es:

$$US\$3.000.000 \times 0,13341/18.000 \text{ kW} = US\$22,24 \text{ /kW/año.}$$

O, tomando en cuenta las indisponibilidades, *US$24 por kW efectivo.*

2.2 Costo de la unidad marginal

Otro procedimiento utilizado para los cálculos de costos marginales se funda
en la identificación en el plan de expansión de una unidad perfectamente
adaptada al incremento de carga considerado, y el costo de adelantar o
postergar esta unidad. Como el costo del adelantamiento es igual a la primera
anualidad, este proceso es similar al cálculo ya hecho para el costo adicional
de la capacidad, cuando éste involucra solamente una unidad. El cálculo para
un incremento en la punta al principio de 1983 es:

$$CUM = \frac{\dfrac{\text{Factor de recuperación}}{\text{del capital}} \times \dfrac{\text{Costo de la}}{\text{inversión}} + \dfrac{\text{Costos fijos}}{\text{O \& M}}}{\text{Capacidad de la unidad}}$$

$$= \frac{4,0 \times 2,13 \times 0,142 + 0,08}{16.500}$$

$$= \frac{1,293}{16.500} \text{ millones US\$ } o \text{ } US\$78,35/kW/año$$

Este costo, que corresponde a capacidad, es comparable al anterior costo
adicional, con la excepción de que se ha usado la capacidad efectiva de la
turbina en Potosí en vez del incremento de 20 MW. Si el cambio en el plan
de expansión debido al incremento de la carga hubiera sido más complicado,
estos dos cálculos también habrían sido diferentes.[3]

2.3 El CIPLP de la generación

El cálculo del costo incremental promedio se apoya solamente en el plan de
expansión, y no en una perturbación hipotética de la carga. Se agrupan los
datos en los cuadros 2-2 a 2-4.

---

[3] *Nota del editor*: Este último cálculo es más exacto porque el incremento de 16,5 MW permite
conservar el mismo nivel de confiabilidad. Para un suministro de base la unidad marginal
hubiera sido una planta hidroeléctrica y el CUM sería una mezcla de costos de capacidad y de
energía.

El cuadro 2-2, muestra el cálculo parcial para los gastos variables. Se calcularon las relaciones entre los gastos generalmente asociados a aumentos en la generación de energía (combustible y mantenimiento variable) y el aumento en la energía producida. Estas relaciones en la última columna no tienen mucho significado porque buena parte de la energía es producida por fuentes hidroeléctricas.

Cuadro 2-2. Cálculo del CIPLP de energía a nivel de generación
Condiciones del año promedio
(Alternativa 1)

Gastos en millones de dólares

Año	Combustible	O & M Var.	Total	Incrementos en los gastos desde 1980	Aumento en carga desde 1980 (GWh)	CILP de la energía[a] (mills/kWh)
1980	3,456	119	3,575	—	—	—
1981	4,645	160	4,805	1,203	130,2	9,45
1982	5,767	183	5,950	2,375	256,3	9,26
1983	7,554	274	7,828	4,553	408,9	11,13
1984	10,256	265	10,521	6,946	568,6	12,21
1985	8,923	278	9,201	5,626	742,2	7,58
1986	19,096	274	19,370	15,795	913,8	17,28
1987	9,524	131	9,655	6,080	1.095,0	5,55
1988	19,814	263	20,077	16,502	1.290,2	12,79
1989	8,530	109	8,639	5,064	1.501,9	3,37
1990	16,410	203	16,613	13,038	1.730,7	7,53

[a]1 mill = US$1/1.000 = US.ct. 0,1
Fuente: "Plan Nacional de Electrificación, 1980-1990", ENDE, agosto de 1980.

Cuadro 2-3. Cálculo del CIPLP de capacidad a nivel de generación

Gastos en millones de dólares

Año	Inversión[a] TG	Inversión[a] Hidro	Anualidad[b]	Acumulativo	O & M fijo	Total acum.	Aumento potencia desde 1980 (MW)
1980		6,422	0,857	0,857		0,857	—
1981	4,000	16,818	2,813	3,670		3,670	26,3
1982	4,000	31,967	4,834	8,504		8,504	51,8
1983	4,000	64,634	9,192	17,696	0,080	17,776	81,4
1984	4,000	45,079	6,014	23,710	0,152	23,862	107,0
1985	—	43,755	5,837	29,547	0,296	29,843	141,4
1986	—	49,168	6,559	36,106	0,440	36,546	175,6
1987	—	46,047	6,143	42,249	0,800	43,049	211,0
1988	—	23,696	3,161	45,410	0,800	46,210	249,0
1989	—	5,612	749	46,159	1,130	47,289	290,6
1990	—	—	—	46,159	1,130	47,289	335,3

[a]Incluye la transmisión con una adición de generación, pero no la interconexión.
[b]Calculado con una tasa de descuento de 13%, una vida de veinte años para las turbinas de gas, y una vida de treinta años para las plantas hidroeléctricas.

Los datos relacionados a gastos fijos se presentan en el cuadro 2-3. Las inversiones se anualizaron al principio del cálculo para tomar en cuenta la vida útil de las varias plantas. El total en la penúltima columna es el numerador, y la última columna contiene el denominador para el cálculo del CIPLP parcial. Pero como los cálculos para la energía salieron bajos, estos cálculos salen altos. Por ejemplo, el gasto de US$47.289/335,3 = US$141/kW procura mucha energía además de la capacidad.

Los únicos valores de interés son los totales presentados en el cuadro 2-4. La quinta columna muestra el costo incremental total entre 1980 y el año de la línea escogida. Para la década, es igual a 382/8,638 = 44,2 mills/kWh.

Por analogía con otros estimados del costo marginal que permiten cubrir en valor presente el costo del incremento de demanda con los ingresos de venta, se calcula generalmente el CIPLP actualizado. El costo del incremento y el acumulativo de demanda correspondiente se encuentran en la sexta y séptima columnas. Para la década 1980, es igual a 172/3,750 = *45,9 mills/kWh*.[4]

Cuadro 2-4. Cálculo del CIPLP total a nivel de generación
En condiciones de año promedio
(Alternativa 1)

Año	Gastos incrementales (US$ × 10⁶) Invers. Acumul. Anualiz.	Combust. O & Mª	Total	Aumento carga desde 1980 (GWh)	Razón (mills/ kWh)	Actualizado[b] (US$10⁶)	(GWh)
1980	0,857	—	0,857	—	—	0,857	—
1981	3,670	1,230	4,900	130	37,6	4,336	115,2
1982	8,504	2,375	10,879	256	42,4	8,520	200,7
1983	7,696	4,633	22,329	409	54,6	15,475	283,4
1984	23,710	7,098	30,808	569	54,2	18,895	348,7
1985	29,547	5,922	35,469	742	47,7	19,251	402,8
1986	36,106	16,235	52,341	914	53,3	25,140	438,9
1987	42,249	6,880	49,129	1,095	44,9	20,882	465,4
1988	45,410	17,302	62,712	1,290	48,6	23,590	485,3
1989	46,159	6,194	52,353	1,502	34,9	17,428	500,0
1990	46,159	14,168	60,327	1,731	34,8	17,772	509,8
Total			382,104	8,638		172,146	3,750,2

[a]Incluye costos fijos de O & M.
[b]Actualizado al 13% al final de 1980.
Promedio = 382,104/8,638 = 44,2 mills/kWh.
Promedio actualizado = 172,146/3,750 = 45,9 mills/kWh.

2.4 Costo marginal verdadero

La determinación del costo marginal verdadero de energía no es complicada. Se utiliza aquí un valor esperado estadístico, calculado así:

---

[4]*Nota del editor*: El CIPLP actualizado es tanto mayor cuanto más largo es el plazo para que las instalaciones nuevas funcionen a plena capacidad.

cm(t) = c(t) × Ph(t) fórmula en la cual

cm(t) = costo marginal de la energía en la época t, por kWh;

c(t) = costo incremental de combustible de la turbina de gas en la época t, por kWh;

Ph(t) = probabilidad de que se necesiten las turbinas de gas en la época t;

Según la tabla A-3, hay períodos—las épocas lluviosas en años lluviosos— en los cuales no se necesitarán las turbinas de gas; estos años son 1982, 1987, 1989 y 1990. ENDE estima su probabilidad de ocurrencia en un 60% para propósitos de planificación.

En el año 1985 todos los valores cm(t) para una alternativa son iguales al costo de la TG en ambas épocas: 32,7 mills/kWh, o sea, el costo del combustible en el cuadro 1-5 por la eficiencia 14.000 BTU/kWh más 0,6 mills para O & M.[5]

El año 1987 de costos variables es el más interesante. La probabilidad es de 0,4 que se necesite la T.G. en la época lluviosa y 1,0 para la época seca. Los valores esperados estadísticos del costo marginal son 28,6 mills por kWh en la época lluviosa y 71,6 en la época seca. Para todo año el costo esperado estadístico es 28,6 × 5/12 + 71,6 × 7/12 = 53,7 mills por kWh, con la Alternativa 1.

El gráfico 2-1 presenta estos resultados año por año.

Gráfico 2-1. Costo marginal de energía a nivel de generación

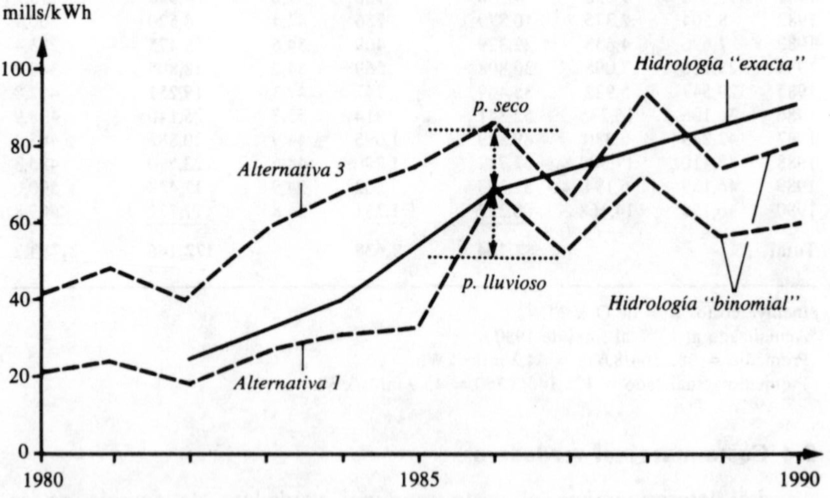

---

[5]*Nota del editor*: Con todo rigor, no deben incluirse aquí los costos de arranque o de marcha al mínimo técnico de las unidades; al nivel del despacho efectuado en la actualidad, estos costos se reflejan en el aumento del tiempo durante el cual dichas unidades suministran el kWh adicional.

El sistema del Oriente es alimentado exclusivamente por turbinas de gas, y por eso el costo es simplemente el de la turbina de gas (menos aproximadamente 1,0 mill por kWh por la diferencia del precio entre Santa Cruz y Potosí). Después de 1985, los costos en Santa Cruz serán iguales a los del sistema interconectado.

Una forma más exacta de calcular las probabilidades es la agrupación de los datos hidrológicos anuales para todas las cuencas, determinando la energía que se obtendría con cada año de equipamiento y comparándola con las demandas previstas para determinar la probabilidad, en cada año, de que se necesiten las turbinas de gas.[6]

2.4 *bis* Addenda del editor: Cálculo de las probabilidades de racionamiento y de utilización de la TG

a) *Distribución de la hidrología*

Primero, se analizaron las series históricas de escurrimientos hidrológicos para las temporadas lluviosas y secas desde 1957–58 hasta 1980–81.

Para cada una, se construyó una curva de probabilidad acumulativa como la del gráfico 1-8. Se nota una fuerte dispersión para plantas como Coraní e Icla: el 7% de la energía "firme" para cada decil de probabilidad entre el 10 y 90%. Para las plantas de pasada, esta dispersión cae a 2% y a 0 para Palillada en su primera etapa.

b) *Despacho de la energía*

Se ha calculado en la tabla A-4 el balance estacional antes de la regulación por los embalses, para los deciles inferior (10%) y superior (90%) de la probabilidad acumulada. La regulación tiende a igualar el saldo de potencias térmicas solicitadas bajo la restricción de que la transferencia de una época a la otra, se limita a 400 GWh para la central de Coraní y 100 GWh para la de Icla.

---

[6]*Nota del editor*: Aquí, la distribución binomial es demasiado aproximativa. Por ejemplo, en 1984, resulta en que se requiere la turbina de gas en año lluvioso aun cuando esta contribución en el sistema interconectado es despreciable (0,8 y 0,9 GWh) para un año que más bien se puede calificar de promedio.

Al contrario, en 1990, determina que no se necesita la TG en el período lluvioso para un año promedio cuando la contribución hidráulica supera las necesidades en energía sólo en un 7%.

Además, aunque los riesgos de racionamiento por energía parezcan concentrarse en el período seco, según surge de los márgenes cercanos a cero de 1988 y 1990, no es posible evaluar el peso relativo de estos riesgos en las decisiones de expansión.

En otras palabras, aun si el analista debe admitir el criterio de confiabilidad (aquí bastante bajo y sencillo) empleado por el planificador, y aun si en definitiva la tarifa será muy simplificada, el análisis de costos tiene que ser un reflejo fiel de las condiciones de suministro si es que va a servir para mejorar la adopción de decisiones.

A continuación se detalla un cálculo más exacto y sus implicaciones para los años pares.

Mientras no interfiera esta limitación, la energía térmica restante tendrá una distribución parecida a la hidráulica anual, y más concentrada en la temporada seca o más dispersa en la temporada de lluvia si los aportes saturan los embalses.

Para nuestro propósito, es suficiente considerar una distribución uniforme entre el 10 y el 90% de probabilidad acumulada (deciles inferior y superior).

c) Ejemplo de cálculo

En el año 1982, el sistema interconectado (sin Santa Cruz) tiene los saldos siguientes antes de la regulación:

Estación lluviosa: (624−109)   −385   −560 = −430
                     Demanda   −Plantas de   −Aportes
                     sistema   COBEE   Coraní

Estación seca: (941−160)   −460   − 80 = 241

La nivelación perfecta de la potencia térmica implicaría una transferencia de $[5 \times 241 - 7 \times (-430)]/12 = 351$ GWh con una probabilidad del 90% de ser inferior.

Para el decil inferior (muy seco), tenemos saldos de:

515 −330 −285 = −100 en la estación lluviosa
781 −395 − 30 = 386 en la estación seca y una transferencia
de 207 GWh con una probabilidad del 10% de ser inferior.

Ambas transferencias son posibles con el embalse ampliado de Coraní; y los saldos están con una probabilidad del 80% entre:

• −79 (muy húmedo) y 107 GWh (muy seco) para la estación de lluvia.

• −110 (muy húmedo) y 149 GWh (muy seco) para la estación seca.

Por interpolación lineal, se determina que la probabilidad para que se solicite la TG es del $10\% + 80\% \times 79/(107 + 79) = 45\%$ para un mes lluvioso y la misma cifra para un mes seco.

Tomando en cuenta las indisponibilidades forzadas y planeadas, la energía térmica disponible es de 70 y 100 GWh, respectivamente, en cada estación.

La probabilidad de racionamiento es entonces para la estación lluviosa: $10\% + 80\% \times (107 - 70)/(107 + 79) = 25\%$ y una cifra igual para la estación seca.

d) Costos marginales de energía

Se calculan en mills/kWh para las dos alternativas seleccionadas en función de las probabilidades obtenidas:

Cuadro 2-5. Costos marginales de generación
(mills/kWh)

Año	Estación	Probab.	Alt. 1	Alt. 3
1982	Lluviosa	45%	10,5	23,7
	Seca	45%	10,5	23,7
	Promedio	—	10,5	23,7
1984	Lluviosa	50%	15,0	33,0
	Seca	70%	21,1	46,2
	Promedio	—	18,6	40,7
1986	Lluviosa	60%	41,3	50,0
	Seca	100%	68,9	83,3
	Promedio	—	57,4	69,4
1988	Lluviosa	60%	44,6	56,5
	Seca	100%	74,3	94,2
	Promedio	—	61,9	78,5
1990	Lluviosa	60%	47,8	64,1
	Seca	100%	79,6	106,8
	Promedio	—	66,3	89,0

e) Asignación de los costos de capacidad

El costo de capacidad que fue estimado en US$78,35/kW anualmente (6,53 US$/mes) corresponde a una turbina de gas que ampara a la vez contra la escasez de agua y la de potencia.

El costo de garantía en la punta que corresponde a un sobreequipamiento hidráulico fue estimado en US$24 por kW efectivo (US$2/mes). La diferencia representa el costo consentido para evitar escasez de energía y debe asignarse entre las dos estaciones en función de las probabilidades de racionamiento, si se acepta que el kWh cortado tiene un valor constante. Esta probabilidad es variable y se podría pensar en un promedio ponderado según el uso que se quiera hacer de esta asignación.

Aquí, para una tarifa y una planificación que comenzará a tener su efecto después de 1986, se nota que todo el riesgo, y todo el costo de US$54,4/kW, se asigna a los $7 \times 730 = 5.110$ horas de la estación seca. Asumiendo un factor de carga igual al promedio anual de 57%, esto resulta en un sobrecargo promedio de 18,8 mills/kWh.

f) Comparación con los métodos incrementales

Se recalca aquí, para la Alternativa 1, el costo anual promedio de energía calculado con los métodos incremental y marginal en mills/kWh. Como el costo marginal calculado con la aproximación binomial, el costo incremental padece de variaciones erráticas, debido a que se calcula para una hidrología que no representa toda la gama de contingencias. En promedio actualizado, tenemos una mejor coherencia:

90,3/2,57 = 35,15 mills/kWh para ambos métodos.

Años	Costo incremental	Coeficiente de actualización	Costo marginal
1982	9,6	0,78	10,5
1984	11,6	0,61	18,6
1986	68,0	0,48	57,4
1988	73,4	0,38	61,9
1990	50,8	0,30	66,3

Para comparar con el CIPLP, es necesario agregar el costo de capacidad y calcular el costo de servicio para una demanda con el mismo factor de carga que el consumo nacional (57%). Con el incremento de 20 MW, se estimó este costo en 1,293 millones anuales, o sea, 12,9 mills/kWh.

Con el método de análisis marginal más exacto, el suplemento es:

$(7/12) \times 18,8 = 11$ por la garantía de energía,
$24/(0,57 \times 8,760) = 4,8$ por la garantía en la punta,
o sea un total de 15,8 mills/kWh.

En resumen, tenemos:

35,15 + 15,8 = 51 mills/kWh para el CM
35,15 + 12,9 = 48,05 mills/kWh para el CILP
comparado con 45,9 para el CIPLP.

El CIPLP es más bajo porque corresponde a una proporción de energía hidroeléctrica mayor que la registrada para un suministro marginal durante la década.

El hecho que el CM se acerque al CIPLP indica que la estructura del parque generador se va adaptando a la evolución del precio de gas en esta Alternativa.

Por otra parte, ya notamos que el CILP subestima el costo de capacidad, y por lo tanto, el costo marginal, porque corresponde a una confiabilidad menor.

g) Variación estacional de los costos y evaluación de proyectos

A continuación se estima el valor neto del proyecto hidráulico de Misicuní 1 y 2, utilizando los costos marginales calculados anteriormente para 1990. Como se trata de dar un ejemplo sencillo de cálculo, se efectúa esta estimación solamente para un año; en la actualidad, el valor neto se calcularía como la suma actualizada de estos balances anuales a lo largo de la vida útil de la planta.

i) *Características del proyecto*

Potencia máxima: 100 MW, efectiva en la punta 95 MW

Potencia garantizada: en el período seco 238.400 MWh/5.110 h = 53 MW
en el período lluvioso 133.100 MWh/3.650 h = 37 MW

Energía promedio: período seco 281,9, período lluvioso 178,1 GWh

ii) *Costo de inversión*: US$182,3 millones, anualidad US$23,7 millones.

iii) *Beneficio anual* (en miles de US$).

		Alternativa 1		Alternativa 3
Energía período seco:		$281,9 \times 79,6$ =	22.368	$\times 106,8$ = 30.011
Energía período lluvioso:		$178,1 \times 47,8$ =	8.513	$\times 64,1$ = 11.416
			30.881	41.427
Garantía de energía				
período seco:	$53\,\text{MW} \times 54,4$	=	2.883	= 2.883
Garantía de energía				
período lluvioso:	$37\,\text{MW} \times 0$	=	0	= 0
Valor suplementario en la punta				
período seco:	$95\,\text{MW} \times 2\$ \times 7$	=	1.330	= 1.330
período lluvioso:	$95\,\text{MW} \times 2\$ \times 5$	=	950	= 950
Total			**36.044**	**46.590**

A este total se agregan en principio los ahorros procurados por la alta flexibilidad operativa de las plantas hidroeléctricas (seguimiento de la carga, arranque instantáneo), que permiten un margen de reserva menor. Sin embargo, estas ventajas cinéticas son relativamente pequeñas frente a un parque generador compuesto de unidades hidráulicas y de turbinas de gas, como es el caso aquí.

El valor neto para el solo año 1990 es entonces:

$36,044 - 23,7$ = US$12,34 millones (Alternativa 1)

$46,590 - 23,7$ = US$22,89 millones (Alternativa 3)

O sea, entre el 50 y el 100% del monto invertido.

El grueso de este beneficio corresponde a la sustitución de combustible fósil. Un cálculo con valores constantes todo el año, subestimaría el beneficio del 10% mínimo. Aunque este sesgo no ponga en tela de duda la decisión de construir la obra, influye en su diseño; en particular, puede conducir a un factor de planta menor que lo económicamente deseable.

Nótese que esta técnica de evaluación se aplica para cualquier decisión grande o pequeña, siempre y cuando esta decisión no afecte demasiado el sistema de costos marginales utilizados.

2.5 Costo incremental promedio de largo plazo para la red

2.5.1 Transmisión

Aun en los sistemas de los países industrializados no siempre es posible relacionar los gastos de transmisión con los incrementos de carga que los causan.

La excepción está constituida por las inversiones que se hacen para una nueva planta que normalmente se incluyen en las de la planta propia.

Otro problema con la transmisión es la indivisibilidad de las inversiones. En el caso de ENDE, la única inversión prevista para la transmisión es la interconexión entre la red del Oriente y el resto del sistema. Esta inversión es aproximadamente de US$35 millones y servirá al crecimiento de la carga hasta por lo menos 1990.

Para estimar el costo marginal con los datos disponibles, la manera más sencilla es calcular el CIPLP. Se muestra este cálculo en el cuadro 2-6 relacionado con las cargas previstas al nivel de la generación.

En este caso el resultado con valores actualizados es una estimación mejor que la otra, y por lo tanto se lo usa en todos los cálculos posteriores.

Cuadro 2-6. Cálculo del CIPLP de transmisión

Año	Gastos (Millones US$)*			Incremento desde 1980 (MW)
	Inversiones	Anualidad	Acumul.	
1981	0,306	0,041	0,041	26,3
1982	12,972	1,731	1,771	51,8
1983	15,157	2,022	3,793	81,4
1984	7,485	0,999	4,792	107,0
1985			4,792	141,1
1986			4,792	175,6
1987			4,792	211,0
1988			4,792	249,0
1989			4,792	290,6
1990			4,792	335,3

*Actualizados con una tasa del 13% y una vida de 30 años.
CIPLP = 4,792/335,3 = US$14,9/kW/año
CIPLP Actualizado = 18.740/725 = *US$25,82/kW/año (o $2,15/mes)*.

2.5.2 Subtransmisión

La red de subtransmisión o mediana tensión es aquella con voltajes de 69 kV e inferiores, menos las líneas que están conectadas directamente a la generación y de bajo voltaje. Existen en el Sistema Central y en el Sistema Oriental líneas de 69 kV que se pueden considerar de transmisión.

Como en el caso de la transmisión, es más lógico calcular el CILP en vez de un costo marginal. En el caso de la subtransmisión, hay solamente tres proyectos previstos que se pueden utilizar para la estimación del CILP. Se han descrito estos proyectos en el cuadro 1-4. Se supone que la líneas y la transformación para servir al cliente son propiedad de ENDE.

Una diferencia entre el análisis de subtransmisión y transmisión es el uso de las cargas de los clientes en vez de las cargas del sistema de generación.

Al comenzar este análisis, se supuso que los costos de los proyectos eran representativos de los costos en todo el sistema de ENDE.

De los datos del cuadro 1-4, se puede calcular el costo anual por kilovatio así:

$$CILP = \frac{(\text{Inversión total}) \times (\text{Factor de recuperación del capital}) + O\,\&\,M}{\text{Crecimiento de la demanda}}$$

$$= \frac{(US\$6.852,6 \times 10^3) \times (0,13341) + (US\$137 \times 10^3)}{11.070 \text{ kW (valor de 1985)}} = US\$94,95/kW \text{ por año}$$

Para comparar, se puede calcular una cifra representativa del sistema existente como el costo promedio por kilovatio de reemplazar todas las líneas y subestaciones con precios actuales.

74 km de línea de 69 kV a US\$35.000	= 2.590.000
200 km de línea de 25 kV a US\$12.000	= 2.400.000
23 MVA de subestaciones a US\$60/kVA	= 1.380.000
	6.370.000
Costo anual, 30 años, 13%	849.822
O & M 2% de la inversión	127.400
Costo total anual	977.222

Para una carga actual de 10.000 kW, tenemos:

Costo de reemplazo = 977.222/10.000
= US\$ 97,72/kW por año o *US\$8,14/kW por mes*

Este valor parece alto, pero se debe al hecho que hay cerca de un 50% de exceso de capacidad en las subestaciones de subtransmisión, mucho de ello debido a consideraciones de confiabilidad.

2.5.3 *Bajo voltaje*

ENDE vende sólo el 1% de su energía a clientes de bajo voltaje: 220 V monofásicos o 380 V trifásicos.

Estos clientes generalmente instalan sus líneas, y el único costo que paga ENDE es el de transformador, fusibles, instalación, etc. Varios de estos clientes han comprado sus transformadores, pero como se indica posteriormente, deben ser considerados clientes de mediana tensión (subtransmisión).

Se estima el costo del equipo o instalación aproximadamente en US\$33,60 por kVA. Con una vida útil de treinta años y una tasa de descuento del 13%, esto da un costo de US\$4,48 por año o US\$0,37 kW/mes. Hay unos 1.415 kVA de capacidad sirviendo una carga total (no diversificada) de 1.100 kW; por lo tanto el costo de servir un kW es de 0,37 × 1.415/1.100 = *US\$ 0,48 kW/mes.*

2.6 Pérdidas

Conviene multiplicar las estimaciones de los costos marginales por los factores que tomen en cuenta las pérdidas. Estos factores deben reflejar las pérdidas marginales.[7]

Las pérdidas marginales siempre son superiores al promedio.

En el caso de ENDE, es especialmente difícil determinar aún los valores promedios por las siguientes razones:

- Los datos históricos no representan el presente ni el futuro.

- Todavía no existen medidores en varias partes del sistema.

- Las mediciones mensuales que existen no son siempre confiables por no ser hechas simultáneamente.

- Varios medidores han sufrido averías en los últimos meses.

La mejor estimación de pérdidas promedio de energía se apoya en los datos del sistema interconectado en 1979 y es del 3,6%.

El único estudio que tiene ENDE estima el promedio de pérdidas en la hora de punta, aproximadamente en un 4,7%. Desafortunadamente no hay estimaciones para varios niveles de voltaje.

Por falta de cifras más exactas, se han desarrollado los valores que se muestran en el cuadro 2-7. Se indica el porcentaje entre pérdidas y flujo entrante en cada parte de la red, para la energía anual y la potencia en la punta. Entre paréntesis, se calcula la tasa de pérdidas acumulada a partir del nivel de generación.

Cuadro 2-7. Tasas de pérdidas

Concepto	Potencia		Energía anual	
	%	Acum.	%	Acum.
Transmisión	2,5	(2,5)	1,5	(1,5)
Subtransmisión	2,9	(5,5)	2,9	(4,5)
Bajo Voltaje	3,3	(9,0)	6,4	(8,0)

[7]*Nota del editor*: Las pérdidas marginales corresponden a un verdadero aumento de los costos de operación y racionamiento cuando la capacidad de la red está fijada. A largo plazo, la expansión de la red compensa este aumento en gran parte, y por lo tanto, si se incluye el costo de inversión en el costo marginal, se debe agregar sólo una fracción de las pérdidas marginales (ver Albouy, Yves, *Análisis de Costos Marginales y Diseño de Tarifas de Electricidad y Agua, Notas de Metodología*, BID, 1983, Capítulo V, para. 1.4).

Cuando la red funciona a plena capacidad, esta fracción es aproximadamente ½ y la tasa aplicable se acerca a la tasa de pérdidas promedio en estas horas de punta de la red, aquí un 4,7%. Fuera de la punta, la fracción disminuye con el factor de carga de la red. Aquí la relación de 4 a 3 entre las pérdidas promedio en la punta y en el resto del año indica un factor de carga mayor de 75%, y entonces, la tasa aplicable se acerca a 4,5% a nivel de subtransmisión.

Debido a la insuficiencia de los datos disponibles y a que en la punta probablemente se subestiman las indisponibilidades y, por ende, el costo del kW *efectivo* de la TG, se pueden aceptar cifras coincidentes con las del cuadro 2-7.

2.7 Cálculo de los costos marginales en cada nivel de voltaje

Una evaluación de los cálculos efectuados en este capítulo revela desventajas para todos los métodos. La opinión del autor es de que el costo marginal verdadero es el mejor indicador del costo de energía, a pesar del método muy aproximado de determinar las probabilidades de que se necesite la turbina de gas.

El cálculo del costo incremental padece las desventajas de fundarse en valores esperados, en vez de distribuciones probabilísticas, y la de partir de un valor arbitrario del incremento. Por eso se prefiere el costo de la unidad marginal.

En cambio, los únicos métodos aplicables aquí para transmisión, subtransmisión y bajo voltaje, son aquellos fundados en el costo promedio incremental.

Se han calculado los costos para ENDE, en los cuadros 2-8 y 2-9 para varios niveles de voltaje.[8]

2.7.1 Costos de energía

El cálculo del costo marginal de energía para cada nivel de voltaje se efectúa multiplicando el costo marginal al nivel de la generación por el factor de transmisión, incluyendo las pérdidas acumuladas hasta dicho nivel.

Cuadro 2-8. Costos marginales de energía
(Mills/kWh)

Nivel		Generación	Transmisión	Subtransmisión	Bajo voltaje
1984	Alt. 1	18,6	18,9	19,4	20,1
	Alt. 3	40,7	41,3	42,5	44,0
1986	Alt. 1	57,4	58,3	60,0	62,0
	Alt. 3	69,4	70,4	72,5	75,0
1988	Alt. 1	61,9	62,8	64,7	66,8
	Alt. 3	78,5	79,7	82,0	84,8
1990	Alt. 1	66,3	67,3	69,3	71,6
	Alt. 3	89,0	90,3	93,0	96,1

Estación seca (mayo-noviembre inc.) + 20%.
Estación lluviosa (diciembre-abril inc.) −25%.

2.7.2 Costos de potencia

El cálculo de los costos de potencia se efectúa de manera semejante. Al nivel de la generación, se puede usar el costo de la unidad marginal, US$6,53/ kW/mes.

---

[8]*Nota del editor*: En el cuadro 2-8 se han sustituido los costos de energía calculados con la distribución binomial por aquellos obtenidos en 2.4 bis.

Al valor de US$6,53 se suma el CIPLP de transmisión, también fundado en la carga al nivel de la generación. Después se multiplican ambos por el factor de transmisión incluyendo las pérdidas de potencia 1,025.

El resultado, US$8,90/kW/mes, está relacionado con el valor máximo del consumo en el sistema de generación, pero no con el consumo máximo de cada cliente. Es necesario en el caso general, considerar la diversidad entre los clientes de alto voltaje. Resulta que para los clientes de ENDE esta diversidad es baja (2%), porque los dos clientes más grandes (COMIBOL Central y ELFECSA que juntos tienen casi 60 MW) tienen sus consumos máximos a la misma hora. La mayoría de los otros clientes tienen niveles de consumo cerca de sus máximos a esa misma hora. Se multiplica por 0,98 y se encuentra el valor de US$8,72/kW/ mes.

Otro "cliente" del sistema de transmisión es el grupo de clientes de subtransmisión. Se multiplica el costo de transmisión por el factor de pérdidas, 1,029 y por el factor de coincidencia (que se estima en 0,8), y al final se suma el CIP de subtransmisión, US$8,14/kW/mes. Se sumó el CIP como último paso porque este CIP fue calculado según el consumo de los clientes en cada transformador (demanda no coincidente), en vez de hacerlo de acuerdo al consumo total.[9]

Se ha estimado el factor por dos medios:

- Calculando el factor de coincidencia de una muestra de ocho clientes con datos de consumo (de un total de 23), que da un valor de 0,793, y

- Calculando la razón entre el consumo máximo de todos los clientes de subtransmisión y la suma de los máximos individuales de facturación, que da un valor de 0,804.

La razón entre la punta nacional y esta suma es entonces $0,804 \times 0,98 = 0,79$.

Cuadro 2-9. Costos marginales de potencia
(US$/kW/mes)

Nivel Concepto	Generación	Transmisión	Subtrans.	Bajo voltaje
Generación	2,0	2,05	2,11	2,18
Transmisión	—	2,20	2,27	2,34
Subtrans.	—	—	8,14	8,41
Bajo voltaje	—	—	—	0,48

Suplemento (para garantía de energía de mayo a noviembre inclusive).

	7,8	8,0	8,2	8,5

[9]*Nota del editor*: En general conviene mantener separado el cálculo del costo marginal para 1 kW "permanente" en cada nivel y el del costo de servicio que involucra factores de responsabilidad propios de cada categoría de cliente. Así podría existir en bajo voltaje un cliente industrial con el 100% de coincidencia y de responsabilidad en la punta del sistema.

Además, de los US$6,53/kW, sólo US$2 se relacionan a un costo de capacidad en la punta; el resto, US$54,4/kW/año corresponden a una garantía de energía durante siete meses para la cual las posibilidades de diversidad se consideran muy pequeñas.

El cuadro 2-9 se ha revisado a este efecto.

2.7 *bis* Addenda del editor: Costos de servicio

Si la clientela en cada nivel de voltaje, incluyendo la demanda para el nivel inferior, es homogénea, se tienen los siguientes costos de capacidad (entre paréntesis se indica el suplemento de la estación seca):

- clientes de transmisión: $(2,05 + 2,20) \times 0,98 = \$4,16/kW/mes$ (− $8)
- subtransmisión: $(2,11 + 2,27) \times 0,79 + 8,14 = 11,6$ (+ $8,2)

Se puede terminar el cálculo del costo de servicio si se conoce el factor de carga en cada estación. En el caso de CRE, es el de la carga total $(0,57 \times 730 = 416$ h/mes) y se obtiene en promedio todo el año un costo por capacidad de $\$4,16 + \$8 \times 7/12 = \$8,80$. El costo total se calcula así:

- en 1982, Alternativa 1: $10,65 + 8,80/0,416 = 33,9$ mills/kWh
  Alternativa 3: $24,0 + 8,80/0,416 = \underline{45,2 \text{ mills/kWh en promedio}}$

- en 1986, Alternativa 3, mes lluvioso: $53 + 4,16/0,416 = 63$
  mes seco: $84,5 + 12,16/0,416 = 113,7$
  en promedio: $70,4 + 8,80/0,416 = \underline{91 \text{ mills/kWh}}$

Para un cliente como Cerro Grande o COBOCE, que tiene un factor de carga de 0,8 o más, el último costo promedio calculado arriba se reduce a:

$$70,4 + 8,80/(0,730 \times 0,8) = 86,5 \text{ mills/kWh}$$

Estos cálculos sirven como base para el diseño de la tarifa en la próxima sección.

3. DETERMINACION DE LAS TARIFAS PARA ENDE

3.1 El objetivo tarifario

Hay varios criterios que deben observarse en el diseño de la tarifa, prescindiendo del tipo de la tarifa propuesta. A veces éstos están en conflicto, y por eso es preciso entenderlos para poder resolver los conflictos. Los criterios son:

- Equidad
- Eficiencia económica
- Continuidad histórica
- Cubrir los costos financieros
- Factibilidad
- Comprensibilidad

La equidad es lo más difícil de evaluar por ser un concepto subjetivo, pero se pueden hacer dos observaciones.

Primera, en un sentido estricto la estructura de tarifas más justa es la que requiere que todos los clientes paguen el mismo precio por el mismo servicio.

Segunda, en un sentido más amplio, la estructura más justa para los ciudadanos de Bolivia es la que utilice más eficientemente los recursos limitados del país. Ya se sabe que los precios que impulsan la eficiencia son los precios iguales a los costos marginales.

Vale la pena notar que el nivel de los precios es tan importante como la estructura para influir sobre los clientes, y por lo tanto es necesario ajustar los requisitos de ingresos de manera que se racionalicen con los costos marginales.

Hay un conflicto potencial entre esta meta y la continuidad histórica. Por ejemplo, las tarifas actuales no son uniformes para un mismo servicio, pero una estructura justa deberá tener uniformidad entre clientes con el mismo servicio. También las tarifas actuales son muy distintas de los costos marginales, y se requieren cambios significativos. Aunque es necesario cambiar la estructura y los niveles, se sugiere que los cambios sean lentos.

La necesidad de cubrir los costos financieros depende de la definición de los costos.

En Bolivia, el Código de Electricidad permite una tasa contable de rendimiento sobre activos del 9%. Una tasa de actualización del 13% ha sido utilizada para la planificación del sistema de ENDE, y también para los cálculos de gastos marginales.

Esta tasa es muy importante y será necesario cambiar las tarifas con un ritmo aceptable. También es necesario explicar bien las razones del cambio en las tarifas.

Las estructuras tarifarias deben ser comprensibles o no cumplirán su función de guiar a los consumidores; por eso no se recomiendan estructuras complicadas. Las que se presentan en este documento son muy similares a las actuales.

Otro aspecto que requiere atención es el grado en el cual se debe reflejar el precio internacional del petróleo en las tarifas eléctricas. Sería casi imposible aumentar las tarifas dentro de uno o dos años al nivel de la Alternativa 3. Por tanto, se sugiere un objetivo de elevar las tarifas al nivel de la Alternativa 1 en el año 1986, y en esta fecha decidir los otros ajustes que sean necesarios.

Es preciso destacar la necesidad de elaborar tarifas con niveles cercanos a los costos marginales. Los consumidores, especialmente los grandes que se consideran aquí, responden a niveles, y por tanto, los niveles tienen que ser correctos.

3.2 Las tarifas vigentes para clientes de alta tensión

Hay seis clientes de ENDE con servicio del Sistema Central de 115 ó 69 kV: ELFECSA, COMIBOL (Central), COBOCE, YPFB, ENAF, y CERRO GRANDE. Se puede decir que el servicio de CRE es también de un voltaje de transmisión actualmente, puesto que las líneas están conectadas directamente a las subestaciones de generación.

Por varias razones históricas, las tarifas de estos clientes difieren sustancialmente entre sí. Se muestran estas tarifas y los niveles de consumo en los gráficos 3-1 y 3-2.

Se indica también el costo marginal de la energía y de la potencia; se puede ver que todas las tarifas actuales, menos la de COMIBOL Central son

Gráfico 3-1. Tarifas de 1981 para energía, clientes de alto voltaje

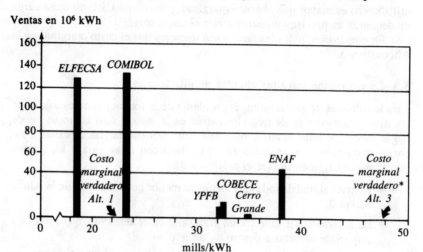

Ventas en 10^6 kWh

*Con hidrología binomial

Gráfico 3-2. Tarifas de 1981 para demanda, clientes de alto voltaje

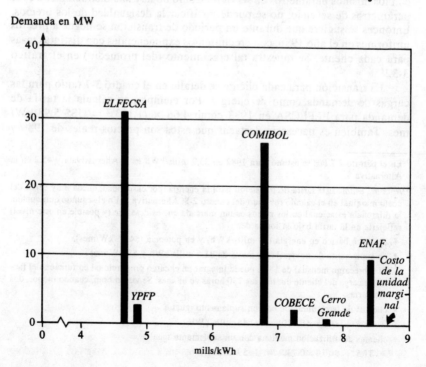

Demanda en MW

muy distintas del costo marginal. Parece que la tarifa de CRE (36,6 mills/kWh) es mayor que el costo marginal, pero como CRE no tiene carga de demanda es preciso compararla con el costo total.[10]

En conclusión, todas las tarifas son menores que el costo marginal en la Alternativa 3.

3.3 La transición para los clientes de alta tensión

Para los clientes de alta tensión, el problema de la transición no es sólo el de los niveles actuales ni de qué alternativa es la mejor, sino cómo se puede llegar dentro de unos pocos años a una situación con tarifas cercanas a los costos marginales. La situación es más difícil con la energía y los puntos claves son los siguientes (ver el gráfico 3-3):

- El nivel actual de todas las tarifas es menor que los costos de la Alternativa 3.

- La Alternativa 1 muestra un gran salto en el año 1986, que sería casi imposible acomodar dentro de un año.

- Aun para llegar al nivel de la Alternativa 1 en el año 1986, es necesario comenzar los aumentos en 1981 ó 1982.

Por tanto, se recomienda una transición que llegue a los costos marginales en la Alternativa 1 para el año 1986: 70,4 mills/kWh y $8,8/kW/mes.

El otro problema es la uniformidad de las tarifas para todos los clientes con los mismos parámetros de servicio. Como no hay una distinción entre los parámetros de servicio, no se puede justificar la desigualdad de los precios. Entonces se sugiere que durante un período de transición se llegue a precios uniformes en el año 1986, con crecimientos exponenciales con distintas tasas para cada cliente. Se muestra tal crecimiento (del promedio) en el gráfico 3-3.[11]

La transición para cada cliente se detalla en el cuadro 3-1 tanto para las cargas de demanda como de energía. Por ejemplo, se calcula la tarifa de demanda para ELFECSA en 1983 como $4,66 \times (1,133)^2 = US\$ 5,98/kW/mes$. También es necesario destacar que estos son precios reales de 1980 y

---

[10]En el párrafo 2.7 *bis*, se estimó para 1982 en 33,9 mills/kWh en la Alternativa 1 y 45,2 en la Alternativa 3.

[11]*Nota del editor*: Esta tarifa de transición para la energía, por casualidad, queda muy cerca del costo marginal en el cálculo revisado del cuadro 2-8, Alternativa 3. En el segundo quinquenio, la diferencia estacional en los costos es tan marcada que es deseable (y posible en este nivel) reflejarla en la tarifa bajo la forma de:

- un cargo básico en energía (53 mills/kWh) y en potencia ($4,16/kW/mes),
- un suplemento de noviembre a mayo de 31,5 mills/kWh y $8/kW/mes

  El sobrecargo mensual de $8 se puede integrar en el cargo proporcional en función del factor de carga del cliente durante las 730 horas de un mes. Se vislumbran, cuando menos, dos categorías:

- clientes de larga duración con un suplemento igual a

  $+ 31,5 + 8/(0,8 \times 0,730) = + 45$ mills/kWh.

- clientes de utilización mediana con un suplemento igual a

  $+ 31,5 + 8/(0,4 \times 0,730) = + 59$ mills/kWh.

que no incluyen los efectos de la inflación. Entonces las tarifas en precios corrientes subirán aún más que los valores indicados en el cuadro 3-1.

Cuadro 3-1. Transición exponencial a tarifas de costos marginales para clientes de alto voltaje (en promedio anual)

Cliente y Tarifa	Energía (mills/kWh) 1981	1986	Factor Mult.	Potencia ($/kW/mes) 1981	1986	Factor Mult.
ELFECSA	18,5	71,7	1,311	4,66	8,72	1,133
COBOCE	32,4	71,7	1,172	7,22	8,72	1,038
YPFB	32,2	71,7	1,174	4,81	8,72	1,126
CERRO GRANDE	34,7	71,7	1,156	7,73	8,72	1,024
ENAF	38,1	71,7	1,135	8,41	8,72	1,007
COMIBOL	23,1	71,7	1,254	6,74	8,72	1,053

Gráfico 3-3. Costos marginales y tarifa de transición

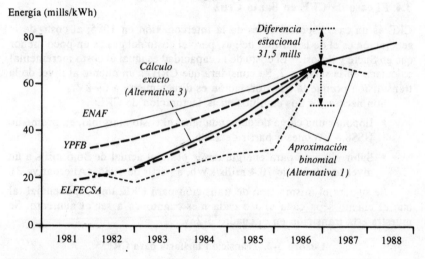

Energía (mills/kWh)

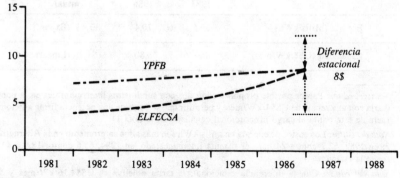

Potencia ($/kW/mes)

(Nota: estas tarifas, como todas en este Informe no incluyen la inflación)

Hay una diferencia entre los servicios que reciben los clientes y que vale considerar. Hasta hoy no ha sido necesario el racionamiento de energía; la situación no ha ocurrido y no ocurrirá; sin embargo, esto podría ocurrir de no seguir con el plan de expansión. Es probable que en los años secos se presente la necesidad de racionar el suministro de electricidad; en dicha eventualidad, los clientes residenciales serían los afectados. Los costos de la energía implícitos en este tipo de emergencia serían iguales a los de generación a través de turbinas de gas, y para el caso por capacidad, existirían dos posibilidades tarifarias:

- Reflejar los costos sociales de racionar los demás en las tarifas de los clientes con una alta garantía de suministro en esos períodos de escasez de agua.

- Utilizar un costo de capacidad más bajo para los clientes cuyo suministro es interrumpible.[12]

3.4 El caso de CRE en Santa Cruz

CRE es un caso especial antes de la interconexión en 1985; el costo de la generación es el de la turbina de gas, pero el costo del gas es un poco menor que en Sucre y Potosí.[13] El costo de la capacidad es igual al costo incremental calculado en la sección 2. Se considera que CRE es un cliente al nivel de la transmisión porque la transformación es directamente a 69 kV.

Son necesarios dos cambios en la facturación de CRE:

- Imponer una carga de demanda igual al costo marginal, en promedio US$8,8 kW/mes a partir de 1986.

- Subir el cargo para energía desde el nivel actual de 36,6 mills a un nivel promedio de 70,4 mills/kWh, a partir de 1986. (Alternativa 3).

Se sugiere el mismo tipo de transición para CRE, una exponencial tal que el cliente sepa cada año o cada mes cuánto va a ser el aumento. Se muestra esta transición en el cuadro 3-2.

Cuadro 3-2. Transición tarifaria para CRE[14]

	Tarifas 1981	Tarifas 1986	Crecimiento anual
Energía (Mills/kWh)	36,6	70,4	13,8% (Expon.)
Capacidad (US$/kW/mes)	0,0	8,80	$1,76 (Lineal)

---

[12]*Nota del editor*: Parece posible proponer contratos con suministros interrumpibles en la punta diaria con una rebaja de US4/kW/mes, y permitir que se contrate una potencia firme adicional fuera de esta punta al cargo proporcional calculado en la nota 11.

[13]*Nota del editor*: Los costos de energía en mills/kWh son más altos en promedio en la Alternativa 3: en 1982, 52,2 contra 24 para el sistema interconectado, en 1984, 65,6 contra 18,9 ó 41,3 según la estación.

[14]*Nota del editor*: Con la diferencia estacional, la tarifa objetiva es US$4,16/kW/mes y 53 mills/kWh (diciembre-abril) o 102 mills/kWh (mayo-noviembre),

3.5 Tarifas de subtransmisión

Entre los clientes de subtransmisión se ven las mismas variaciones en las tarifas de energía que entre los clientes de transmisión.

Se recomienda el mismo tipo de ajuste para los clientes de subtransmisiones que el propuesto para los de transmisión, o sea una transición exponencial, que se muestra en el cuadro 3-3.

La situación es similar para las cargas de demanda; hay una variación entre ellas, de US$ 2,86 hasta US$ 11,53/kW/mes.[15]

Cuadro 3-3. Transición tarifaria para los clientes de subtransmisión

Tarifa en 1981		Tasa de crecimiento anual[a]			
Energía (mills/kWh)	Potencia ($/kW/mes)	Energía		Potencia	
		Ll.	S.	Ll.	S.
27,8	11,53	15%	25%	0%	11%
28,0	3,37	15%	25%	27%	40%
38,9	2,49	7%	17%	37%	52%
47,2	7,08	3%	11%	10%	23%

[a]Tarifa objetiva a costo marginal de 1986, según la estación:
55 ó 87 mills/kWh y US$ 11,5 ó 27,7/kW/mes.

3.6 Bajo voltaje

Se define a los clientes de bajo voltaje como aquellos que tienen su servicio medido a 220 V monofásicos o 380 V trifásicos. Hay dos tarifas vigentes para estos clientes; una para los pueblos y otra para minas e industrias. Se muestran los datos de estos clientes en el cuadro 3-4. Estos clientes no tienen mucha importancia para el consumo de ENDE. En 1979 su consumo fue inferior al 0,6% del total.

Cuadro 3-4. Clientes servidos a baja tensión

Datos del cliente	Clientes mineros e industriales	Pueblos
Demanda, 1979 (MW)	827	0,273
Consumo, 1979 (MWh)	2.169,3	827,8
Tarifas (1981)		
Energía (mills/kWh)	47,2	22,2
Potencia (US$/kW/mes)	7,08	2,97
Total promedio (mills/kWh)	79,6	33,3
Crecimiento anual de transición		
Energía	9,5%	27%
Potencia	20%	40%

---

[15]*Nota del editor*: El cuadro 3-3 se ha revisado, pero como no se conoce el factor de carga de los clientes, no se ha podido integrar el costo de la garantía de energía en el cargo proporcional como sería deseable aquí.

El costo marginal de la energía para la Alternativa 3 en 1986 es 75,0 mills por kWh. Para llegar a ese valor será necesario aumentar las tarifas a una razón de 9,5% por año para los usuarios mineros industriales y 27,4% por año para los pueblos. También a las tarifas de demanda, será necesario aplicar tasas de 9,9% y 30,7% por año para llegar al costo marginal.[16]

3.7 Excepciones y consistencia

Actualmente ENDE clasifica a los clientes por el voltaje al cual mide el servicio (kW y kWh) y no por el voltaje al cual suministra la energía de sus instalaciones a las del cliente. Esta situación no es consistente con la teoría de consideración de los costos de servicio.

El punto donde termina el equipo de ENDE y comienza el equipo del cliente, determina el voltaje de servicio, y según la teoría, el costo de servicio. Además éste debe ser el punto donde se miden los parámetros de servicio. Se ilustra este punto en el gráfico 3-4, con cuatro casos, dos correctos y dos incorrectos. Los dos primeros son los casos correctos; en éstos se define como voltaje de servicio al que corre entre ENDE y el cliente y se mide el servicio en este punto. Los últimos dos no son correctos. En el caso C se mide el servicio antes de la conexión eléctrica entre ENDE y el cliente y en el caso D se mide incorrectamente y también se define el cliente como de bajo voltaje cuando realmente recibe su servicio a alto voltaje.

Casos como éstos son comunes en el sistema de ENDE, puesto que los clientes muchas veces proporcionan apoyo financiero a ENDE, para la construcción de líneas o subestaciones. En estos casos es preciso separar el tema del costo de servicio de la participación financiera.

El cliente debe pagar el costo completo del servicio sin ninguna reducción y además debe ser reembolsado por ENDE con interés por la participación de las inversiones necesarias que realiza.

Hay que destacar que la participación del cliente no tiene nada que ver con la energía que ENDE suministra, la que debe ser facturada al cliente sin descuento. Para asegurar que todos entiendan el costo del servicio, los reembolsos al cliente deben tomar solamente la forma de descuentos en su facturación por demanda, que corresponden a las inversiones de ENDE.

3.8 Viabilidad financiera para ENDE

Se ha dicho varias veces que los costos marginales corresponden a un enfoque económico y no financiero. Pero a los gerentes de las empresas les interesa no sólo la eficiencia económica sino también la supervivencia de la empresa, lo cual es un asunto principalmente financiero.

---

[16]*Nota del editor*: Esta tasa corresponde al costo de capacidad en la época seca. Se puede aplicar aquí una tarifa uniforme todo el año correspondiente a 75 mills/kWh y $12 + 8,5 \times 7/12 = \$17/kW/mes$.

Gráfico 3-4. Definición y medición del servicio a los clientes

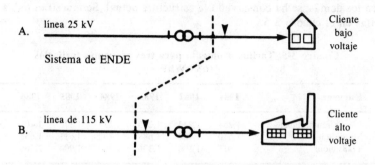

Clientes correctamente definidos como clientes de bajo (caso A) y alto voltaje (caso B) y medidos correctamente

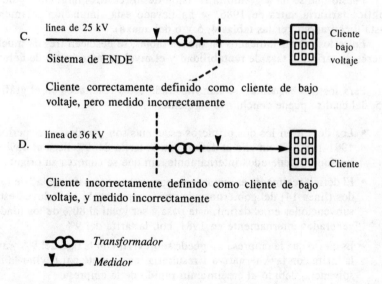

Cliente correctamente definido como cliente de bajo voltaje, pero medido incorrectamente

Cliente incorrectamente definido como cliente de bajo voltaje, y medido incorrectamente

La cuestión básica es si los ingresos son suficientes para cubrir los gastos necesarios. Por supuesto ello depende de las tarifas. A continuación se muestra la situación financiera con tres esquemas tarifarios:

- La tarifa que da un 9% de rentabilidad.
- La tarifa de transición que se ha descrito en esta sección.
- La tarifa que evita exactamente el déficit financiero.

Cada uno de estos esquemas representa una opción para ENDE, y el problema es elegir la mejor opción para ENDE y para Bolivia. Los resultados financieros constituyen uno de los criterios importantes para esta selección.

Para el esquema de transición se han calculado las tarifas para cada año como promedios ponderados por los niveles de consumo en cada categoría.[17] Para los demás, se ha conservado la estructura actual. Se muestran todas las tarifas en el cuadro 3-5.

Cuadro 3-5. Tarifas promedio para tres esquemas tarifarios
(b$/kWh)[a]

Esquema	1981	1982	1983	1984	1985	1986
9% de rentabilidad	1,251	1,223	1,255	1,255	1,372	1,409
Sin déficit	1,610	1,422	1,689	1,792	1,611	1,663
Transición[b]	918	1,106	1,336	1,580	1,904	2,260

[a]1 peso boliviano (b$) = 40 mills (US$0,04)
[b]Calculado como el promedio ponderado por el consumo del grupo de cada nivel tarifario.

Puesto que se ha sugerido la revisión de los costos marginales y de la política tarifaria antes de 1986, se ha llevado esta simulación solamente hasta dicho año. (Ver las tablas 4, 5 y 6 del anexo).

Entre los rubros indicados en dichas tablas, se destacan tres de mucho interés: la tarifa, la tasa de rentabilidad y el nivel de superávit o de déficit.

Para los tres esquemas, se han mostrado estos resultados en el gráfico 3-5, del cual se puede concluir lo siguiente:

• Los déficit en los dos primeros esquemas son grandes en el período 1981-1984. En un año el déficit con la tarifa del 9% llega al 45% de los fondos generados internamente, sin que se conozca su origen.

• El déficit realmente es aún mayor porque hay "transferencia" de fondos (línea 14) del gobierno y de otras empresas. Si se incluyen estas subvenciones en el déficit, éste pasa a ser igual al 80% de los fondos generados internamente en 1981, con la tarifa del 9%.

• Es cierto que la empresa no puede sobrevivir con la tasa del 9% y aun la tarifa con la Alternativa 1 resultaría insuficiente para evitar la insolvencia, debido al crecimiento rápido de la empresa.

• La tarifa de transición no ofrece suficientes fondos a la empresa entre 1981 y 1983.

[17]*Nota del editor*: La tarifa de transición considerada aquí corresponde a costos marginales calculados para 1986 con probabilidad binomial en la Alternativa 1. Por casualidad, difiere sólo en 1% del promedio anual calculado este año para la Alternativa 3 con los métodos más exactos detallados en los párrafos 2.4 bis y 2.7 bis y esta coincidencia evita rehacer la simulación.

Gráfico 3-5. Sumario de los resultados financieros
con tres esquemas tarifarios

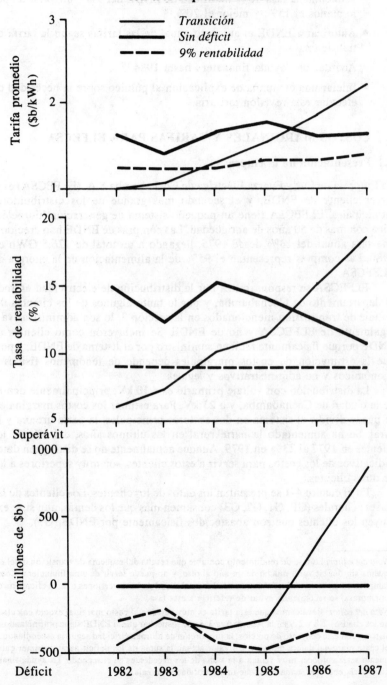

Transición
Sin déficit
9% rentabilidad

En consecuencia, parece necesario tomar estas medidas:

- Aumentar la tasa de rentabilidad de ENDE del 9% a un valor de por lo menos el 15%, y mejor el 20%.[18]

- Autorizar a ENDE el aumento anual de las tarifas según la tarifa de transición.

- Acordar una ayuda financiera hasta 1984.[19]

- Iniciar una campaña de explicación al público sobre la necesidad de efectuar esta revisión tarifaria.

4. COSTOS MARGINALES Y TARIFAS PARA ELFECSA

4.1 Presentación de la empresa

La Empresa de Luz y Fuerza Eléctrica de Cochabamba S.A. (ELFECSA) es el tercer cliente de ENDE, y el segundo más grande de los distribuidores municipales. ELFECSA tiene un pequeño sistema de generación hidroeléctrica con más de 50 años de antigüedad. Las compras de ENDE han crecido a una tasa anual del 13% desde 1975, llegando a un total de 126,5 GWh en 1980. Las compras representan el 95% de la alimentación de la energía de ELFECSA.

ELFECSA se responsabiliza por la distribución de electricidad en todo el departamento de Cochabamba, y por lo tanto algunos de los clientes del voltaje de transmisión mencionados en la sección 3, lo son administrativa y legalmente de ELFECSA y no de ENDE. Se incluyeron como clientes de ENDE porque físicamente reciben suministro por el sistema de ENDE, y porque la estimación de costos marginales depende de fenómenos físicos y económicos y no administrativos y legales.

La distribución con voltaje primario es a 10 kV, principalmente dentro de la ciudad de Cochabamba, y a 25 kV. Para estimar los costos marginales, se puede dividir el sistema en dos sectores principales; la parte urbana y la rural. Se ha aumentado la parte rural en los últimos años, del 6% de los clientes en 1977 al 23% en 1979. Aunque actualmente no se distinguen datos indicativos de los costos para servir a estos clientes, son muy superiores a los de otros clientes.

En el cuadro 4-1 se presentan los datos de los clientes. Los clientes de las clases generales (GP, G1, G2, G3) consumen más que los demás, aun si se excluyen los clientes que son abastecidos físicamente por ENDE (G3).

---

[18]*Nota del editor*: La tasa de rendimiento contable que resulta del esquema de transición o del esquema sin déficit varía mucho de un año al otro, y no puede servir de guía financiera. Como tampoco es un buen indicador *ex-post* de la rentabilidad de las inversiones o de la eficiencia de la empresa, se recomienda evitar de referirse a esta tasa.

[19]*Nota del editor*: Recalcamos que esta tarifa es muy cercana al costo marginal exacto calculado en los cuadros 2-8 y 2-9 en la Alternativa 3; es de sospechar que si ENDE sigue optimizando su sistema con este conjunto de precios, la proporción de hidroelectricidad seguiría ascendiendo, y el costo marginal dejará de subir. En valor actual, la suma de los déficit para el primer quinquenio sería entonces muy vecina a la suma de los excedentes en el segundo. La ayuda financiera sería entonces, nada más, que unas facilidades de caja.

Cuadro 4-1. Consumo de energía por clase de cliente (1980)

Clase de cliente	Consumo de todos los clientes (MWh)	Fracción del consumo total (%)
Residencial (R y RP)	46.317	31,8
General pequeño (GP)	10.650	7,3
General (G1)	13.395	9,2
General (G2)	36.083	24,7
General grande (G3)	25.092	17,2
Alumbrado público	10.993	7,6
Reventa	2.003	1,4
Otros	1.285	0,8
Total	**145.818**	**100**

Se necesitan estos datos para elaborar la relación entre los gastos para la capacidad y los incrementos del consumo, que se determinan por parámetros de servicio.

No se han desarrollado todavía los datos del consumo por hora de cada clase de cliente. Estos datos son necesarios para todos los estudios tarifarios de costos marginales y también de costos contables. Por lo tanto, se estimaron partiendo de las cargas horarias de ciertos alimentadores. Algunos de estos alimentadores fueron identificados por ELFECSA como pertenecientes al sector predominantemente residencial (Anillo Norte y Línea Sur) y otros al general (Línea Centro y Línea Sur).

Se examinaron los datos para un día representativo de la semana, y se presentan en el gráfico 4-1. Se puede ver que el consumo residencial tiene una forma más acentuada que el consumo de los clientes generales cuya forma es más plana. También, indica que el consumo de los clientes residenciales llega a su máximo más tarde que el de los clientes generales.

Es posible que los clientes generales no tengan un máximo en la tarde, sino que este máximo se deba a los clientes residenciales en la Línea Sur y la Línea Centro. No se podrá aclarar este punto hasta que haya mejores datos sobre el consumo para cada clase de cliente.

Por el momento, lo mejor que se puede suponer es lo siguiente (ver tabla 8).

- Se puede representar el consumo residencial con la suma del Anillo Norte y la Línea Norte.
- Se puede representar el consumo general con la suma de la Línea Sud más la Línea Centro.
- No se puede distinguir todavía (por falta de datos) entre las formas del consumo de los consumos generales G2, G1, y GP.
- El alumbrado público funciona solamente en horas de la noche.

Las ventas pronosticadas se presentan en el cuadro 4-2, fundadas en los totales para 1980 del cuadro 4-1. Se multiplicaron los datos de 1980, por factores de crecimiento de ENDE por clases (residencial, industrial, minera,

Gráfico 4-1. Consumo de cuatro alimentadores de ELFECSA

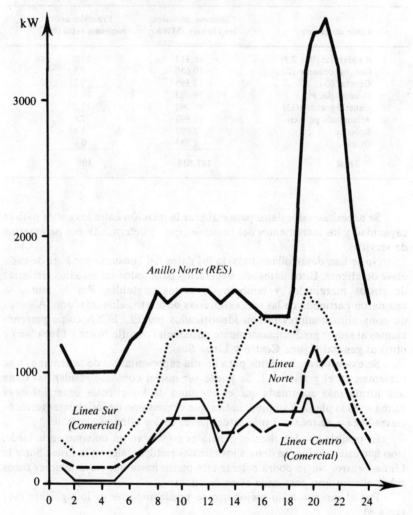

etc.) para obtener valores para 1981, 1982, 1983 y 1984 y luego se redujeron estos valores un poco para corresponder con los totales pronosticados por ELFECSA. Se llevó este pronóstico solamente hasta 1984, por la dificultad de pronosticar a mayor plazo los niveles de consumo y los gastos para servir esos crecimientos.

La división de clases indicada en el cuadro 4-2 no es necesariamente la mejor distinción posible de los clientes. Por ejemplo el costo mayor de servir a los clientes rurales sugiere que se distinga a estos clientes de los otros. No obstante, esta clasificación es razonable y tiene la ventaja de ser conocida. También tiene la ventaja de ser distinguida por el voltaje del servicio.

Cuadro 4-2. Proyecciones de venta por clase de cliente
(GWh, excluyendo Chapare)

Clase de cliente	1980	1981	1982	1983	1984
Residencial 220 V. (R)	46,3	48,6	53,0	57,7	62,9
General pequeño 220 V. (GP)	10,6	11,0	11,9	12,8	13,8
General 220 V. (G1)	13,4	13,9	15,0	16,1	17,4
General primario V. (G2)	36,1	38,7	43,1	47,9	53,2
General transmisión V. (G3)	25,1	26,9	29,9	33,3	37,0
Alumbrado público 220V	11,0	12,0	13,3	15,1	16,8
Reventa 220 V.	2,0	2,1	2,3	2,5	2,7
Otros 220 V.	1,3	1,3	1,5	1,6	1,7
Total	**145,8**	**154,5**	**170,0**	**181,0**	**205,5**
Chapare	0,0	0,0	4,2	4,3	4,4

4.2 Inversiones proyectadas

La dificultad de proyectar inversiones para los sistemas de distribución es bien conocida. Por ejemplo, no se pueden predecir fallas de los equipos; el crecimiento del consumo es difícil de pronosticar, especialmente por ubicación; los planes de los clientes cambian y la empresa eléctrica no es avisada hasta el último momento. En muchos casos se mide el tiempo de anticipación para las inversiones en meses o semanas y no en años. Por lo tanto no vale la pena estimar estos gastos a plazo muy largo, y se han pronosticado las inversiones solamente hasta 1984. (Véase cuadro 4-3).

Igualmente es difícil asignar estos gastos entre clientes o parámetros de servicio. No se puede separar inversiones que sirven a varias clases como residencial o servicio general. Hay unas pocas excepciones:

- Las ampliaciones urbanas se aplican sólo a los clientes urbanos.

- Las ampliaciones rurales se aplican sólo a los clientes rurales.

- Chapare es una zona puramente rural.

- La fábrica de postes y el transformador de YPFB son exclusivamente para clientes generales.

- Las ampliaciones subterráneas son exclusivamente urbanas.

4.3 Costos de energía

Los costos marginales de la energía para los clientes de ELFECSA son simplemente la tarifa pagada por ELFECSA a ENDE, multiplicada por un factor que corresponde a las pérdidas de energía. Se muestra este cálculo en el cuadro 4-4.

En el año 1980, el promedio de las pérdidas representa el 9,9% de la energía suministrada a los clientes. Desafortunadamente, no se ha concluido un estudio del flujo de la carga para determinar qué porción de estas pérdidas se registra en la transformación, en los circuitos primarios, y en los circuitos

Cuadro 4-3. Programa de inversiones de ELFECSA
(miles de dólares 1980)

Inversión	1981	1982	1983	1984
Quillacollo	0,8	54,8	234,5	107,3
Líneas de 10 kV	0,6	42,2	180,0	82,4
Subestación de San Miguel	1,0	68,8	294,2	134,7
Líneas en Chapare	2,3	106,2	685,3	313,5
Ampliación Valle Alto y Bajo	3,0	210,7	900,9	412,2
Fábrica de postes	0,5	33,1	141,5	64,8
Equipos y herramientas		11,8	23,5	47,0
Ampliaciones rurales		51,0	102,0	204,1
Subestación de Paracaya		60,6	121,2	242,4
Cambio de postes		8,8	17,6	35,2
Nuevas urbanizaciones		484,8	515,1	545,4
Ampliaciones subterráneas			332,5	332,5
Transformadores subterráneos			91,9	91,9
Vehículos			176,4	35,3
Línea Incachaca S.I.			108,6	46,5
Cambio de conductores				207,5
Instalación de capacitadores			29,6	29,5
Instalación de transf. de YPFB	169,7	72,6		
Ampliaciones urbanas	424,2			
Total	**602,1**	**1.259,4**	**3.954,8**	**2.932,2**

Cuadro 4-4. Costos de la energía para ELFECSA
(mills/kWh, precios de 1980)

	1981	1982	1983	1984
Tarifa de ENDE	18,5	24,3	31,8	41,7
Incluye pérdidas del primario (11%)	20,5	30,0	35,3	46,3
Incluye pérdidas del secundario (13%)	20,9	27,5	35,9	47,1

secundarios. Los ingenieros de ELFECSA estiman que las pérdidas para los clientes secundarios tienen un promedio del 11%, y para los primarios el 9%. Estos valores son promedios y no marginales, y por lo tanto, se aumentaron estos valores en un 2% para alcanzar los valores marginales.[20]

Se muestran estos valores en el cuadro 4-4, para los clientes de voltaje primario (10 kV y 25 kV) y para los de voltaje secundario.

---

[20]*Nota del editor*: Ver observaciones hechas sobre la tasa aplicable en general, nota 9.

4.4 Costos de potencia

Los costos marginales del suministro de las demandas de los clientes para la potencia son: el cargo por demanda de ENDE, aumentado por un factor que corresponde a las pérdidas a la hora del máximo, más el costo del sistema de distribución, asignado según el voltaje del cliente y su responsabilidad para las inversiones.

Se supone que todos los costos de inversión para ELFECSA se deben a aumentos de la demanda.

Las dos primeras componentes del cálculo aparecen en el cuadro 4-5. Las pérdidas a la hora de punta se estiman en el 12 y 14%, para los clientes primario y secundario respectivamente. Se pueden mejorar estas estimaciones con un estudio del flujo de cargas y la aplicación de mejores mediciones en los circuitos del sistema.

Cuadro 4-5. Costos parciales de suministrar la demanda
(Fundados en las tarifas de demanda de ENDE, US$/kW/mes)

	1981	1982	1983	1984
Tarifa de ENDE	4,66	4,85	5,04	5,24
Con pérdidas primarias (12%)	5,22	5,43	5,64	5,87
Con pérdidas secundarias (14%)	5,31	5,53	5,75	5,97

Es muy difícil, sin datos, estimar los costos marginales de inversión para el sistema de distribución, y estimar la responsabilidad que corresponde a cada cliente por esas inversiones.

Para determinar las responsabilidades de los clientes del primario y del secundario, se obtuvieron de los planificadores de ELFECSA las fracciones de cada inversión correspondientes a circuitos primarios y secundarios (cuadro 4-6). Con ellas se han calculado los valores de las inversiones en las redes primarias y secundarias para cada año (véase cuadro 4-7). Después, se calculan los valores a escala anual (con el 13% y en 30 años).

Se calcula el costo promedio incremental acumulado en el primer quinquenio sin distinción entre clientes urbanos y rurales, y después solamente para los clientes rurales. El cuadro 4-7 indica que el costo total anual para servir los incrementos de consumo de 1980 a 1984 para los clientes que requieren secundario y primario es US$418.400 más una porción de los gastos de primario, US$748.800.

Se puede comenzar con un cálculo muy impreciso del costo promedio incremental para todos los clientes de ELFECSA, menos los de la categoría G3. Según el cuadro 4-7, los gastos anuales crecen a US$1.167.200, y según el cuadro 4-2 el crecimiento de ventas, excluyendo la categoría G3 e incluyendo Chapare desde 1980 hasta 1984 es de 52,2 GWh (172,9-120,7). La relación de estas cifras es 22,4 mills/kWh. Este es el promedio sobre todos los clientes, del CILP; para los clientes de secundario el valor es realmente mayor y para los del primario es menor. Para dar una perspectiva, se nota que este valor es aproximadamente el 25% del precio actual de la electricidad para los clientes de ELFECSA.

**Cuadro 4-6. Fracciones de las inversiones totales
para el primario y el secundario**

Inversiones	Primario	Secundario
Quillacollo	1,0	
Líneas de 10kW	1,0	
S.E. de San Miguel	1,0	
Líneas en Chapare	0,5	0,5
Ampliación Valle Alto y Bajo	0,5	0,5
Fábrica de postes	0,5	0,5
Equipo y herramientas	0,5	0,5
Ampliaciones rurales	0,5	0,5
Subestación de Paracaya	1,0	
Cambio de postes	1,0	
Nuevas urbanizaciones	0,5	0,5
Ampliaciones subterráneas	1,0	
Transformadores subterráneos		1,0
Vehículos	0,4	0,6
Líneas Incachaca, sistema interconectado	1,0	
Cambios de conductores	1,0	
Instalación de capacitadores	0,5	0,5
Instalación de transformadores	1,0	
Ampliaciones urbanas	0,2	0,8

Fuente: ELFECSA.

**Cuadro 4-7. Cálculo de las inversiones y costos anuales
para el primario y el secundario
(miles de dólares de 1980)**

Año		Primario	Secundario	Total
1981	Inversión	259,8	342,3	602,1
	Costo anual	34,7	45,7	80,4
1982	Inversión	783,6	475,8	1.259,4
	Costo anual	104,5	63,5	168,0
1983	Inversión	2.558,1	1.396,7	3.954,8
	Costo anual	341,3	186,3	527,6
1984	Inversión	2.010,9	921,3	2.932,2
	Costo anual	268,3	122,9	391,2
	Total costos anuales	**748,8**	**418,4**	**1.167,2**

Fuente: cuadros 4-6 y 4-3. Costo anual calculado como (inversión) × (0,1334).

Como la mayoría de los gastos en un sistema como el de ELFECSA se hacen para satisfacer la demanda (o más clientes que ocasionan más demanda), la determinación de la responsabilidad se fundará en las demandas estimadas para cada clase de cliente. Por falta de datos no se puede calcular precisamente el CILP de capacidad, y tampoco es posible utilizar valores precisos de los factores de diversidad para el cálculo de las tarifas.

Se han utilizado los datos de la tabla 8 para elaborar las estimaciones de los consumos máximos, como se indica en el cuadro 4-8. El cuadro 4-9 muestra el cálculo del aumento del máximo para los niveles de primario y secundario.

Cuadro 4-8. Cálculo de los máximos para cada clase de cliente

Clase	Ventas 1980 (MWh)	Carga de un día típico (MWh)	(MW)	Max Est. (MW)[a]
Resid.[b]	46.317	53,85	4,638	10,92
GP	10.650			1,85
G1	13.395	35,85	2,275	2,33
G2	36.083			6,27
Alumb. P.[c]	10.993			2,51
Reventa[d]	2.003	53,85	4,638	0,47
Otro	1.285	53,85	4,638	0,30
			Total	24,65

[a]Calculado como (Ventas/365) × (Pot/En. Alim.).
[b]Incluye RP.
[c]Calculado como 10.993/365 × 12 horas).
[d]Se supone que las clases reventa y otro tienen la misma forma que la residencial.
 Estos valores son las estimaciones para este día (27 de enero de 1981).

Fuente: cuadro 4-2 y datos de ELFECSA.

Cuadro 4-9. Aumento de las cargas del primario y del secundario (1980–84)

	Primario	Secundario
Máximo estimado[a] 1980	37.910 kW	28.260 kW
" " 1984	52.840 kW	38.630 kW
Aumento 1980 –84	14.930 kW	10.370 kW

[a]Calculado como 37,91/24,65 por la suma de los máximos de cada nivel en el cuadro 4-8.

Se ha utilizado el procedimiento del gráfico 4-2 para calcular los valores del CILP para los clientes de los niveles primario y secundario. Los valores en el gráfico son los de 1981. Los valores del factor de diversidad son aproximaciones apoyadas de los datos de ENDE, y es probable que la investigación en el futuro señale que los factores de diversidad son distintos para las varias clases. El sumario de los costos se muestra en el cuadro 4-10.

Como en el resto del mundo, la mayoría de los clientes no tiene registradores de demanda máxima, y es necesario incluir el costo de capacidad en su tarifa de energía. Para hacer esto con precisión es necesario tener datos de consumo por hora y de los costos para servir clientes con

**Gráfico 4-2. Cálculo de los costos incrementales promedios
de capacidad, ELFECSA**

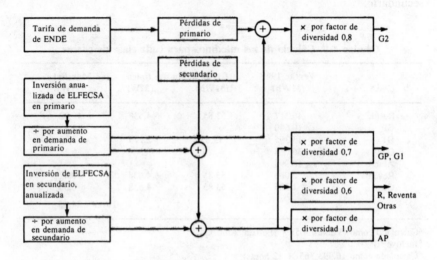

Cuadro 4-10. Sumario de los costos para ELFECSA (1981)

Clase	CIP de potencia US$/kW/mes	Costo marginal (mills/kWh)	Operación y Mantenimiento (mills/kWh)
R	7,71	20,9	8,0
GP	8,99	20,9	8,0
G1	8,99	20,9	8,0
G2	7,52	20,9	8,0
AP	12,85	20,9	8,0
Reventa	7,71	20,9	8,0
Otro	7,71	20,9	8,0

varios niveles de consumo. Por falta de estos datos, se han asignado estos costos uniformemente a la energía (ver cuadro 4-11).

Las tarifas iguales a los costos marginales se presentan en el cuadro 4-12, en comparación con las tarifas vigentes. Se ve en este cuadro que las tarifas actuales de energía son mayores que el costo marginal de energía para ELFECSA, y las de la demanda son muy inferiores al CILP de la demanda.

¿Indica esto que se deben bajar las tarifas de energía? No, porque las tarifas que ENDE cobra a ELFECSA son menores que el costo marginal de energía, y estas tarifas van a aumentar (según las recomendaciones) a una tasa del 31% por año. Dentro de pocos años, la tarifa recomendada llegará a la tarifa actual, y ese año pueden iniciarse los aumentos. No obstante, se

**Cuadro 4-11. Asignación de los costos de potencia al cargo proporcional
(1981 en dólares de 1980)**

Clase	CILP de potencia ($/kW/mes)	Demanda máxima (MW)	Gastos equiv.ᵃ US$×1000	Ventas (MWh)	Cargoᵇ potencia	C. marg. energía	Total cargo
					(mills por kWh)		
R	7,71	17,62	1.630,2	48,600	33,5	28,9	62,4
GP	8,99	2,96	319,3	11,000	29,0	28,9	57,9
G1	8,99	3,71	400,2	13,900	28,8	28,9	57,7
AP	12,85	4,2	649,2	12,000	54,1	28,9	83,0
Reventa	7,71	0,76	70,3	2,100	33,5	28,9	62,4
Otro	7,71	0,46	42,6	1,300	32,7	28,9	61,6

ᵃCalculado como 12 × CILP × Demanda máxima.
ᵇCalculado como gastos/ventas.

**Cuadro 4-12. Costos y tarifas recomendadas para ELFECSA, 1981
(Pesos del año 1980)**

Clase	Tarifa Actual		Recomendada	Cambio %
Residencial (R)	1,43/kWh	hasta 20 kWh		9,09
	1,76	hasta 120 kWh		11,4
	1,96	arriba	1,56/kWh	20,4
General	1,74/kWh	hasta 20 kWh		−16,8
pequeño	1,80	hasta 120 kWh		−19,6
(GP)	1,90	arriba	1,447/kWh	23,8
General	2,39/kWh	hasta 12 kWh	0,7225/kWh¹	−69,8
(G1)	2,15	hasta 50 kWh		−66,4
	1,88	hasta 150 kWh		−61,6
	1,67	hasta 350 kWh		−56,7
	1,34	arriba		−46,1
	35,80/kW/mes para demandas que exceden 3kW		224,75/kW/mes	627,8
General	1,26/kWh	hasta 180 kWh	0,712/kWh	−43,5
(G2)	1,00/kWh	arriba		−28,8
	38,40 si el transformador es del cliente, y si no 47,20/kW		188,00/kW/mes 224,75/kW/mes	489,6 476,2
Alumbrado	1,29/kWh		0,723/kWh²	−43,9
público	408,000/kW conectado		321,25/kW/mes	−21,3
Reventa	1,29/kWh		1,56/kWh	+20,9
Tarifa con tasa fija	1,57/kWh		1,54/kWh	−1,9

¹Estos valores suponen que hay medidor de demanda; si no hay, la tarifa de energía será
b$1,44/kWh.
²Si el cargo para la demanda se incluye en la tarifa de energía, este valor es b$2,07/kWh, un
aumento del 61%.

recomienda aumentar la tarifa de demanda (y la porción de tarifa de energía para R, GP, Gl, Alumbrado público, Reventa y Otras, que corresponden al costo de la capacidad) para que lleguen a su costo incremental (CILP) dentro de unos tres años.

4.5 Servicio Rural

Se ha supuesto anteriormente que las tarifas serán iguales para los clientes rurales y urbanos. En este párrafo se calcula la diferencia entre el costo de servir a los clientes rurales y el de servir a los clientes urbanos.

Este cálculo se muestra en el cuadro 4-13. El costo promedio incremental de este servicio es de 43,4 mills por kWh, que es un valor 93% mayor que el costo calculado anteriormente de 22,4 mills/kWh. Además, los gastos para operación, mantenimiento, etc. serán más altos en Chapare que en otros sitios.

Cuadro 4-13. Costo incremental promedio de las ampliaciones de Chapare

	1981	1982	1983	1984
Consumo (GWh)	0,0	4,2	4,3	4,4
Inversión (US$ × 1000)	2,3	430,2	685,3	313,5
Anualidad (13%, 30 años)	0,3	57,4	91,4	41,8
Anualidad acumulada no descontada	0,3	57,7	149,1	190,9

John Schaefer   57

ANEXO ESTADISTICO

Tabla A-1. Pronósticos de demanda para energía y potencia, 1980-90
(No incluye pérdidas)

Año	Energía (GWh) Norte Central-Sur	Oriente	Potencia (MW) Norte Central-Sur	Oriente
1980	1.110,4	198,4	215,7	44,4
1981	1.193,5	231,1	231,5	51,7
1982	1.278,5	269,0	247,6	60,2
1983	1.385,6	313,3	266,9	70,1
1984	1.493,1	364,6	287,3	81,6
1985[1]	2.028,7		396,3	
1986	2.195,9		428,9	
1987	2.375,7		464,2	
1988	2.569,9		502,2	
1989	2.780,0		543,4	
1990	3.007,3		587,8	

[1]La interconexión entre los sistemas Oriente y Norte-Central-Sur está programada para 1985.
Fuente: "Plan Nacional de Electrificación, Período 1980-1990", ENDE agosto 1980.

Tabla A-2. Gastos del plan óptimo de expansión (Plan C)
(Millones de US$)

Año	Inversión generación	O & M Fijo[1]	Combust. O & M Var. Alt. 1	Alt. 2
1981	20,816		5,192	3,220
1982	35,967		6,552	4,159
1983	68,634	80	10,266	6,517
1984	49,079	152	12,028	6,956
1985	43,755	296	12,836	8,087
1986	49,168	440	26,682	9,006
1987	46,047	800	13,289	4,814
1988	23,696	800	27,768	10,781
1989	5,612	1,130	11,935	4,887
1990		1,130	22,960	10,245

[1]No se incluyen los costos del mantenimiento de unidades actualmente en servicio.

Tabla A-3. Balances de energía y potencia para dos hidrologías

AÑO		DEMANDA EN PLANTAS (MW)	(GWh)	PROYECTOS CENTRAL NORTE SUR	ORIENTE	ENERGIA FIRME (GWh) HIDRO	TERMO	TOTAL	PROMEDIO ENERGIA GENERADA (GWh) HIDRO	S. CRUZ	SUCRE	POTOSI	TOTAL	POTENCIA FIRME (MW) HIDRO	TERMO	TOTAL	BALANCE AÑO SECO (GWh)	(MW)	%
1976	LL	182,5	373,6			419,0	116,5	535,5	318,5	39,2	15,9	...	373,6	207,0	56,4	263,4	161,9	80,9	44,3
	S	188,2	563,8			652,0	165,1	817,1	482,4	57,5	23,9	...	563,8	212,2	56,4	268,6	253,3	80,4	42,7
1977	LL	201,2	419,4			419,0	130,1	549,1	350,3	48,2	20,9	...	419,4	207,4	63,0	270,0	129,7	68,8	34,2
	S	208,5	633,0			652,0	184,4	836,4	530,8	70,8	31,4	...	633,0	212,2	63,0	275,2	203,4	66,7	32,0
1978	LL	220,8	449,0			419,0	132,2	552,2	366,6	57,8	24,6	...	449,0	207,0	64,5	271,5	103,2	50,7	23,0
	S	226,5	677,6			652,0	188,8	840,8	555,7	84,9	37,0	...	677,6	212,2	64,5	276,7	163,2	50,2	22,2
1979	LL	238,5	477,6			419,0	174,6	593,6	386,9	67,1	23,6	...	477,6	207,0	84,5	291,5	116,0	53,0	22,2
	S	245,9	720,3			652,0	247,4	899,4	586,3	98,5	35,5	...	720,3	212,2	84,5	296,7	179,1	50,8	20,7
1980	LL	252,1	521,9	Interconexión sistemas Central Norte Sur	4a. T. G. 20 MW	419,0	131,0	550,0	499,8	80,4	...	...	580,2	249,2	104,5	353,7	28,1	101,6	40,3
	S	260,1	786,7			652,0	189,7	841,7	698,1	118,0	...	...	816,1	254,4	104,5	358,9	55,0	98,8	38,0
1981	LL	277,5	573,7	Incremento presa Corani (Diciembre)	...	458,0	144,2	602,2	551,1	93,6	...	...	644,7	249,2	104,5	353,7	28,5	76,2	27,5
	S	286,4	865,1			659,9	209,2	869,1	710,1	137,5	17,5	...	865,1	254,4	104,5	358,9	4,0	72,5	25,3
1982	LL	302,1	624,1	Turbina a gas Potosi 20 MW	...	458,0	200,8	668,8	551,1	108,9	...	...	660,0	249,2	124,5	373,7	34,7	71,6	23,7
	S	311,9	940,8			706,9	290,4	997,3	757,1	160,1	11,8	11,8	940,8	254,4	124,5	378,9	56,5	67,0	21,5
1983	LL	330,6	685,1	Desvío río Málaga (Octubre)	5a. T. G. 20 MW	458,0	218,8	676,8	551,1	126,9	3,5	3,5	685,1	249,2	144,5	393,7	-8,3	63,1	19,1
	S	341,5	1032,4			706,9	316,7	1023,6	757,1	186,4	44,4	44,5	1032,4	254,4	144,5	398,9	-8,8	57,4	16,8
1984	LL	355,3	749,0	4a. unidad Sta. Isabel 17,2 MW	...	458,0	239,6	697,6	551,1	147,7	25,1	25,1	749,0	266,4	144,5	410,9	51,4	55,6	15,6
	S	367,1	1128,2			859,4	347,2	1206,6	909,6	216,9	0,8	0,9	1128,2	271,6	144,5	416,1	78,4	49,0	13,3
1985	LL	338,5	818,4	Interconexión S. Central-Oriental 1a. etapa Sakhahuaya 36 MW	...	575,6	298,5	874,1	670,4	105,8	21,1	21,1	818,4	302,4	144,5	446,9	55,7	58,4	15,0
	S	401,5	1232,4			906,3	423,0	1329,3	975,2	183,8	36,7	36,7	1232,4	307,6	144,5	452,1	96,9	50,6	12,6
1986	LL	421,5	887,0	2a. etapa Sakhahuaya 36 MW	...	687,7	298,5	986,2	784,0	73,6	14,7	14,7	887,0	338,4	144,5	482,9	99,2	61,4	14,6
	S	435,7	1335,4			952,0	423,0	1375,0	1039,3	211,5	42,3	42,3	1335,4	343,6	144,5	488,1	39,6	52,4	12,0
1987	LL	455,5	959,4	Icla 90 MW		847,3	298,5	1145,8	962,4	—	...	...	962,4	428,4	144,5	572,9	186,4	117,4	25,8
	S	471,1	1444,2			1133,4	423,0	1556,4	1252,9	136,7	27,3	27,3	1444,2	433,6	144,5	578,1	112,2	107,0	22,7
1988	LL	492,3	1037,4	...		847,3	298,5	1145,8	962,4	53,6	10,7	10,7	1037,4	428,4	144,5	572,9	108,4	80,6	16,4
	S	508,1	1561,4			1133,4	423,0	1556,4	1252,9	220,3	44,1	44,1	1561,4	433,6	144,5	578,1	-5,0	69,0	13,6
1989	LL	532,4	1122,1	1a. etapa Palillada 82,5 MW		1124,7	298,5	1423,2	1240,0	—	...	...	1240,9	510,9	144,5	655,4	301,1	123,0	23,1
	S	550,7	1688,4			1410,0	423,0	1833,0	1529,3	113,7	22,7	22,7	1688,4	516,1	144,5	660,6	144,6	109,9	20,0
1990	LL	575,6	1213,4	...		1124,7	298,5	1423,2	1240,9	—	...	...	1240,9	538,4	144,5	655,4	249,7	79,8	13,9
	S	595,4	1825,9			1410,0	423,0	1833,0	1529,3	212,0	42,3	42,3	1825,9	543,6	144,5	660,6	8,2	65,2	11,0

Fuente: ENDE, proyecciones a partir de 1980.

59

Tabla A-4. Despacho anual probabilizado de la energía
(GWh)

	1984		1986		1988		1990	
Estación	Ll.	S.	Ll.	S.	Ll.	S.	Ll.	S.
Demanda	601	912	857	1335	1037	1561	1213	1826
COBEE**	385	460	650	570	650	570	650	570
+ Sakhahuaya	330	395	555	490	555	490	555	490
Coraní +	765	110	765	110	765	110	765	110
Sta. Isabel	390	45	390	45	390	45	390	45
Saldo antes de	−549	342	−558	655	−378	881	−202	1146
la regulación	−119	472	−88	800	92	1026	268	1291
Transferencia	400*	400*	400*	−400*	−400*	−400*	−400*	−400*
	266	−266	384	−384	374	−374	381	−381
Saldo post-	−149	−58	−158	255	22	481	198	746
regulación	147	206	296	416	466	652	649	810
Icla	—	—	—	—	370	90	370	90
					215	50	215	50
Saldo antes de					−348	391	−172	656
la regulación					251	602	434	760
Transferencia					100*	−100*	100*	−100*
					100*	−100*	63	−63
Saldo post-					−248	291	−72	556
regulación					351	502	497	697
Palillada 1							−279	276
							249	249
Saldo	−149	−58	−158	255	−248	291	−351	280
	147	206	296	416	351	502	248	448
Probabilidad de utilizar la Turbina de gas	50%	70%	60%	100%	60%	100%	60%	100%
Energía térmica disponible	100	140	300	423	300	423	300	423
Probabilidad de racionamiento	20%	30%	10%	10%	0%	40%	0%	20%

*Transferencia limitada en efecto por la capacidad del embalse.
**La primera y la segunda línea corresponden respectivamente a la hidrología del decil superior (lluvioso) e inferior (seco) de la distribución de probabilidad.

Tabla A-5. Sumario financiero: tarifa con 9% de rentabilidad
(Miles de pesos bolivianos)

Categoría	1981	1982	1983	1984	1985	1986
1) Ventas (MWh)	746.100	844.300	975.600	1.120.800	1.281.700	1.437.400
2) Tarifa promedio (b$/kWh)	1,2514	1,2227	1,2545	1,3718	1,3575	1,4090
3) Ingresos de ventas	933.669	1.032.325	1.223.890	1.537.513	1.739.908	2.025.297
4) Otros ingresos	6.600	15.000	16.500	18.100	19.900	22.000
5) Total	940.269	1.047.325	1.240.390	1.555.613	1.759.808	2.047.297
6) Depreciación	183.357	216.215	253.668	324.709	379.756	439.707
7) Otros gastos de explotación	295.438	317.051	365.100	369.980	357.000	373.100
8) Ingresos netos	461.474	514.059	621.622	860.924	1.023.052	1.234.489
9) Base de tarifas	4.998.892	5.544.810	6.723.932	9.364.256	11.145.526	13.471.648
10) Tasa de rentabilidad (%)	9,2	9,3	9,2	9,2	9,2	9,2
11) Ingresos adicionales	10.026	10.376	10.963	11.457	13.890	14.363
Fuentes de fondos						
12) Generación interna	654.857	740.650	886.253	1.197.090	1.416.698	1.688.560
13) Préstamos recibidos	1.062.440	1.524.512	1.893.962	1.154.943	1.108.983	1.217.063
14) Transferencias	259.244	280.594	50.000	46.545	19.254	53.588
15) Total	1.976.541	2.545.756	2.830.215	2.398.578	2.544.935	2.959.211
Usos de fondos						
16) Inversiones	1.798.570	2.368.126	2.465.852	1.863.525	1.822.602	1.988.066
17) Servicio de deuda	172.038	286.018	694.948	854.146	960.757	1.187.999
18) Otros	24.410	25.988	27.765	29.583	31.645	33.802
19) Incr. capital de trabajo	249.079	33.622	64.320	123.283	86.606	114.214
20) Total	2.244.097	2.713.754	3.252.885	2.870.537	2.901.609	3.324.081
21) Superávit (déficit)	(267.556)	(167.998)	(422.670)	(471.958)	(356.674)	(364.870)

Convenciones

(3) = (1)×(2)   (5) = (3)+(4)   (8) = (5)−(6)−(7)
(10) = (8)/(9)   (12) = (8)+(11)+(6)   (15) = (12)+(13)+(14)
(20) = (16)+(17)+(18)+(19)   (21) = (15)−(20)

Tabla A-6. Sumario financiero: tarifa de transición
(Miles de pesos bolivianos)

Categoría	1981	1982	1983	1984	1985	1986
1) Ventas (MWh)	746.100	844.300	975.600	1.120.800	1.281.700	1.437.400
2) Tarifa promedio (b$/kWh)	1,050	1,106	1,336	1,580	1,904	2,260
3) Ingresos de ventas	783.405	933.796	1.303.402	1.770.864	2.440.357	3.248.524
4) Otros ingresos	6.600	15.000	16.500	18.100	19.900	22.000
5) Total	790.005	948.796	1.319.902	1.788.964	2.460.257	3.270.524
6) Depreciación	183.357	216.215	253.668	324.709	379.756	439.707
7) Otros gastos de explotación	295.438	317.051	365.100	369.980	357.000	373.100
8) Ingresos netos	311.210	415.530	701.134	1.094.275	1.723.501	2.457.717
9) Base de tarifas	4.998.892	5.544.810	6.723.932	9.364.256	11.145.526	13.471.648
10) Tasa de rentabilidad (%)	6,2	7,5	10,4	11,7	15,5	18,2
11) Ingresos adicionales	10.026	10.376	10.963	11.457	13.890	14.363
Fuentes de fondos						
12) Generación interna	504.593	642.121	965.765	1.430.441	2.117.147	2.911.787
13) Préstamos recibidos	1.062.440	1.524.512	1.893.962	1.154.943	1.108.983	1.217.063
14) Transferencias	259.244	280.594	50.000	46.545	19.254	53.588
15) Total	1.826.277	2.447.227	2.909.727	2.631.929	3.245.384	4.182.438
Usos de fondos						
16) Inversiones	1.798.570	2.368.126	2.465.852	1.863.525	1.822.602	1.988.066
17) Servicio de deuda	172.038	286.018	694.948	854.146	960.757	1.187.999
18) Otros	24.410	25.988	27.765	29.583	31.645	33.802
19) Incr. capital de trabajo	249.079	33.622	64.320	123.282	86.606	114.214
20) Total	2.244.097	2.713.754	3.252.885	2.870.537	2.901.609	3.324.081
21) Superávit (déficit)	(417.820)	(226.527)	(343.158)	(238.608)	343.775	858.357

Tabla A-7. Sumario financiero: tarifa que evita el déficit
(Miles de pesos bolivianos)

Categoría	1981	1982	1983	1984	1985	1986
1) Ventas (MWh)	746.100	844.300	975.600	1.120.800	1.281.700	1.437.400
2) Tarifa promedio (b$/kWh)	1,6234	1,4217	1,6877	1,7929	1,6358	1,6628
3) Ingresos de ventas	1.211.251	1.200.323	1.646.560	2.009.472	2.096.582	2.390.167
4) Otros ingresos	6.600	15.000	16.500	18.100	19.900	22.000
5) Total	1.217.851	1.215.323	1.663.060	2.027.572	2.116.482	2.412.167
6) Depreciación	183.357	216.215	253.668	324.709	379.756	439.707
7) Otros gastos de explotación	295.438	317.051	365.100	369.980	357.000	373.100
8) Ingresos netos	739.056	682.057	1.044.292	1.332.883	1.379.726	1.599.360
9) Base de tarifas	4.998.892	5.544.810	6.723.932	9.364.256	11.145.526	13.471.648
10) Tasa de rentabilidad (%)	14,8	12,3	15,5	14,2	12,4	11,9
11) Ingresos adicionales	10.026	10.376	10.963	11.457	13.890	14.363
Fuentes de fondos						
12) Generación interna	922.413	908.648	1.308.923	1.669.049	1.773.372	2.053.430
13) Préstamos recibidos	1.062.440	1.524.512	1.893.962	1.154.943	1.108.983	1.217.063
14) Transferencias	259.244	280.594	50.000	46.545	19.254	53.588
15) Total	2.244.097	2.713.754	3.252.885	2.870.537	2.901.609	3.324.081
Usos de fondos						
16) Inversiones	1.798.570	2.368.126	2.465.852	1.863.525	1.822.602	1.988.066
17) Servicio de deuda	172.038	286.018	694.948	854.146	960.757	1.187.999
18) Otros	24.410	25.988	27.765	29.583	31.645	33.802
19) Incr. capital de trabajo	249.079	33.622	64.320	123.282	86.606	114.214
20) Total	2.244.097	2.713.754	3.252.885	2.870.537	2.901.609	3.324.081
21) Superávit (déficit)	—	—	—	—	—	—

Tabla A-8. Carga representativa para ELFECSA (kW)
(27 de enero de 1981)

| Hora | Alimentadores Residenciales | | | Alimentadores Residenciales | | |
	Anillo Norte	Línea Norte	Total	Línea Sud	Línea Centro	Total
1	1.200	350	1.150	500	300	800
2	1.000	300	1.300	400	200	600
3	1.000	300	1.300	400	200	600
4	1.000	300	1.300	400	200	600
5	1.000	300	1.300	400	200	600
6	1.200	350	1.550	550	300	850
7	1.300	400	1.700	650	400	1.050
8	1.600	550	2.150	850	500	1.350
9	1.500	650	2.150	1.200	600	1.800
10	1.600	650	2.250	1.300	800	2.100
11	1.600	650	2.250	1.300	800	2.100
12	1.600	650	2.250	1.275	750	2.025
13	1.500	550	2.050	750	400	1.150
14	1.600	550	2.150	1.000	600	1.600
15	1.500	600	2.100	1.300	700	2.000
16	1.400	550	1.950	1.400	880*	2.200
17	1.400	600	2.000	1.350	700	2.150
18	1.400	600	2.000	1.350	700	2.150
19	1.900	775	2.675	1.350	700	2.150
20	3.220	1.062	4.287	1.525*	750	2.275*
21	3.550*	1.088*	4.638*	1.438	650	2.088
22	3.200	950	4.150	1.150	600	1.750
23	2.100	700	2.880	800	500	1.300
24	1.500	500	2.000	600	300	900
Total	39.875	13.975	53.850	23.203	12.650	35.853

*Máximo.

Estudio II

El sistema eléctrico interconectado de Venezuela

Fernando Lecaros

Estudió ingeniería eléctrica en Toulouse, Francia y en Bogotá, Colombia, donde obtuvo su título. Posee el Doctorado en Ingeniería Económica de la Universidad de Stanford, Estados Unidos. De 1971 a 1977, fue funcionario de Interconexión Eléctrica S.A. en Colombia. Ha efectuado varias misiones en países de Europa y América Latina, trabajos que sigue desempeñando actualmente como consultor independiente.

INDICE

Secciones

Gráficos

Cuadros

INTRODUCCION

El sector eléctrico de Venezuela se desarrolló inicialmente alrededor de los grandes centros urbanos para luego interconectarse hasta llegar a una estructura en la cual se está poniendo en práctica una planificación conjunta, con la cooperación de las distintas entidades del sector.

Las principales empresas que participan directamente en la prestación del servicio son CADAFE, *Electricidad de Caracas*, EDELCA, ENELVEN, ENELBAR, ELEVAL y algunas otras empresas distribuidoras.

CADAFE es la empresa de energía eléctrica del Estado; cumple con funciones de operación desde el nivel de la generación hasta el de la distribución y cubre todo el territorio nacional con excepción de Caracas, Maracaibo, Barquisimeto, Valencia, Ciudad Guayana y algunas otras urbes.

Electricidad de Caracas es una sociedad anónima que sirve el área de Caracas, con funciones de generación, transmisión y distribución.

EDELCA fue constituida para desarrollar la cuenca del río Caroní en la cual se halla localizada la mayor parte de la generación hidroeléctrica del sistema. EDELCA opera el complejo de Guri, sirve el área de Ciudad Guayana, abastece a algunos grandes clientes industriales y suministra energía al resto del sistema venezolano.

ENELVEN sirve el área de Maracaibo y recientemente se interconectó con CADAFE. En el futuro, esta empresa desarrollará plantas de vapor mediante la explotación de yacimientos carboníferos en su zona de influencia.

ENELBAR y ELEVAL son empresas regionales que sirven a Barquisimeto y Valencia, respectivamente.

Como puede apreciarse, se trata de un sector relativamente descentralizado. Sin embargo, al nivel de las empresas, existe un despacho coordinado por la Oficina de Operación de Sistemas Interconectados (OPSIS). Además, hay un plan conjunto coordinado por el Fondo de Inversiones de Venezuela (FIV), entidad que canaliza recursos del estado destinados al sector para expansiones de generación e interconexión. Este plan debe conformarse a las prioridades dictadas por el Ministerio de Minas y Energía, y las tarifas deben ser aprobadas por el Ministerio de Fomento.

Esta estructura fija la pauta para el análisis de costos que se llevó a cabo, considerando que el nivel de generación era común a todas las empresas para luego estudiar individualmente los niveles de transmisión, subtransmisión y distribución.

En Venezuela el servicio eléctrico dependió hasta hace pocos años de plantas térmicas alimentadas con hidrocarburos. Los planes actuales comprenden una sustitución de estas plantas por recursos hidráulicos abundantes y de bajo costo que se justifica debido al alto precio de los combustibles en el mercado internacional. Sin embargo, los precios internos todavía no han sido reajustados. El análisis de los costos marginales se ha llevado a cabo sobre la base de los precios internacionales (precios frontera) que justifican el plan de expansión actual. Otro factor importante es la tasa de cambio del bolívar. En el caso de las inversiones con una componente importante de moneda extranjera, los costos se han corregido para tener en cuenta una tasa "sombra" de cambio de 4,9 Bs/US$ en lugar de la tasa oficial (4,3 Bs/US$ aproximadamente).

Partiendo del análisis de demanda, el estudio sigue las etapas naturales del flujo de energía eléctrica: generación, interconexión, transmisión, subtransmisión y distribución (secciones 2, 3, 4). La sección 6 analiza el problema de diseño tarifario y las reformas necesarias al pliego actual. La sección 7 estudia el problema financiero limitado al caso de CADAFE.

El estudio fue orientado hacia una demostración de la aplicación de técnicas de análisis de costos marginales y reestructuración tarifaria en un sistema de gran complejidad, habiéndose logrado barrer, con mayor o menor grado de exactitud, el espectro completo de costos desde la generación hasta la distribución junto con una evaluación tarifaria y financiera. Naturalmente, dado un objetivo tan ambicioso, fue necesario sacrificar precisión en aquellos niveles del sistema donde la información básica es de acceso más difícil. Por lo tanto este caso debe verse como una ilustración práctica y metódica de principios básicos de análisis de costos y tarifas y de ningún modo como un trabajo definitivo sobre el sistema venezolano.

Agradecimientos

El estudio estuvo bajo la dirección de Yves Albouy, coordinador general del programa, quien además, llevó a cabo una parte considerable del análisis y aportó los elementos metodológicos esenciales del enfoque marginalista.

El proyecto no hubiera sido factible sin el apoyo decidido de los directivos de las distintas empresas del sector eléctrico en Venezuela y, en particular, de Rafael Gudiño y Gilberto Gómez de CADAFE, de Andrew Ottolenghi de ENELVEN, de Michael Lazio y Antonio Cárdenas de *Electricidad de Caracas*, y de Ricardo Riverol de EDELCA. El apoyo logístico de CADAFE contribuyó de manera esencial al éxito del estudio; en especial el entusiasmo, dedicación y buen humor de Gloria Márquez y Sandra Bucci, ingenieras de la Gerencia de Planificación Económica y Tarifas, hicieron de éste un proyecto de realización agradable y expedita.

1. ANALISIS DE LA DEMANDA

Con el objeto de identificar variaciones de costos en el tiempo, se procede al siguiente análisis:

- Proyecciones a largo plazo
- Análisis de variaciones estacionales
- Análisis de la variación diaria de demanda

El cuadro 1-1 ilustra proyecciones de demanda en punta y consumo de energía para las distintas empresas del sector y a escala nacional durante el período 1980–1995.

Cuadro 1-1. Proyecciones de demanda y consumo

Año	CADAFE		E. de C.		ENELVEN		EDELCA		TOTAL	
	GW	TWh[1]	GW	TWh	GW	TWh	GW	TWh	GW	TWh
1980	2,10	13,2	1,14	6,5	0,55	3,4	1,61	9,3	5,4	32,4
1981	2,37	15,2	1,26	7,1	0,63	3,9	1,74	11,5	6,0	37,7
1982	2,69	16,7	1,38	7,8	0,71	4,5	1,98	12,6	6,8	41,6
1983	3,04	18,0	1,51	8,5	0,83	5,2	2,15	14,1	7,5	45,9
1984	3,38	19,7	1,66	9,3	0,95	5,9	2,26	15,8	8,3	50,8
1985	3,75	21,5	1,81	10,2	1,07	6,6	2,31	16,6	8,9	54,9
1986	4,05	23,2	1,98	11,1	1,18	7,4	2,41	17,5	9,6	59,2
1987	4,37	25,1	2,17	12,1	1,29	8,4	2,69	19,1	10,6	64,8
1988	4,75	27,2	2,37	13,2	1,42	9,3	2,86	20,4	11,4	70,1
1989	5,16	29,6	2,58	14,5	1,56	10,3	3,03	21,4	12,3	75,7
1990	5,50	31,8	2,81	15,8	1,70	11,5	3,18	22,3	13,2	81,4
1991	5,4		3,06		1,85		3,23		14,0	
1992	6,19		3,33		2,00		3,44		15,0	
1993	6,55		3,59		2,17		3,59		15,9	
1994	6,85		3,94		2,34		3,77		16,9	
1995	7,35		4,27		2,52		3,94		18,1	

[1] 1 TWh = 1000 GWh (mil millones de kWh)

Las variaciones estacionales se estudiaron analizando cambios mensuales de demanda máxima con respecto a la serie mensual corregida por el factor de crecimiento. En el caso venezolano, por tratarse de un país en la zona tropical, no se presentan variaciones debidas a factores meteorológicos; la única variación estacional significativa se presenta en los meses de diciembre y enero (−9% y −7%). Para propósitos del análisis tarifario esta variación se despreció.

A escala diaria y semanal, el estudio de las curvas de carga tiene por objeto identificar las horas de máxima demanda en las cuales la carga presiona los límites de capacidad del sistema. El análisis se lleva a cabo tanto a nivel nacional como a nivel de las distintas empresas del sector para tener en cuenta la posible necesidad de políticas tarifarias particulares para cada región.

Un examen de los gráficos 1-1 a 1-5 (páginas 71 a 73) permite llegar a las siguientes conclusiones:

- A escala nacional, el período de mayor demanda transcurre entre las 8.00 y las 22.00 horas. El comportamiento de la carga es bastante regular, sin oscilaciones muy bruscas en días laborables ordinarios.

- Los sábados y domingos presentan, como es natural, un aspecto algo diferente con horas de punta hacia la noche (18:00 a 24:00). Sin embargo, durante estos días la carga es siempre inferior a la de los días laborables en punta.

- El horario de punta se circunscribe al período 8:00 a 22:00 de lunes a viernes (300 a 310 horas por mes).

- A nivel de las empresas individuales, las variaciones de carga son relativamente pequeñas y el horario de máxima demanda coincide con el horario de punta a nivel nacional.

- El único caso excepcional es el de *Electricidad de Caracas*: si bien el horario de punta es el mismo, esta empresa afronta variaciones de carga considerables por lo cual puede ser necesario dar al suscriptor señales de precio más precisas.

Finalmente, se construyó la curva de duración de carga, encontrando una buena aproximación por medio de una recta (gráfico 1-6) con una relación de carga mínima a máxima de 0,57.

Gráfico 1-1. Curva de carga diaria del sistema nacional en 1979

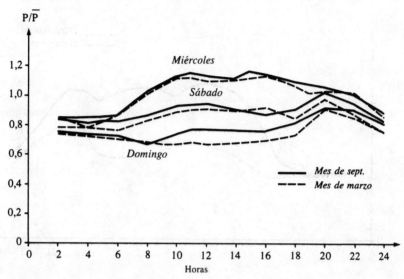

Nota: $\overline{P}$ = Potencia promedio del día miércoles

Gráfico 1-2. Curva de carga diaria, CADAFE (abril)

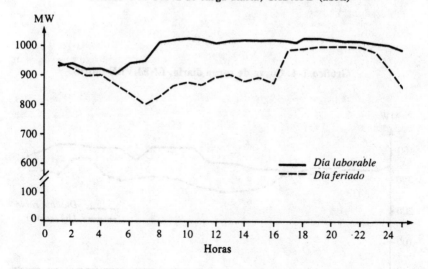

Gráfico 1-3. Curva de carga diaria, Electricidad de Caracas

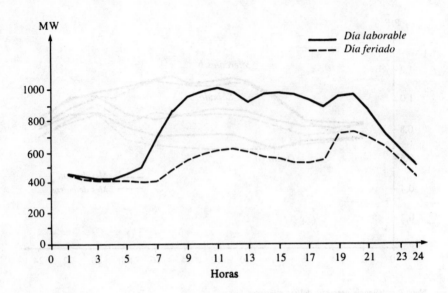

Gráfico 1-4. Curva de carga diaria, ENELVEN (abril)

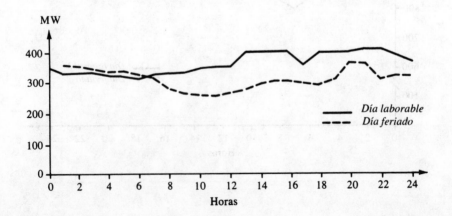

Gráfico 1-5. Curva de carga diaria, EDELCA (abril)

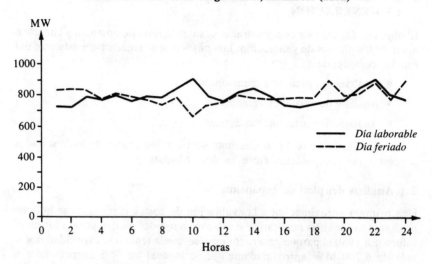

**Gráfico 1-6. Curva de duración de carga (año 1979),
meses de marzo y septiembre**

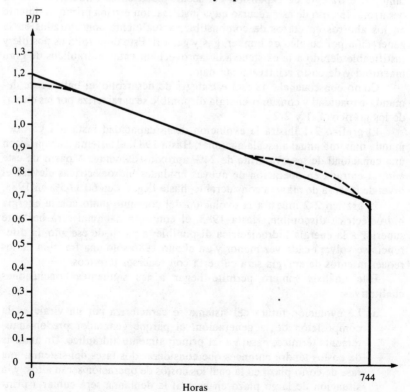

2. ANALISIS DE COSTOS MARGINALES A NIVEL DE GENERACION

El objetivo del análisis es encontrar el costo marginal de potencia y energía a nivel de las plantas de generación. Los pasos que se siguen para esta fase del estudio comprenden:

- Análisis del plan de expansión
- Análisis de costos marginales
- Análisis de costos incrementales

Los dos últimos pasos permiten una verificación mutua de los resultados así como una comparación entre los dos enfoques.

2.1 Análisis del plan de expansión

Una primera aproximación a la evaluación de costos marginales se obtiene mediante un análisis cualitativo de la evolución del parque generador en el futuro. En 1980 el parque generador en Venezuela tenía una capacidad instalada de 6.700 MW aproximadamente, de la cual un 36% correspondía a unidades hidráulicas. En 1988, los planes de expansión del sector elevarán la capacidad a 18.000 MW con más del 60% en unidades hidráulicas. Por lo tanto, la estrategia de expansión del sector eléctrico se caracteriza por un desarrollo intenso de este recurso cuya justificación estriba primordialmente en los ahorros en costos de combustible, actualmente concentrados en la generación por empleo de bunker, gas y gas-oil. Este desarrollo es posible y justificable debido a la existencia de aprovechamientos hidráulicos de gran magnitud y de costo relativamente bajo.

Como consecuencia de esta estrategia de desarrollo, el balance de demanda-capacidad y consumo-energía disponible se caracteriza por las curvas de los gráficos 2-1 y 2-2.

El gráfico 2-1 ilustra la evolución de la capacidad instalada y la demanda máxima anual a escala nacional. Hasta 1983, el sistema trabajará con una capacidad de reserva bruta de 24% aproximadamente. A partir de este año, la entrada en operación de nuevas unidades hidroeléctricas elevará el nivel de reserva de manera considerable, hasta llegar a un 60 a 65% en 1988.

El gráfico 2-2 muestra la evolución del consumo junto con la energía hidroeléctrica disponible. Hasta 1983, el consumo nacional será bastante superior a la energía hidroeléctrica disponible; a partir de ese año, la diferencia se volverá cada vez menor y en el año 1986 sólo una fracción de los requerimientos de energía será cubierta con recursos térmicos.

Este análisis somero permite llegar a las siguientes conclusiones cualitativas:

a) La evolución futura del sistema se caracteriza por un viraje en la composición de la generación: el parque generador predominantemente térmico, pasará a ser principalmente hidráulico. Un análisis de costos tendrá entonces que considerar dos fases del sistema: una fase de corto plazo en la cual los costos de operación serán altos, y la situación de largo plazo en la cual la demanda será cubierta principalmente con el recurso hídrico.

Gráfico 2-1. Demanda vs. programa de equipamiento de generación

Potencia (MW)

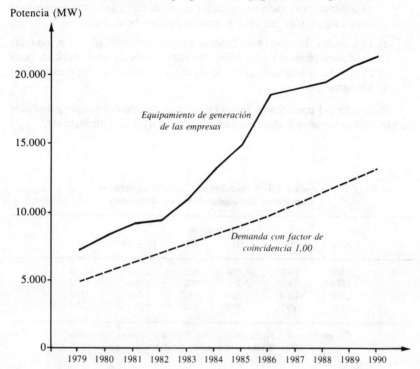

Gráfico 2-2. Comparación entre los requerimientos de energía y la energía hidroeléctrica disponible

Energía (GWh)

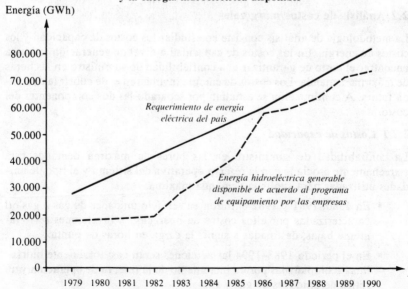

b) La transición indicada llevará a una situación de capacidad instalada excedente localizada en unidades térmicas con alto costo de combustible, algunas de las cuales serán retiradas de servicio.

c) Los costos de operación futuros estarán determinados por aquellas unidades térmicas eficientes (bunker, carbón) que servirán para cubrir la diferencia entre la energía hidráulica disponible y el consumo.

El cuadro 2-1 presenta un resumen de la evolución del parque generador en años seleccionados y discriminado por categorías de combustible.

Cuadro 2-1. Evolución del parque generador
Capacidad instalada (MW) en diciembre

		Categorías			
Año	H	B1	B2	G1—G4	C
1980	2.425	1.600	402	2.263	0
1983	3.675	3.200	782	2.790	0
1988	11.590	3.200	554	2.214	500
1995	16.942	3.200	554	2.214	1.750

Categorías: H: Hidráulico   B1: Bunker bajo costo
             B2: Bunker alto costo   G1-G4: Gas y gasoil
             C: Carbón

2.2 Análisis de costos marginales

La metodología de análisis consiste en estudiar los costos de capacidad y los costos de energía. En los costos de capacidad a nivel de generación se busca encontrar el costo de garantizar una confiabilidad de suministro en las horas de máxima demanda. Los costos de energía involucran el de cubrir la demanda futura. A continuación se estudian por separado las dos componentes del costo.

2.2.1 Costos de capacidad

La confiabilidad de suministro en las horas de máxima demanda está estrechamente asociada con la reserva operativa del sistema y el tipo de unidades utilizadas para suplir la demanda máxima:

• En 1980, 1981 y 1982 entraron en servicio unidades de gas o gas oil caracterizadas por altos costos de operación e inversiones relativamente bajas, destinadas a suplir la carga en horas de punta.

• En el período 1983–1994 las adiciones serán casi totalmente hidráulicas acompañadas por un incremento de la reserva de operación y un retiro de unidades de gas y gas oil.

En función de estas observaciones, se pueden determinar costos de capacidad a corto y largo plazo como se indica a continuación:

Entre los años 1981 y 1983 el costo de capacidad será el de adelantar la entrada en operación de unidades de gas, con un costo de inversión aproximado de 770 Bs/kW.

El costo anual del kW será entonces (en Bs/kW):

Cargo financiero	77
Cargo por obsolescencia (2%)	15
Reemplazo a 5 años	126
Subtotal: anualidad por inversión	218
Costos fijos de operación	82
Costo total por kW instalado	300
Costo por kW efectivo (85% de disponibilidad)	**353**

Respecto a los valores anteriores conviene observar que la planta se ha depreciado en un lapso de cinco años, inferior a su vida útil, puesto que su instalación se efectuó sólo para cubrir incrementos de demanda a corto plazo y dejará de usarse en 1984, aproximadamente.

Por otra parte, el cargo por obsolescencia refleja el hecho de que la posibilidad de aplazar una inversión en estas unidades representaría un costo menor debido al progreso técnico.

Finalmente, el costo no incluye los gastos de combustible. Estos podrían incluirse teniendo en cuenta las horas de operación que se estimen necesarias para cubrir deficiencias de generación en horas de demanda máxima. Por ejemplo, si al margen, una de estas plantas tuviera que operar 20 horas anuales para suplir deficiencias en la punta del sistema a un costo de 35c/kWh, el costo adicional del kW por este concepto sería de 7 Bs/kW. Este valor no se tuvo en cuenta en los cálculos tarifarios; se optó por mantener el cargo por concepto de capacidad limitado a los costos fijos de la planta (350 Bs/kW aprox.).

Entre los años 1983 y 1988, el plan de expansión determinará el retiro de plantas del servicio puesto que el sistema funcionará con altos márgenes de reserva. Por lo tanto, un incremento de la demanda en horas de punta no exigirá la instalación de nuevas unidades, sino una demora en el retiro de algunas plantas viejas y de alto costo. El costo de no retirar estas plantas es el valor fijo de operación (personal, mantenimiento, etc.). Puesto que se retiran primero las plantas más costosas, el costo del kW en este período disminuirá con el tiempo. Los costos fijos promedio en el programa de retiro son:

1983	61 Bs/kW/año
1985	58 "
1988	56 "

En los años posteriores a 1988, los altos márgenes de reserva se mantendrán, indicando la posibilidad de retiros adicionales. El costo fijo asociado con estas plantas de muy poca utilización es de unos 40 Bs/kW/año (turbinas de gas).

Los costos de capacidad se resumen en el cuadro 2-2 y en el gráfico 2-3.
Los costos promedio resultantes son:

Corto plazo   (1980–85) :   225 Bs/kW/año
Largo plazo   (1985–93) :   53 Bs/kW/año

Cuadro 2-2. Costo anual de garantía de potencia
(Bs/kW/año)

1980	1981	1982	1983	1984	1985	1986	1987	1988	1989–93
350	350	350	61	59	58	57	57	56	40

Gráfico 2-3. Evolución de los costos marginales de capacidad[1]

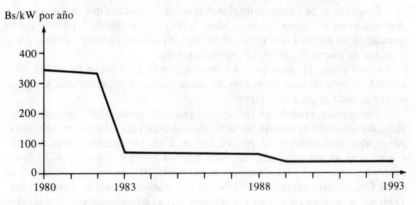

Bs/kW por año

2.2.2 Costos marginales de energía

El análisis de los costos marginales de operación se llevó a cabo para años
representativos en los cuales el sistema venezolano presentará condiciones de
saturación con respecto a la energía. Así, el año 1983 mostrará la operación
con un sistema que mantiene su carácter térmico, el año 1988 corresponde al
término de la instalación de unidades en el complejo de Guri y el año 1993 se
consideró representativo del período que finalizará en 1995 cuando entren a
operar centrales de carbón y plantas hidráulicas como Macagua B, Caruachi
y Tocoma.

El análisis de cada uno de estos años se llevó a cabo mediante un
despacho mensual bajo la curva de duración. Para poder identificar de

---

[1]Nota del editor: El costo de capacidad entre 1980 y 1983 hubiera podido calcularse, igualmente,
como la anualidad de una nueva planta de turbogas que se justifica para tres años y, como ocurre
a menudo, se puede luego rematar por un valor de salvamento igual a 40% del costo de
reposición.

manera precisa los costos de operación, se tuvo en cuenta la composición mensual del parque generador de acuerdo con los planes de mantenimiento programado. El procedimiento que se siguió fue el siguiente:

a) Despacho de generación hidráulica promedio, para ubicar la energía y potencia disponibles.

b) Despacho de plantas térmicas en orden de costos marginales crecientes.

El gráfico 2-4 ilustra el proceso correspondiente para el mes de julio de los años 1983, 1988 y 1993.

Gráfico 2-4. Despacho bajo la curva de duración de carga
(y costos marginales en c. de Bolívares)

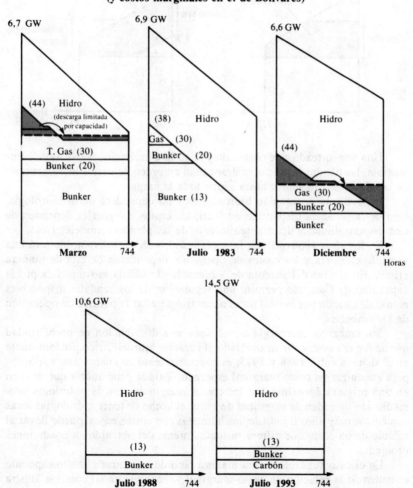

El paso más complicado es la "inserción" de las plantas hidráulicas: si se colocan en base, la energía disponible no es suficiente para permitir generación en punta; si se colocan sólo en la punta, no se aprovecha la energía y se estaría vertiendo agua; en general se necesita una colocación "intermedia" como se muestra de dos maneras equivalentes en la siguiente figura, en el caso de una planta hidráulica de 3.000 MW con 1.890 GWh disponibles:

**Colocación de planta hidráulica bajo la
curva de duración de carga**

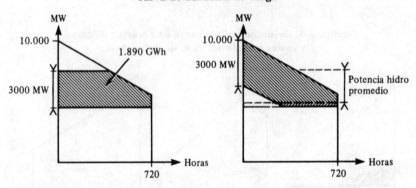

Una vez sorteado este obstáculo y si no hay limitaciones físicas de combustible, las plantas térmicas se despachan en orden de costos incrementales de combustible crecientes hasta suplir toda la carga.

En 1983, la generación hidroeléctrica no dependerá de la hidrología, sino de la potencia disponible en Guri; los costos marginales dependen de esta disponibilidad y del mantenimiento de las plantas termoeléctricas.

En los años 1988 y 1993, la energía hidroeléctrica disponible será una variable aleatoria y los costos de operación dependerán de ella de manera crítica. En el caso del sistema de Venezuela el análisis se simplifica por la capacidad de Guri que permite una regulación de los caudales disponibles mensuales, razón por la cual no es necesario detallar la política de operación de los embalses.

Sin embargo, la energía anual tiene una distribución de probabilidad que da lugar a costos distintos. Dado el carácter hidroeléctrico predominante en el sistema entre 1988 y 1993, es necesario tener en cuenta esta variación para encontrar un costo marginal esperado. Vale la pena anotar que, si bien en una primera aproximación los costos marginales con la hidrología promedio dan un orden de magnitud de éstos, el hecho de tener hidrologías secas con costos muy altos o hidrologías húmedas con costos bajos, puede llevar al cálculo de un costo que difiera sustancialmente del obtenido en condiciones promedio.

En el caso venezolano una manera fácil de encontrar el costo esperado es construir la relación de costo marginal vs. energía anual como se ilustra para el mes de julio de 1988 en el gráfico 2-5.

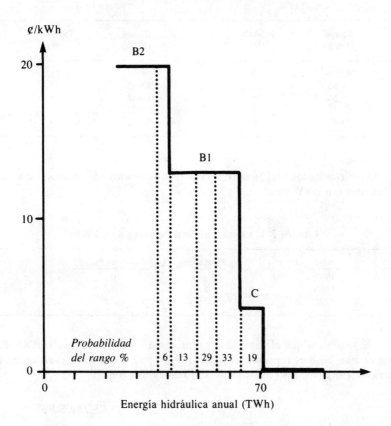

**Gráfico 2-5. Variación del costo marginal con la energía
hidráulica disponible (julio de 1988)**

La hidrología del año se aproximó por medio de la distribución del cuadro 2-3 (a), correspondiente a los aportes a Guri con 20 unidades. Los rangos y sus probabilidades correspondientes se muestran en el renglón inferior del gráfico 2-5. Con estos valores se obtiene un costo marginal esperado de 11,8 c/kWh para julio de 1988, inferior al valor de 13 c/kWh con condiciones promedio. Este proceso se aplicó a todos los meses del año.

Para 1993 se encontró la distribución de probabilidad de la generación anual deduciéndola de la distribución en 1988; como las nuevas centrales hidráulicas se construirán sobre el mismo cauce, y como los incrementos de energía se obtendrán con alzas de cota en el embalse de Guri, la distribución anual de hidrología será prácticamente la misma de 1988, corrida "hacia la derecha" en proporción al aumento en productividad de la cadena de plantas de EDELCA (cuadro 2-3-(b)).

Cuadro 2-3. Distribución de probabilidades de generación hidroeléctrica

(a) 1978		(b) 1993	
Rango (TWh)	Probab. (%)	Rango (TWh)	Probab. (%)
63-70	19	93-103	19
56-63	33	82-93	33
49-56	29	72-82	29
42-49	13	62-72	13
35-42	6	52-62	6

Los resultados del análisis (valores esperados de costos) son los siguientes (en c/kWh):

Cuadro 2-4. Costo marginal de energía (c/kWh)

Año	Punta	Fuera de Punta
1983	40	20
1988	9,5	8,0
1993	10,1	7,9

Si se admite que el año 1983 es representativo del quinquenio 1981–85, que el año 1988 es representativo de 1986–1990 y que 1993 caracteriza el período 1991–95, los costos promedio resultantes son:

	Punta	Fuera de punta
Corto plazo (1980–85)	40 c/kWh	20 c/kWh
Largo plazo	10 c/kWh	10 c/kWh

En el largo plazo, las diferencias de costos entre las horas de punta y fuera de punta no son apreciables puesto que la energía hidráulica regula casi la totalidad de la carga, por lo cual se admitió como costo el promedio en punta y fuera de punta de aproximadamente 10 c/kWh.

2.3 Análisis de costos incrementales

El costo incremental promedio a largo plazo (CIPLP) se calcula relacionando las inversiones necesarias para la expansión del sistema con los incrementos de demanda correspondientes. El CIPLP provee menos información respecto a la distribución de costos en el sistema, pero sirve en este caso para verificar de manera aproximada los resultados del análisis de costos marginales.

El cuadro 2-5 ilustra los cálculos de CIPLP para la década 1980–1990. Con respecto a los resultados indicados es necesario hacer una corrección para tener en cuenta los costos económicos asociados con intereses durante la construcción. Con la tasa de descuento de 10%, éstos se estimaron en un 16% para la mayoría de estas inversiones (plantas hidroeléctricas con períodos de construcción de 6 a 7 años). Los costos incrementales resultantes a precios de frontera son:

Inversión	11,3
Intereses	1,8
Total inversión	13,1
Operación y combustible	−5,4
Total	**7,7**

Un resultado del cálculo que merece destacarse es el costo incremental negativo asociado con la operación: a medida que entran en operación las plantas hidráulicas, los costos de combustible disminuyen, lo cual lleva a costos incrementales negativos que constituyen un crédito a favor de las centrales hidroeléctricas.

En comparación con los costos marginales, se observa claramente cómo los costos incrementales proveen menos información en cuanto a la localización y estructura de costos del plan de expansión. El valor obtenido, si bien difiere del costo marginal, está en el mismo orden de magnitud.

Cuadro 2-5. Costo incremental a largo plazo
(Precios de frontera a enero/80)

	Costos en Bs. $\times 10^9$										
	1980	1981	1982	1983	1984	1985	1986	1987	1988	1989	1990
Anualidades acumuladas de inversión	0,03	1,02	1,68	2,25	2,74	2,87	2,97	3,31	3,55	4,31	4,68
Incrementos inversión	—	0,99	0,66	0,57	0,49	0,13	0,10	0,34	0,24	0,76	0,37
Valor presente de incrementos		3,41	2,66	2,20	1,79	1,43	1,43	1,46	1,24	1,1	0,37
Costos operación y combustible	4,61	5,73	6,20	6,20	4,06	3,10	3,68	1,32	1,74	1,87	1,38
Incrementos operación	—	1,12	0,47	0,0	−2,14	−0,96	0,58	−2,36	0,42	0,13	−0,49
Valor presente de incrementos		−1,62	−3,01	−3,83	−4,22	−2,28	−1,46	−2,24	0,13	−0,32	−0,49
Costo total (1) + (3)	4,64	6,75	7,88	8,45	6,80	5,97	6,65	4,63	5,29	6,18	6,06
Incrementos totales	—	2,11	1,13	0,57	−1,65	−0,83	0,68	−2,02	0,66	0,89	−0,12
Valor presente de incrementos		1,79	−0,35	−1,63	−2,43	−0,85	−0,03	−0,78	1,37	0,78	−0,12
Demanda kWh $\times 10^9$	33	36,5	41,0	45,8	50,5	54,7	58,3	64,3	70,0	75,6	80,9
Incremento	—	3,53	4,51	4,80	4,61	4,21	4,14	5,46	5,74	5,55	5,36
Valor presente	—	30,1	29,6	27,9	25,6	23,3	21,3	19,0	15,1	10,4	5,36

Costo incremental 1980-1990:   179 ÷ 30.1 = 5.9 c/kWh

Inversión	11,33 c/kWh
Operación	−5,38 c/kWh
Total	5,9 c/kWh

3. ANALISIS DE COSTOS DE TRANSMISION

3.1 Marco conceptual

El sistema interconectado de Venezuela comprende líneas de 800, 400, 230, 138, 115 y 69 kV (véase gráfico 3-1). La red correspondiente cumple funciones de interconexión entre plantas generadoras y centros de consumo, interconexión entre empresas e interconexiones locales que permiten mantener la continuidad de servicio en el sistema. En muchos casos, una de estas líneas de transmisión cumple simultáneamente varias de estas funciones. Para poder atacar el problema se requiere una simplificación conceptual que permita llegar a resultados de interpretación clara.

Una primera simplificación es considerar que la misión fundamental de las líneas de EDELCA y CADAFE a 800 kV es evacuar energía de los centros de generación en Guayana a los centros de consumo. Por lo tanto, esta sección de la red constituye realmente parte integral de las centrales hidroeléctricas en dicha región del país y no es propiamente una parte de la red de transmisión, y el costo correspondiente está involucrado en el costo marginal al nivel de la generación.

Las líneas y subestaciones a 230 y 400 kV están planeadas de acuerdo con la demanda máxima del sistema y constituyen el nivel de interconexión. El sistema comprende líneas a 400 kV, la transformación 400/230 kV, las líneas a 230 kV y la transformación 230/115 kV. La red es operada por CADAFE que la utiliza para conectar sus diversas regiones, así como para servir a algunas otras empresas. Las Empresas que no usan de esta red son EDELCA y *Electricidad de Caracas*. La primera entrega energía a sus usuarios directamente en Guayana y la segunda está conectada a las líneas de 800 kV.

Un segundo nivel de transmisión lo constituyen las redes de 138, 115 y 69 kV en ENELVEN, CADAFE y *Electricidad de Caracas*, respectivamente. La dimensión de estas líneas y subestaciones se ajusta a la demanda local de una empresa, y por lo tanto se analizan por separado para cada una de ellas.

Finalmente, la expansión y refuerzos de la red de transmisión está asociada con los incrementos de demanda y el método del CIPLP es el más adecuado para su análisis.

3.2 Análisis de la red de interconexión de CADAFE

El cuadro 3-1 indica las inversiones hasta las barras de 115 kV correspondientes a líneas y subestaciones de 400 y 230 kV. Junto con la demanda máxima asociada, esto permite el cálculo del costo incremental de la siguiente forma:

a) Valor actualizado de inversiones (en millones de bolívares)

Líneas	1.775 MBs
Equipos	326 MBs
Transformadores	139 MBs

b) Valor actualizado de incrementos de demanda: 2,42 GW

Gráfico 3-1. Sistema interconectado nacional

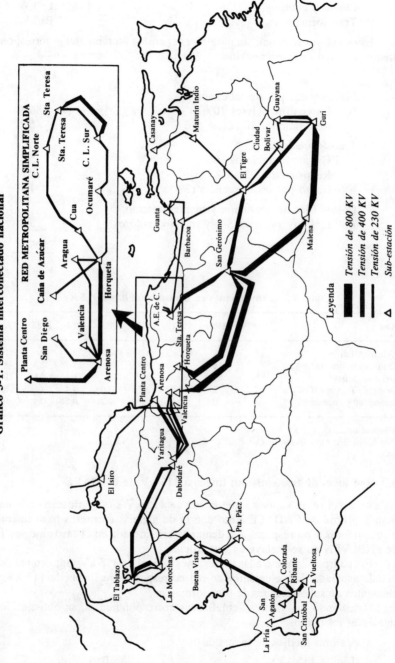

c) Valor unitario de inversiones (a/b)

Líneas y equipos	868 Bs/kW
Transformadores	57 Bs/kW

Estos valores se anualizan para obtener costos incrementales correspondientes a la red de interconexión:

Bs/kW por año

Líneas y equipos de subestaciones:
Cargos financieros 10% — 86,8
Reposición a 30 años — 5,3

Transformadores:
Cargos financieros 10% — 5,7
Reposición a 25 años — 0,6
Cargo por obsolescencia (3%) — 1,7

Costos fijos de operación y mantenimiento:
(3% Inversión en S/E y transformadores) — 5,8

Total — **105,9**

Cuadro 3-1. Inversiones en transmisión hasta 115 kV[a]

Año	1979	1980	1981	1982	1983	1984	1985	1986
Líneas (MBs)	—	478	421	4,3	584	527	17	180
Transformadores (MBs)	—	19	28	8,3	59	23	2,8	46
Equipos (MBs)	—	59	79	29	133	38	0,6	80
Demanda máxima (GW)[b]	2,1	2,7	3,0	3,7	3,9	4,4	4,8	5,2
Incrementos anuales (GW)	—	0,6	0,3	0,7	0,2	0,5	0,4	0,4

[a]Excluye líneas de 115 kV e inferiores.
[b]Sin EDELCA, *Electricidad de Caracas.*

3.3 Red local de transmisión: líneas a 115 kV de CADAFE

En este nivel se ha supuesto que la red de 115 kV sirve únicamente la demanda propia de CADAFE junto con la de algunas empresas básicamente distribuidoras. Con respecto a la demanda considerada en el caso anterior, la de ENELVEN no se incluye en este cálculo.

El cuadro 3-2 muestra las inversiones a nivel de 115 kV junto con la demanda asociada. Los elementos de red corresponden a líneas de 115 kV y elementos de subestaciones de transformación.

Calculando los valores actualizados correspondientes, se obtienen los siguientes resultados.

a) Valores medios de inversión

Líneas 115 kV:	288 Bs/kW
Transformadores 115 kV/MT:	78 Bs/kW
Equipos de S/E:	411 Bs/kW

b) Costos incrementales   *Bs/kW por año*

Líneas a 115 kV:
Costos de capital (30 años)	30,6
Costos de O. y M. (1% Inversión)	2,9
Total	33,5

Transformadores y equipos de S/E:
Costos de capital (25 años)	53,9
Cargo por obsolescencia de transformadores	2,3
Operación y mantenimiento	29,3
Total	**85,5**

Cuadro 3-2. Inversiones a 115 kV—CADAFE

Año	1979	1980	1981	1982	1983	1984	1985	1986
Líneas (MBs)	—	90	230	204	48	47	19	15
Transformadores (MBs)	—	38	53	30	17	7	12	27
Equipos (MBs)	—	178	301	170	88	40	56	128
GW Demanda CADAFE	1,57	2,10	2,37	2,69	3,04	3,38	3,75	4,05
Incrementos GW	—	0,53	0,27	0,32	0,35	0,34	0,37	0,30

3.4 Red local de transmisión de *Electricidad de Caracas*

Electricidad de Caracas tiene conexiones con EDELCA y CADAFE a 400 y 115 kV. Además, posee una red de transmisión a 69 kV (líneas y cables) y una red de suministro a 30 kV.

Para los cálculos de costos, las inversiones se agruparon en a) líneas y cables a 400 kV y 69 kV; b) subestaciones mayores y c) cables de 30 kV y subestaciones menores. Los rubros a) y b) cubren inversiones necesarias para llegar al nivel de 69 kV y el rubro c) cubre los costos hasta el nivel de mediana tensión (MT).

3.4.1 Costos de suministro a 69 kV

Las inversiones se detallan en el cuadro 3-3. Los costos incrementales se obtuvieron así:

Valor promedio de inversiones:
Líneas y cables	399 Bs/kW
S/E mayores	329 Bs/kW

Costos incrementales: *Bs/kW por año*
Costo de capital:	
• líneas y cables (30 años)	42,3
• S/E (25 años)	36,2
Cargo por obsolescencia[a]	2,0
Costos de O. y M.	9,9
Total	**90,4**

[a]Suponiendo que el 20% de la inversión en S/E corresponde a transformadores.

Cuadro 3-3. Inversiones en transmisión de *Electricidad de Caracas*
(millones de Bs. de 1980)

Año	79	80	81	82	83	84	85	86	87	88	89	90	91-95
Líneas y Cables (400-69kV)	206	50	23	32	79	n.d.	—	87	—	29	—		444
S/E Mayores	104	41	29	11	78	n.d.	54	45	6	25	—	76	408
Demanda (GW)	1,04	1,14	1,26	1,38	1,51	1,66	1,81	1,98	2,17	2,37	2,58	2,81	3,06-4,27
Incrementos (GW)	0,1	0,1	0,12	0,12	0,13	0,15	0,15	0,17	0,19	0,20	0,21	0,23	1,21

n.d. No disponible.

3.4.2 Costos de suministro a mediana tensión

El cuadro 3-4 detalla las inversiones en subestaciones menores y subtransmisión (incluyendo cables de 30 kV).

Cuadro 3-4. Inversiones en subestaciones menores y subtransmisión
(*Electricidad de Caracas*)

Año	1979	80	81	82	83	84	85	86	87	88	89	90	91-95
(MBs)	135	23	10	15	14	n.d.	42	46	50	53	58	72	369

El valor promedio de las inversiones es de 308 Bs/kW y los costos anuales correspondientes son:

Cargos financieros y reposición a 30 años	32,7 Bs/kW/año
Cargos por obsolescencia	2,0
Costos de operación y mantenimiento	3,3
Total	**38,0**

3.5 Costos de transmisión en ENELVEN

El voltaje de transmisión en esta empresa es de 138 kV. Por medio del mismo procedimiento empleado anteriormente, se obtienen los siguientes valores (véase cuadro 3-5).

a) Promedio de inversiones

Líneas	322 Bs/kW
Subestaciones	235 Bs/kW

b) Costos incrementales

Cargos financieros y reposición a 25 años	61,4 Bs/kW/año
Cargo por obsolescencia	1,4
Costos de operación y mantenimiento	7,1
Total	**69,9**

Cuadro 3-5. Inversiones en transmisión
ENELVEN

Año	1981	1982	1983	1984	1985
Líneas (MBs)	23	46	32	11	51
S/E (MBs)	34	35	3	15	27
Demanda (MW)	630	713	825	947	1.066
Incremento	76	83	112	122	119

3.6 Costos de interconexión a 800 kV

Como se indicó al principio del capítulo, las líneas a 800 kV cumplen con la función de evacuar la energía de las plantas hidroeléctricas en la región de Guayana. Sin embargo, un incremento de la demanda de un usuario en esta región conlleva la necesidad de aumentar la capacidad instalada para atenderlo, pero no implica la necesidad de reforzar la red de 800 kV. Por esta razón, el usuario de EDELCA implica un costo marginal menor y es necesario calcular el valor del crédito por este concepto con relación al costo de generación calculado en la sección 2.

El problema se ha analizado relacionando las inversiones en líneas a 800 kV con la energía exportada fuera del área de Guri por EDELCA. El costo incremental resultante es entonces el valor que debe restarse al costo marginal calculado en la sección 2 para obtener el costo marginal de energía asociado con un suscritor de EDELCA.

El cuadro 3-6 resume el valor de las inversiones y las exportaciones asociadas con ella. El costo promedio de inversión resultante es de 0,13 Bs/kWh resultando en un costo anual de 1,6 c/kWh (recuperación a 30 años y costos de operación estimados en el 1% de la inversión por kWh).

Cuadro 3-6. Resumen de inversiones a 800 y 400 kV y exportaciones de EDELCA

Año	Inversión (MBs)	Exportación (TWh)
1983	2.605	2,7
1984	—	11,0
1985	7,2	17,0
1986	1.328	20,0
1987	—	31,0
1988	—	31,0
1989	—	37,0
1990	216	49,0
1991	278	49,0
1992	732	49,0
1993	578	53,0

3.7 Resumen

El interés principal del análisis del sistema de transmisión está en la caracterización del costo incremental de acuerdo a dónde se coloca el servicio. El análisis al nivel de generación encuentra un costo único mientras que el análisis de transmisión pone de relieve diferencias regionales. El gráfico 3-2 resume los costos de transmisión calculados anteriormente.

Gráfico 3-2. Resumen de costos de transmisión

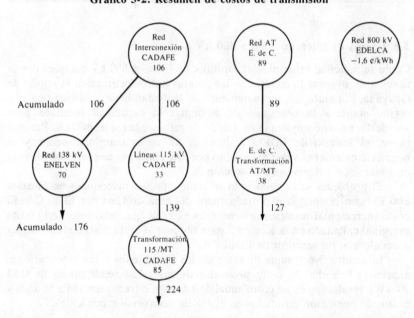

En cuanto a las diferencias regionales que se presentan, una posible interpretación es la siguiente: en *Electricidad de Caracas* el alto costo se debe a las restricciones de prestación del servicio en un área metropolitana limitada, lo cual implica altos costos de terrenos y servidumbres, necesidades de protecciones costosas y el uso de cables subterráneos; el segundo lugar en costos corresponde a CADAFE y en este caso, pese a que las restricciones tecnológicas son menos fuertes, la demanda dispersa en una vasta región de servicios conlleva inversiones altas para servir mercados relativamente débiles; en el caso de ENELVEN el área de servicios presenta un mercado concentrado sin las restricciones de *Electricidad de Caracas* y, por consiguiente, el costo unitario es más bajo.

4. ANALISIS DE COSTOS DE DISTRIBUCION

A medida que se pasa a niveles de voltaje inferiores, el proceso de planeamiento se descentraliza y resulta más difícil estimar los costos de servicio. Al nivel de la distribución, el proceso de extensión de líneas y refuerzos de la red se hace de acuerdo con solicitudes de corto plazo de los usuarios, por lo cual un planeamiento detallado es prácticamente imposible. En muchos casos la distribución es una función operativa de las empresas que toman decisiones "sobre la marcha". En el caso del sector eléctrico de Venezuela se llevan a cabo estimaciones aproximadas de inversiones y gastos en distribución tomando como base los planes de electrificación, el crecimiento de demanda y la experiencia de años anteriores.

Ante estos problemas de información se optó por analizar el costo de distribución con dos procedimientos distintos: por una parte, se calculó el costo incremental basado en proyecciones de inversión de las empresas, y por la otra se hizo un análisis detallado de equipos en distintas zonas con el objeto de identificar y verificar las llamadas "leyes de desarrollo" de la red. Como se verá, este último enfoque permite identificar aspectos particulares de cada región y empresa.

4.1 Costos incrementales de distribución

El cuadro 4-1 resume las inversiones esperadas en distribución para los sistemas de CADAFE, *Electricidad de Caracas* y ENELVEN durante la década 1980–1990. Calculando los valores actualizados de inversión, los incrementos en costos de operación y mantenimiento, y los incrementos de demanda, se obtienen los siguientes resultados:

Costos incrementales de distribución
(Bs/kW por año)

	CADAFE	Electricidad de Caracas	ENELVEN
Cargos financieros	235	257	182
Reposición (20 años)	41	45	32
Costos de O. y M.	262	355	106
Total	**538**	**657**	**320**

Respecto a estos resultados conviene anotar lo siguiente:

a) Los valores estimados a nivel de distribución son tentativos debido a la dificultad para obtener proyecciones exactas.

b) Una buena parte de la inversión en distribución se destina a la infraestructura necesaria para servir un grupo de consumidores, independientemente de su demanda máxima real. Así, el costo real de servir un kW adicional puede ser inferior al valor estimado por el costo incremental.

c) Las diferencias entre empresas pueden explicarse por las mismas razones esgrimidas en el caso de los costos de transmisión. En el caso de la distribución, el costo de operación y mantenimiento es una componente muy importante del costo, igual o superior a los costos de transmisión y es particularmente alto para *Electricidad de Caracas* (redes subterráneas).

Cuadro 4-1. Resumen de inversiones y costos en distribución

Año	1980	81	82	83	84	85	86	87	88	89	90
CADAFE											
Inversión (MBs)	567	485	522	562	603	645	682	737	749	857	928
Gastos O y M (MBs)	475	558	676	761	930	1.050	1.239	1.426	1.644	1.875	2.160
Demanda MT y BT (MW)[1]	1.644	1.843	2.081	2.361	2.622	2.917	3.140	3.384	3.369	3.970	4.241
Electricidad de Caracas											
Inversión (MBs)[2]	243	267	293	323	ND	300	326	354	378	416	516
Gastos O y M (MBs)	154	200	220	290	325	350	405	465	535	615	708
Demanda MT y BT (MW)[3]	1.036	1.132	1.237	1.332	1.497	1.592	1.723	1.885	2.062	2.254	2.466
ENELVEN											
Inversión (MBs)[4]	88	80	102	126	162	173	198	225	249	282	305
Gastos O y M (MBs)[5]	35	ND	ND	ND	ND	ND	ND	ND	ND	ND	ND
Demanda MT y BT[6]	424	484	552	650	759	867	958	1.055	1.159	1.267	1.382

[1]Aprox. 82% de demanda total.
[2]Líneas MT, Baja, Transformación MT/BT acometidas y medidores.
[3]90% de demanda total ajustado por el Metro de Caracas.
[4]Excluye acometidas y medidores.
[5]No incluye gastos de facturación.
[6]Excluye cargas en 138 kV.

4.2 Costos marginales de distribución: leyes de desarrollo

El objetivo de este enfoque es identificar las variaciones de costos a medida que aumenta la densidad de carga en una zona. Para ello, se desea buscar una relación estadística entre los volúmenes de obras físicas y la carga servida por unidad de área, como se ilustra en el gráfico 4-1. La variable dependiente puede ser el volumen de obras físicas (por ejemplo, metros de línea por km^2) o el valor de la inversión (Bs por km^2).

El procedimiento para obtener estos valores consiste en analizar zonas de servicio, si es posible relativamente homogéneas en cuanto al tipo de consumo, y obtener distintos puntos de la curva a partir de un inventario de redes en la zona y una estimación de la demanda máxima. Naturalmente, una relación estadísticamente significativa sólo puede lograrse mediante un gran número de puntos y, por consiguiente, con un trabajo considerable. A continuación se presentan resultados obtenidos con muestras muy reducidas que, sin embargo, proporcionan una visión del comportamiento de los costos marginales a nivel de distribución.

La forma de curva que se busca ajustar es del tipo

$$V = a\ D^b$$

donde V es la variable dependiente y D es la densidad de carga. Se espera encontrar un valor b inferior a 1. Ello significa que a medida que aumenta la densidad de carga, el costo o el volumen de obra física necesarios para suplir un incremento de demanda es cada vez menor. Por ejemplo, en una zona de alta densidad es seguramente más fácil y menos costoso extender el servicio a un nuevo consumidor que en una zona de baja densidad, donde las extensiones de líneas serán mayores.

Derivando la función postulada anteriormente, el costo marginal es (si V son los costos de inversión):

$$dV/dD = ab\ D^{b-1} = (aD^b)\ b/D = bV/D$$

Esta expresión se evalúa en el punto (D_o, V_o) y por lo tanto, el costo marginal es igual a b V_o/D_o

Esta expresión se interpreta como el costo promedio (V_o/D_o) afectado por el coeficiente de escala b que refleja las economías anotadas anteriormente.

El análisis se presenta para CADAFE y *Electricidad de Caracas*, empresas en las cuales fue posible conseguir la información necesaria.

Gráfico 4-1. Variación de costo o cantidad de obra vs. densidad de carga

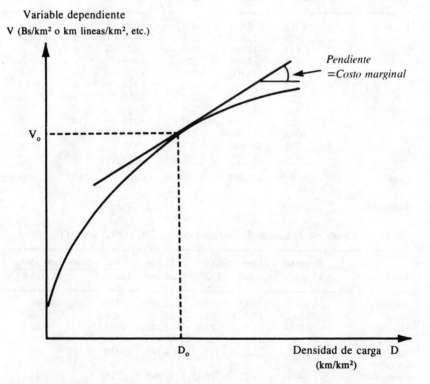

4.2.1 *Costos marginales de distribución en CADAFE*

El cuadro 4-2 indica los datos obtenidos para distintas zonas servidas por la empresa. Los datos se refieren a la red de mediana tensión a 34,5 y 13,8 kV (MT). Comprenden:

- Longitudes de líneas MT
- Número de subestaciones de transformación 115 kV/MT
- Número de subestaciones de transformación 34,5/13,8 kV

Los datos del cuadro 4-2 se reducen a las densidades correspondientes por km^2 que se muestran en el cuadro 4-3 mediante las cuales se hacen las regresiones y, usando la fórmula indicada anteriormente se obtiene, tomando logaritmos:

Log V = Log a+ b log D

En el caso de líneas a 34,5 y 13,8 kV, éstas se "agruparon" tomando sus costos unitarios de inversión (100.000 Bs/km y 60.000 Bs/km respectivamente).

Cuadro 4-2. Características de la muestra MT de CADAFE

ZONA	MVA Demanda	km^2	km línea 34,5 kV	km línea 13,8 kV	No. S/E 115/MT	No. S/E 34,5/13,8
I.	126,8	7.950	361	836	6	7
II.	81,3	11.800	228	803	5	14
III.	45,1	11.300	240	697	4	8
IV.	42,1	7.400	220	1.539	2	13
V.	75,0	11.100	280	1.227	4	10
VI.	159,2	332.247	471	1.444	6	15
VII.	52,1	41.700	218	1.019	8	2
VIII.	66,1	141.486	786	1.407	6	19
IX.	340,1	4.650	443	1.185	10	6
X.	309,6	14.964	248	927	21	12
XI.	170,8	28.900	156	410	7	14
XII.	161,2	24.800	60	536	4	5
Total	1.629 (1.302 MW)	638.297	3.711	12.030	83	125
Valor MBs	—	—	371,1	721,8	581	63

Cuadro 4-3. Resultados estadísticos en CADAFE para MT

Zona	Densidad kVA/km^2	Líneas (m/km^2) 34,5kV	13,8kV	Líneas Bs/km^2	No. S/E por km^2(x10^6) 115/MT	34,5/13,8 kV
Anzoátegui	15,9	45,4	105	10.852	755	4.402
Sucre	6,89	19,3	68,0	6.010	424	1.186
Mérida	3,99	21,2	61,6	5.816	353	708
Trujillo	5,69	29,7	208	15.450	270	1.757
Táchira	6,76	25,2	111	9.180	360	901
Barinas-Portuguesa	0,479	1,42	4,35	398	18,1	45,1
Lara-Maracay-Cojedes	1,25	5,23	24,4	1.984	192	47,9
Guárico-Apure	0,467	5,56	9,94	1.152	42,4	134
Carabobo	73,1	30,8	255	18.380	2.150	1.290
Aragua-Miranda	20,7	16,6	61,9	5.380	1.403	802
Monagas	5,91	5,39	14,2	1.391	242	84
Falcón	6,50	2,42	21,6	1.538	161	202

Los resultados de las regresiones fueron los siguientes:

Variables	a	b	r^2
Longitudes a 34,5 kV (m/km²)	1,58	0,52	0,47
Longitudes a 13,8 kV (m/km²)	2,69	0,68	0,63
Inversión en líneas MT (m/km²)	7,24	0,63	0,61
Número de S/E a 115/MT por km²	4,25	0,85	0,88
Número de S/E a MT por km²	4,97	0,75	0,60

Como puede apreciarse, la calidad de las regresiones no es muy satisfactoria (valores de r^2 relativamente bajos), debido principalmente al bajo número de puntos que las constituyen.

Los costos marginales resultantes son:

a) Líneas MT: la regresión de inversión en líneas es preferible a las regresiones individuales de longitudes. El costo marginal se obtiene así:

Valor total de inversiones: 1.093 MBs (V_0)
Demanda total: 1.300 MW (D_0)
Costo marginal de inversión: (1.093/1,3) × 0,63 = *530 Bs/kW*

b) Subestaciones 115/MT:

El valor unitario es de 7 MBs, con lo cual el costo marginal resultante es (581/1,3) × 0,85 = *380 Bs/kW*

c) Subestaciones 34,5/13,8 kV:

Con un valor unitario de 0,5 MBs el costo marginal es:
(63/1,3) 0,75 = *36 Bs/kW*

Las subestaciones 115/MT ya estaban incluidas en el cálculo de costos incrementales de la sección 3. El resultado obtenido aquí (inversión de 581/1,3 = 447 Bs/kW) es comparable con el obtenido en los costos incrementales de transmisión (489 Bs/kW).

Pasando los costos anteriores a valor anual se obtienen los costos marginales para la red MT y las subestaciones de transformación a MT. Respecto a los costos de operación y mantenimiento, las economías de escala también deben tenerse en cuenta. Para ello se afectó el costo incremental obtenido en la sección 4-1 por un factor de escala de 0,65. Por otra parte, se atribuyó el 60% del costo de operación y mantenimiento en distribución a las redes MT.

Los costos marginales son entonces:

Cargos financieros y reposición	66,5
Cargos de O. y M.: 262×0,6×0,65	102,2
Total	**168,7 Bs/kW por año**

La red de baja tensión se analizó siguiendo el mismo procedimiento. Está constituida por los transformadores MT/BT y las líneas de baja tensión. Los datos obtenidos se muestran en el cuadro 4-4; no se pudieron obtener longitudes de línea. La regresión con el número de transformadores (N) es:

Log (N/km²) = 2,28 + 0,32 Log (kW/km²) con un valor r^2 = 0,67

Cuadro 4-4. Muestra de baja tensión de CADAFE

Area km²	Demanda kW	No. Transfor. MT/BT	kW/km²	No. Transfor. por km²
1	730	66	730	66
1	881	69	881	69
1	1.087	67	1.087	67
1	1.846	147	1.846	147
1	2.125	108	2.125	108
0,75	1.048	53	1.397	71
1	487	73	487	73
1	905	110	905	110
1	4.931	151	4.931	151
1	4.165	128	4.165	128
1	2.572	86	2.572	86
0,75	2.595	125	3.460	167
1	6.100	184	6.100	184
1	7.414	192	7.414	192
0,25	4.654	58	18.616	232
1	9.865	148	9.865	148
1	9.878	131	9.878	131
1	256	55	256	55
1	542	59	542	59
1	196	36	196	36
1	299	73	299	73
0,5	508	64	1.016	128
0,5	282	44	564	88
0,5	2.525	89	5.050	178
0,25	2.273	30	9.092	120
1	2.533	124	2.533	124
0,25	39	11	156	44
0,25	62	8	248	32
0,25	104	40	416	160
TOTAL	**70.902**	**2.529**		

Regresión: $\text{Log} (N/km^2) = 2,28 + 0,32 \ \text{Log} (kW/km^2)$

$r^2 = 0,67$

El costo promedio de un transformador en poste es de 12.000 Bs. La muestra tomada tiene un total de 2.529 transformadores y 70.902 kW, con lo cual el costo de desarrollo es de 137 Bs/kW. Para el costo de operación y mantenimiento, se procedió de manera similar a la red MT, asignando el 30% del costo incremental al mantenimiento de transformadores y afectándolo por el factor de escala de 0,32.

Los costos marginales correspondientes serán:

Cargos financieros y reposición	16,1
Costos de O. y M.	25,2
Total	**41,3 Bs/kW por año**

4.2.2 Costos marginales de distribución en Electricidad de Caracas

Al igual que en CADAFE, se analizan por separado los niveles de media y baja tensión.

El cuadro 4-5 ilustra los resultados obtenidos para el "sistema primario" (MT) de *Electricidad de Caracas* discriminado por zonas de alta y baja densidad en el casco urbano de la ciudad. La zona de alta densidad comprende el centro de la ciudad, mientras que la zona de baja densidad cubre barrios periféricos. Los resultados obtenidos son los siguientes:

Cuadro 4-5. Resultados estadísticos para MT en *Electricidad de Caracas*

	Zona Alta Densidad	Zona Baja Densidad
Area (km²)	8,3	27,3
Demanda (MW)	185	310
Densidad (MW/km²)	22	11,4
Valor inversiones (MBs)	78	132
Costo por km² (MBs/km²)	9,3	4,8
Costo medio (Bs/kW)	422	426

Los costos medios son prácticamente iguales, lo cual indica que aparentemente no hay economías de escala en este nivel de voltaje. Una explicación de este fenómeno es que, si bien se presentan economías de escala al aumentar la densidad de líneas en una zona, este efecto es anulado por costos más altos (mayor número de redes subterráneas, mayores costos de terreno para subestaciones). Atribuyendo un 60% del costo de O y M a este nivel de tensión y admitiendo un costo de desarrollo de 420 Bs/kW, el costo marginal para la red MT de *Electricidad de Caracas* sería:

Cargos financieros y reposición	49 Bs/kW por año
Costos O y M	213
Total	**262 Bs/kW por año**

En cuanto a la red de baja tensión, una muestra de 15 cuadrículas dio los resultados del cuadro 4-6.

La regresión correspondiente es:

Log (Costo por km²) = 1,61 + 0,44 Log (MW/km²) con un valor r² = 0,88

En este caso la regresión es bastante buena e indica que sólo el 44% del costo es imputable a un aumento de demanda. Con un costo total de obras en la muestra de 25,5 MBs y una demanda de 44,7 MW, el costo marginal será de 251 Bs/kW. Atribuyendo un 40% del costo de O y M a la red BT, y afectándolo por el factor de 0,44, los costos marginales serán:

Cargos financieros y de reposición	29,4 Bs/kW por año
O. y M.	93,7
Total	**123,1**

Cuadro 4-6. Muestra de baja tensión en *Electricidad de Caracas*

Cuadrícula	kW/km²	m/km²	No. Transfor./km²	MBs/km²
Zona de baja densidad				
07EN	6.442	33.766	51,9	12,9
08EN	3.633	30.826	18,3	9,7
36EN	10.964	27.576	72,8	12,6
06EN	8.460	40.209	52,2	14,7
18EN	6.345	25.552	40,4	9,8
26EN	13.073	30.596	67,0	13,0
17EN	12.169	31.648	55,8	12,6
16EN	5.940	32.228	52,5	12,6
Zona de alta densidad				
95DL	107.966	51.751	269	33,4
05EL	86.884	81.507	462	55,7
06EL	77.393	59.809	236	32,9
07EL	50.685	42.035	173	23,7

4.3 Costos asociados con el suscriptor: acometida y medidor

El costo de la acometida y el medidor no está directamente relacionado con la demanda, aunque hay variaciones entre niveles de voltaje. Por lo tanto, es indeseable que este costo se involucre directamente en una tarifa.

Para el cobro de este rubro es preferible imponer un cargo en el momento de iniciar el servicio para industrias o comercios a los niveles de tensión mayores, o diferirlo a opción del suscriptor en los casos que represente un valor importante en relación con el ingreso del usuario.

Como costos indicativos de la inversión en acometidas y medidores, *Electricidad de Caracas* tiene un valor por suscriptor de Bs. 1.100 aproximadamente para el período 1980–83. En CADAFE, se estima que este costo está en el rango de Bs. 1.300 por suscriptor.

5. RESUMEN DE COSTOS

Los costos marginales se ajustan para tener en cuenta las pérdidas en diferentes secciones de la red, como se indica en el cuadro 5-1.

Los costos marginales resultantes se resumen en el cuadro 5-2, ilustra la estructura a corto y largo plazo de los mismos.

Cuadro 5-1. Porcentajes de pérdidas

	Punta	Energía
Generación y 800 kV	1%	0,5%
Red de interconexión hasta barras 115 kV	2%	1%
Red 115,69 kV	2%	1%
Transformación AT/MT	2%	1%
Mediana tensión	5%	4%
Baja tensión	7%	7%

Cuadro 5-2. Resumen de costos

Año base:	Bs/kW/año		c/kWh	
	1980-85	1985-95	1980-85	1985-95
Generación y red				
800 kV	225	53	28	10
Red interconexión CADAFE		106		
Pérdidas 400,230 kV	4,5	1,1	0,3	0,1
Subtotal	335	160	28,3	10,1
CADAFE-Red 115 kV		33		
Pérdidas 115 kV	6,7	3,2	0,3	0,1
Subtotal CADAFE	375	196	28,6	10,2
E. de C. Red 69 kV		89		
Pérdidas 69 kV	4,5	1,1	0,3	0,1
Subtotal E. de C.	319	143	28,3	10,1
ENELVEN-Red 138 kV		70		
Pérdidas 138 kV y 138/MT	6,7	3,2	0,6	0,2
Subtotal ENELVEN	412	233	28,9	10,3
(Incluye red de interconexión)				
CADAFE-transformación a MT		85		
Pérdidas transformación	7,5	3,9	0,3	0,1
Subtotal CADAFE	467	286	28,9	10,3
Electricidad de Caracas				
Cable 30 kV y S/E a 69 kV/MT		38		
Pérdidas	6,4	2,9	0,3	0,1
Subtotal E. de C.	363	184	28,6	10,2
Distribución: incrementales				
CADAFE: Incremental		538		
Pérdidas	56	34	3,2	1,2
Subtotal CADAFE	1.061	858	32,1	11,5
E. de Caracas: Incremental		657		
Pérdidas	47	24	3,1	1,1
Subtotal E. de C.:	1.008	856	31,7	11,3
ENELVEN: Incremental		320		
Pérdidas	49	28	3,2	1,1
Subtotal ENELVEN	781	581	32,1	11,4
Distribución—marginales:				
CADAFE: Red 34.5, y 13.8 kV		169		
Pérdidas 5% y 4%	23	14	1,1	0,4
Subtotal hasta Transfos. MT/BT	659	469	30,0	10,7
CADAFE: Transfos. MT/BT		41		
Pérdidas (4%)	26	19	1,2	0,4
Total CADAFE hasta acometida	726	529	31,2	11,1
E. de C.: Red 12,5, y 4,8 kV		262		
Pérdidas 5% y 4%	18	9	1,1	0,4
Subtotal hasta Transfos. MT/BT	643	455	29,7	10,6
E. de C.: Red 208 V		123		
Pérdidas (7%)	45	32	2,1	0,7
Total E. de C. hasta acometida	**811**	**610**	**31,8**	**11,3**

Finalmente, los costos marginales acumulados a diferentes niveles de voltaje se resumen en los cuadros 5-3 y 5-4. El cuadro 5-4 indica los costos acumulados en moneda de los Estados Unidos para propósitos comparativos. La tasa de cambio utilizada fue de Bs 4,9/US$ (precio sombra de la divisa).

En las tablas mencionadas se han totalizado los costos marginales y/o incrementales por kW. Este total se indica sólo como dato informativo para apreciar la evolución de costos de un nivel de voltaje a otro y las diferencias entre empresas. Sin embargo, no debe tomarse como dato indicativo del costo marginal por kW puesto que no se ha analizado el problema de coincidencia (o responsabilidad) de los suscriptores, como se verá en las secciones siguientes.

Cuadro 5-3. Costos marginales acumulados

	Bs/kW/año		c/kWh	
Año base	1980-85	1986-95	1980-85	1986-95
Generación a escala nacional:	225	53	28	10
CADAFE:				
Entregas a 400 y 230 kV	335	160	28,3	10,1
Entregas a 115 kV	375	196	28,6	10,2
Entregas a MT en S/E	467	286	28,9	10,3
Entregas a MT	659	469	30,0	10,7
Entregas a BT[a]	726	529	31,2	11,1
Electricidad de Caracas:				
Entregas en 69 kV	319	143	28,3	10,1
Entregas a MT en S/E	363	184	28,6	10,2
Entregas a MT	643	455	29,7	10,6
Entregas a BT	811	610	31,8	11,3
ENELVEN:				
Entregas a MT en S/E	412	233	28,9	10,3

[a]Sin red 208 kv.

Cuadro 5-4. Costos marginales acumulados

	US$/kW/año		US$c/kWh	
Año base	1980-85	1986-95	1980-85	1986-95
Generación a escala nacional:	46	11	5,7	2,0
CADAFE:				
Entregas a 400 y 230 kV	68	33	5,8	2,1
Entregas a 115 kV	76	40	5,8	2,1
Entregas a MT en S/E	95	58	5,9	2,1
Entregas a MT	134	96	6,1	2,2
Entregas a BT	148	108	6,4	2,3
Electricidad de Caracas:				
Entregas en 69 kV	65	29	5,8	2,1
Entregas a MT en S/E	74	37	5,8	2,1
Entregas a MT	131	93	6,1	2,2
Entregas a BT	166	124	6,5	2,3
ENELVEN:				
Entregas a MT en S/E	84	47	5,8	2,1

6. DISEÑO DE UN NUEVO ESQUEMA TARIFARIO

Los costos marginales proveen una base para el diseño económico de un sistema tarifario. Sin embargo, sería inusitado encontrar una situación en la cual pudiera llevarse a cabo una reforma total de la estructura. De manera general, los costos marginales sirven para identificar los puntos débiles de un esquema de tarifas e indicar las direcciones de cambio deseables.

En el caso del sector eléctrico de Venezuela, el primer problema que se presenta en lo referente a diseño tarifario está en la elección de un nivel de precios, dado el carácter decreciente de éstos. A corto plazo, debería cobrarse una tarifa relativamente alta; sin embargo, este nivel no es representativo de la situación más allá de 1985. Las decisiones de inversión que se tomen hoy tendrán seguramente consecuencias más allá de 1985 y, por lo tanto, la señal que reciba el consumidor será más eficaz si refleja el costo de los recursos a largo plazo. Por esta razón, se ha llevado a cabo un análisis tomando como nivel de referencia los costos para 1985–1995.

Como primera aproximación a tarifas basadas en los costos marginales se identifican de manera clara las siguientes categorías:

1. Compras y ventas entre empresas al nivel de interconexión.

2. Suministro en alto voltaje (AT) (115, 69, 138 kV) en subestaciones de transformación del lado primario.

3. Suministro en tensión media (MT) en las subestaciones de transformación AT/MT del lado secundario. En este caso el suscriptor provee su propio alimentador.

4. Suministro MT en el sitio de consumo del lado primario del transformador. En este caso el suscriptor provee y opera la transformación a baja tensión, y la empresa provee el alimentador.

5. Suministro en baja tensión.

Dentro de estas categorías básicas pueden presentarse subcategorías dependientes del patrón de consumo, de las características de la medición, de contratos especiales que un consumidor pueda suscribir y de su situación social y económica. Esto plantea el problema de cómo cobrar los costos de capacidad: el costo acumulado por kW indicado en el cuadro 5-2 no puede cobrarse directamente puesto que ello supondría que la demanda máxima del consumidor coincide con la carga máxima al nivel de la generación y con la carga máxima de los demás niveles de la red. Ello solamente ocurre cuando la demanda del consumidor es uniforme (factor de carga de 1,0). Por otra parte, el cobro del cargo por demanda también depende del tamaño del consumidor: por ejemplo, un consumidor a bajo voltaje no tendrá prácticamente influencia alguna en la punta del sistema a nivel de generación puesto que sus "movimientos" de carga son compensados por movimientos aleatorios de otros suscriptores. Una manera de tener en cuenta estas consideraciones es diluir sucesivamente los cargos por demanda en el cargo por energía.

A continuación se lleva a cabo un análisis de tarifas al nivel de interconexión y al nivel de las distintas empresas.

6.1 Tarifas al nivel de interconexión

En este nivel los costos marginales dependen claramente de la frontera comercial entre sistemas, separables en dos grupos:

a) EDELCA/CADAFE/*Electricidad de Caracas*

En la frontera comercial de estos tres sistemas los costos a largo plazo son de 53 Bs/kW por año y 10 c/kWh. Para el cobro de la potencia, la escasa diversidad entre los sistemas llevaría a una tarifa de alrededor de 50 Bs/kW por año y 10 c/kWh, aplicable a entregas contratadas y que no pueden interrumpirse.

b) CADAFE/ENELVEN

En este caso las entregas a ENELVEN harían uso de la red de 230 y 400 kV de CADAFE, y el costo marginal de potencia se recarga con el valor de dicha red.

La demanda de ENELVEN es prácticamente plana, lo cual resulta en una responsabilidad prácticamente de 100% y una tarifa basada en costos de largo plazo de 160 Bs/kW y 10,1 c/kWh.

c) Tarifas para suministros de emergencia

Además de la energía y potencia contratadas, los sistemas deberían hacer una provisión para casos de emergencia para lo cual se diseñará una tarifa de emergencia que se contratará por anticipado. Ello se asemeja a un seguro con una prima pagadera por anticipado, igual al cargo por potencia. El objetivo es lograr una tarifa que cree incentivos para subsanar condiciones excepcionales de corta duración, sin reemplazarla por la tarifa "normal". Para ello se propone una tarifa con un bajo cargo por potencia y un cargo por energía bastante alto.

El cálculo sería el siguiente:

- Costo base:

    —Costo por kW al nivel de generación

    —Red de interconexión

- Cargo por potencia: 20% del cargo normal de la tarifa que incluye la red CADAFE (tarifa ENELVEN)

- Cargo por energía: cargo básico a nivel de 230 kV en CADAFE aumentado por el 50% del costo de potencia sobre 1.500 horas del año (horas de punta y emergencia potencial).

El resultado es el siguiente:

Tarifa de emergencia—nivel interconexión
(Fundada en costos de 1986-1995)

Bs/kW por año	32
c/kWh: cargo energía	10,1
cargo potencia diluido	8,5
Total cargo proporcional	18,6

Esta tarifa produce dos incentivos:

- Con una tarifa de sólo 32 Bs/kW por año hay un incentivo para contratarla pues representa sólo el 20% de la tarifa normal.
- Con un recargo por energía de más de un 80% hay un incentivo para "usarla" lo menos posible.

Finalmente, el "pool" venezolano formado por OPSIS debe tener un mecanismo comercial para lograr el despacho económico dependiendo de circunstancias particulares a corto plazo. La tarifa general diseñada anteriormente se aplicaría a ventas contratadas con anticipación (ventas firmes). Para lograr el despacho económico se sugiere una tarifa de corto plazo igual al costo medio entre los recursos que son objeto de un intercambio ("split savings"). Puesto que ello depende de los contratos particulares del "pool" el tema no se trata con más detalle en este estudio, pero debe anotarse que es un elemento primordial dentro del esquema tarifario entre empresas pues permite la optimización a corto plazo. Un punto muy importante a este respecto es la necesidad de un despacho sobre la base de precios frontera para reducir los costos desde el punto de vista nacional.

6.2 Esquema tarifario de CADAFE

El cuadro 6-1 resume las características generales del esquema tarifario de CADAFE en marzo de 1981. Su análisis se lleva a cabo considerando por separado el aspecto estructural y el nivel de las tarifas.

6.2.1 Estructura tarifaria

En el cuadro 6-1 las distintas tarifas han sido agrupadas en las categorías identificadas al comienzo de esta sección. Como puede apreciarse, si bien hay una sola tarifa en las categorías 2 y 3, hay 4 tarifas en la categoría 4 y más de 7 en la tarifa de baja tensión.

Respecto a la estructura de las tarifas de alta tensión, hay dos aspectos cuya relación con los costos marginales no resulta muy clara.

- El cargo de demanda por bloques de potencia no refleja costos marginales decrecientes y sólo se justifica como medio de cobrar un cargo fijo para asegurar estabilidad financiera a CADAFE.
- El gráfico 6-1 muestra la variación en el costo promedio por kWh para un suscritor de 10.000 kW. El cobro de la energía en función del factor de carga crea discontinuidades que no reflejan costos y podrían solucionarse fijando un cargo único por energía.
- Un punto de importancia vital en la aplicación de las tarifas es el cobro de la demanda medida sin tener en cuenta la demanda suscrita. Puesto que el planeamiento se hace en base a previsiones de carga que provee el consumidor de gran escala a 115 kV, debería facturarse un porcentaje alto del costo de capacidad *cada vez* que la demanda máxima medida sobrepasa la demanda suscrita.

Respecto a las tarifas de mediana tensión, hay tres clases diferenciadas por sectores (industrial, comercial y oficial, y agropecuaria). La tarifa

Cuadro 6-1. CADAFE: Resumen de tarifas vigentes

Categoría	Tarifa	Cargo anual por demanda (Bs/kW)	Cargo por Energía (c/kWh)
	Marzo de 1981		
2-AT en S/E	115 kV Primario	Bloques 0-5.000 kW 360-276	6,5 a 4,7 en función del factor de carga.
3-MT en S/E	115 kV Secundario	Igual a 115 kV-Primario con cargo extra de 24-16	Igual a 115 kV-primario.
4-MT (34,5 y 13,8 kV)	Industrial general en Alta Tensión	Bloque 0-100 kW: 348 Exceso a 276	24 a 14 en función del factor de carga.
	Industrial alto factor de carga	Bloque 0-2.500 kW: 1.200 Exceso a 1.020	500 horas/mes incluidas en el cargo por demanda Exceso a 12,1
	Comercial y Oficial General en AT	Bloque 0-100 kW a: 420 Exceso a 348	25 a 19 en función del factor de carga
	Agropecuaria		8.00 a 22.00: 22 22.00 a 8.00: 7
5-BT	Industrial general en AT Secundario	Bloque 0-100 kW: 432 Exceso a 348	24 a 14 en función del factor de carga
	Comercial y oficial General en AT-Secundario	Bloque 0-100 kW: 504 Exceso a 420	25 a 19 en función del factor de carga
	Industrial general		Bloques de energía con primer bloque mínimo variación de 64 a 43
	Comercial y Oficial General		Bloques de energía con primer bloque mínimo variación de 68 a 49
	Residencial general Comercial e industrial social		4 Bloques, 32 a 20 menos de 200 kWh bimestrales: 66
	Tarifas residenciales sociales		2 bloques, 20 a 30

agropecuaria tiene un claro sentido económico por estar orientada hacia una actividad que puede trasladar su consumo a las horas fuera de punta (riego nocturno, por ejemplo). La distinción entre las tarifas industrial y comercial es menos clara: un análisis somero de algunos circuitos de la red de CADAFE sobre un período de una semana arroja los resultados indicados en el cuadro 6-2.

Gráfico 6-1. Costo promedio del kWh en alta tensión, CADAFE

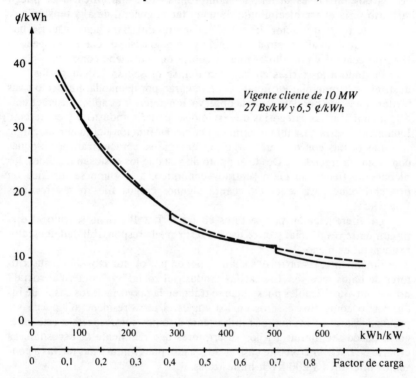

**Cuadro 6-2. Responsabilidad (R) y factor de carga (F)
para usuarios seleccionados de CADAFE
(en %)**

	Aragua		Zona Guárico		Bolívar	
	R	F	R	F	R	F
Residencial	85	75	92	69	86	74
Comercial	85	44	—	—	—	—
Industrial	99	81	100	72	100	68
Rural	—	—	100	68	—	—
Agropecuaria	—	—	65	72	—	—

Como puede apreciarse, la responsabilidad es mayor para los circuitos industriales que para los comerciales (que tienen una tarifa mayor). La tarifa comercial superior se fijó aduciendo que el industrial usa la energía para fines "más productivos" que el usuario comercial. Este juicio de valor es arbitrario pues realmente lo único que se puede asegurar es que, si la tarifa refleja el costo marginal, el recurso energético tiene su valor verdadero y el suscriptor hará un uso óptimo de él. Teniendo en cuenta que una "inversión" de las dos tarifas es difícil, un compromiso que simplificaría el pliego tarifario sería el establecimiento de una "tarifa general de alta tensión".

La tarifa "alto factor de carga" es interesante para aquel usuario que desee sufragar un alto costo de potencia y un bajo costo de energía respecto a la tarifa general y por ello es una categoría que conviene conservar.

Pasando a las tarifas en baja tensión, se presentan las categorías "industrial" y "comercial y oficial" con/sin cargo por demanda. Respecto a las tarifas con cargo por demanda, la observación anterior es aplicable en el sentido de unificar las categorías de servicio secundario industrial y comercial. Igualmente, sería deseable eliminar el cobro en función del factor de carga.

Las tarifas con el mero cargo por energía se caracterizan por bloques con costos decrecientes. Desde el punto de vista de los costos marginales, los bloques no tienen un claro sentido económico: a lo sumo se justifica un primer bloque para tener en cuenta algunos cargos fijos o restricciones financieras.

La diferenciación por sectores en las tarifas BT tiene sentido al distinguir entre residencial y otros usos, puesto que la responsabilidad del sector residencial es menor.

Finalmente, las tarifas "sociales" tienen por objeto subsidiar a suscriptores de bajos recursos. Las tarifas "industrial social" y "comercial social" no son muy justificables puesto que se trata, en la mayoría de los casos, de industrias o comercios caseros en los cuales el uso "residencial" puede ser preponderante. La acción más importante a tomar con respecto a esta categoría puede ser limitarla a los suscriptores que realmente la necesitan. El criterio de CADAFE en este caso es adecuado, pues limita estas tarifas a consumos inferiores a 200 kWh bimestrales.

En resumen, con las reformas en el sector de baja tensión, se buscaría:

a) Establecer una categoría general para suscriptores con cargo por demanda, eliminando las categorías industrial y comercial.

b) Establecer una categoría general para suscriptores no residenciales, con cargo por energía únicamente.

c) Mantener una categoría residencial general.

d) Establecer una categoría social única limitada a consumos de menos de 200 kWh por bimestre.

e) Eliminar los bloques de energía y la facturación en función del factor de carga.

6.2.2 Nivel tarifario

A continuación se presenta una aproximación al nivel tarifario basado en costos marginales para CADAFE, tomando como referencia el costo calculado para la década 1985-95.

Como se mencionó antes, el cálculo de la tarifa misma se lleva a cabo "diluyendo" parte de los costos de capacidad en la tarifa de energía. El porcentaje utilizado es bastante arbitrario, y se han seguido las siguientes pautas:

- Se diluyen en mayor proporción los costos por kW localizados en los niveles de voltaje superiores al nivel estudiado.

- Los costos de la red "individual", correspondientes a cada nivel de voltaje se cargan en su totalidad al costo por capacidad, suponiendo un factor de coincidencia de alrededor del 90%.

Para este caso, se tomaron los porcentajes de dilución indicados en el cuadro 6-3.

Cuadro 6-3. CADAFE: Porcentaje de costos de capacidad diluidos en el cargo proporcional

Categoría tarifaria	Origen del costo					
	Concepto					
	Generación	Interconexión	Red 115	115/MT	Red MT	MT/BT
3	40	20	20	0		
4	100	30	30	10	0[a]	
5	100	30	30	10	0[a]	0

[a]Factor de coincidencia del 88%.

En cuanto al nivel 2 se recomendó aplicar un factor de coincidencia de alrededor del 90% a los costos acumulados. De aquí resultan los niveles tarifarios que se detallan en el cuadro 6-4.

Cuadro 6-4. Niveles tarifarios fundados en costos marginales

Categoría	Cargo por kW por año (Bs)	Cargo por kWh (c)
2	173	10,2
3	236	10,9
4	340	12,1
5	407	12,5

Faltaría calcular el valor correspondiente a las tarifas "alto factor de carga", "agropecuaria" y las tarifas de BT sin cargo por kW. La tarifa por alto factor de carga puede calcularse suponiendo una diversidad del 10% para los costos acumulados hasta el nivel MT, resultando en:

Cargo por kW por año:	257 Bs/kW
Cargo por kWh:	10,3 c/kWh

La tarifa agropecuaria tiene como costos componentes 300[1] Bs/kW y 10,7 c/kWh.

Diluyendo el cargo por potencia en 3.600 horas de punta anuales, queda la siguiente tarifa:

Cargo equivalente por capacidad	8,31 c/kWh
Cargo por energía	10,70
Total (tarifa en punta)	19,01
Tarifa fuera de punta	10,70 c/kWh

Finalmente, las tarifas BT sin cargo por kW se apoyarán en la tarifa de la categoría 5 dependiendo de las horas de utilización anual de la demanda de punta; tomando 6.000 horas de utilización para circuitos residenciales y 3.000 para los demás, se tendría:

Servicio residencial	19,3 c/kWh
Servicio general	26,1 c/kWh

Estos últimos valores aumentarían levemente para tener en cuenta la acometida si ésta no se cobra en el momento de establecer el servicio.

6.2.3 Realización de reformas

Los cambios en un esquema tarifario se ejecutan en un período relativamente largo, en buena medida porque su aceptación por parte del consumidor sólo se consigue con variaciones relativamente lentas. En este caso, se ha puesto el énfasis sobre un diseño basado en los costos a largo plazo y una meta razonable sería, por ejemplo, lograr la aplicación de un sistema fundado en costos marginales hacia 1985 o 1986.

Al comparar los niveles propuestos con los existentes se notan las siguientes diferencias: la mayoría de los cargos por potencia están en un nivel adecuado o deberán reducirse, con la excepción del "cargo por subestación" para entregas a MT en subestaciones 115/MT que debería ser mayor; los cargos por energía a nivel de 115 kV son muy bajos y debería buscarse un reajuste considerable (más del 80%); los cargos por energía en los demás niveles son comparables con el costo marginal, o pueden reducirse.

Una estrategia para lograr el nivel deseado puede ser la proyección de aumentos anuales en aquellas tarifas que lo necesiten para evitar un cambio demasiado brusco y el congelamiento de aquellas que estén muy altas, de manera que los efectos inflacionarios resulten hacia 1986 en un nivel que se aproxime al costo marginal. Además, naturalmente, habría que llevar a cabo

---

[1]286 Bs/kW +14 Bs/kW pérdidas MT (el usuario provee el alimentador pero no se mide en la S/E).

algunos de los cambios de estructura que se anotaron antes (eliminación de bloques, unificación de algunas categorías).

6.3 Esquema tarifario de *Electricidad de Caracas*

El cuadro 6-5 resume las tarifas de *Electricidad de Caracas* siguiendo la clasificación indicada a comienzos de esta sección.

Cuadro 6-5. *Electricidad de Caracas*: **Resumen de tarifas vigentes (marzo de 1981)**

Categoría	Tarifa	Cargo anual por demanda Bs/kVA	Cargo por Energía c/kWh
2-AT	Consumidores en 69 kV (más de 10 MVA)	Bloques de 294 a 180	Bloques desde 6,3 a 3,8
4-344 (MT)	Consumidores en 30 kV	378	6,5
	Grandes consumidores en alta tensión (12,4 a 4,8 kV y más de 10 MVA)	378	4
	Otros consumidores en AT(12,4 a 4,8 kV y más de 1 MVA)	378	9
	General (MT o BT y más de 10 kVA)	Bloques de 288 a 126	Bloques de 22 a 10 en función del factor de carga
5-(BT)	General BT	Bloques de 456 y 288 (incluye parte del consumo)	Bloques de 34 a 15 en función del factor de carga
	Residencial		Cargo básico y bloques de 40 a 17
	Residencial social		Cargo básico y exceso a 20

6.3.1 Estructura tarifaria

En primer lugar, conviene destacar el cobro por kVA y no por kW. Esto significa que las tarifas por kW efectivo son probablemente de un 10% a un 15% más altas que el valor indicado por kVA. Esto tiene la ventaja de proveer un incentivo al suscriptor para que corrija su factor de potencia, pero el incentivo también puede llevar a una corrección exagerada (más allá de 0,9, por ejemplo).

En la tarifa de 69 kV hay tres bloques de demanda y tres bloques de energía, uno de los cuales, por lo menos, podría ser eliminado para aproximarse al costo marginal.

En cuanto a las tarifas de mediana tensión, la clasificación está en función del "tamaño" del suscriptor lo cual no está relacionado con el costo de servicio a menos que haya manera de discriminar, por la demanda, entre aquellos que usan la red MT y aquellos que suplen su propio alimentador. Por esta razón, puede ser deseable modificar la estructura vigente para tener sólo dos categorías en MT (con y sin alimentador primario).

En baja tensión hay tres categorías que podrían mantenerse con algunas simplificaciones, por ejemplo, servicio BT con tarifa binomia, servicio general con el solo cargo por kWh y servicio social.

6.3.2 Nivel tarifario

Una tarifa basada en costos marginales puede diseñarse con un criterio parecido al de la sección 6,2, diluyendo algunos costos de capacidad en el cargo por energía, como se muestra en el cuadro 6-6.

Cuadro 6-6. *Electricidad de Caracas*: **Porcentaje de costos de capacidad diluidos en el cargo proporcional**

Categoría tarifaria	Generación	Red 69 kV	Cable 30 kV y S/E menores	Red MT	Red/BT
2	0	0			
3	40	20	5		
4	80	20	20	a	
5	100	100	50	30	b

[a]Factor de coincidencia del 95%.
[b]Factor de coincidencia del 90%.

Usando estos factores y aplicándolos a los costos marginales pertinentes, resultan las siguientes tarifas binomias:

	Bs/kW por año	c/kWh
Tarifa 69 kV	130	10,1
Tarifa MT en S/E (incluye 30 kV)	143	11,2
Tarifa MT con primario	373	11,4
Tarifa Binomia BT	349	14,0

La tarifa general BT, suponiendo 2.400 horas por año de uso de la demanda máxima, sería, sobre la base de la tarifa binomia BT, de 28,5 c/kWh.

6.3.3 Realización de reformas

La comparación de la tarifa fundada en costos marginales con la existente, permite concluir que el cargo por capacidad debería reducirse al nivel de 69 kV y MT, junto con un incremento de la tarifa de energía. A los niveles de

MT con primario y BT habría necesidad de incrementos menores en la tarifa
por kW y reducciones (en promedio) de la tarifa por kWh.

6.4 Esquema tarifario de ENELVEN

Los análisis de CADAFE y *Electricidad de Caracas* ilustran suficientemente
el proceso de diseño tarifario. En el caso de ENELVEN no se dispone de información para niveles de MT y BT, llegando sólo hasta el servicio en 138
kV y la transformación a MT. En este nivel, la tarifa de ENELVEN (servicio
primario) es la siguiente:

Primeros 2.000 kVA	Bs. 63.000 (mínimo)
Siguientes 2.000 kVA	31,5 Bs/kVA por mes
Exceso	30,75 Bs/kVA por mes
Primeros 200 kWh/kVA	4,825 c/kWh
Siguientes 300 kWh/kVA	4,45 c/kWh
Exceso	4,075 c/kWh

Para el suministro a 138 kV, es interesante analizar el comportamiento
de la demanda, como se ilustra en el gráfico 6-2. Los servicios "primario" y
residencial se complementan: al aumentar la carga de uno, disminuye la del
otro, de lo cual resulta la curva de carga excepcionalmente plana de
ENELVEN. El servicio primario tiene una responsabilidad de sólo el 70%
respecto a su demanda máxima.

Si al nivel de la generación y de la red de CADAFE se conserva un 70%
de los cargos por potencia, diluyendo un 30% en el cargo por kWh, y aplicando una responsabilidad del 70% al costo de la red de 138 kV, se tendría
una tarifa de 163 Bs/kW (14 Bs/kW por mes) y 10,9 c/ kWh.

Con respecto a la tarifa vigente, se observa la necesidad de un incremento superior al 100% en el cargo por energía y una reducción cercana al
50% en el cargo por kW.

Gráfico 6-2. Responsabilidad diversificada por categoría de suscriptor
(día típico de la semana)

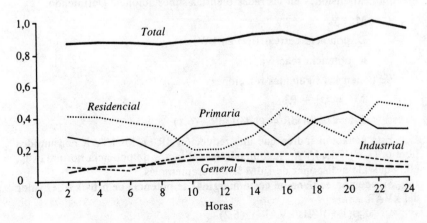

6.5 Cobro de energía reactiva

6.5.1 Aspectos generales

La energía reactiva de un sistema eléctrico está ligada al consumo de kWh por la naturaleza misma del "producto". Sin embargo, los consumidores que operan a un factor de potencia inferior al "normal" están imponiendo costos por los siguientes conceptos:

a) Un alto consumo de kVAR, lleva a desperdiciar capacidad en generadores, líneas y equipos por el uso de kVA que de otra manera podrían servir para transmitir kW.

b) El alto consumo de energía reactiva ocasiona pérdidas en transformadores y líneas que se pueden evitar corrigiendo el factor de potencia.

c) Además de las pérdidas, hay mayor deterioro de aislamientos y otros efectos negativos como la menor regulación de voltaje.

En cierto modo, el efecto del bajo factor de potencia puede ser visto como una deseconomía externa del consumo, pues se trata de un perjuicio que se causa a la empresa suministradora sin que el usuario perciba todos los efectos nocivos del fenómeno.

De los efectos enumerados anteriormente, la limitación de capacidad en algunos equipos puede ser el más serio, pues exige inversiones adicionales en capacidad de transmisión, transformación o generación. A continuación se estudian los costos asociados con este último rubro sin desconocer, por supuesto, que las pérdidas de energía por bajo factor de potencia pueden tener importancia pese a que se prestan menos al análisis.

6.5.2 Análisis de costos

Si un usuario opera a un factor de potencia f inferior a 1, puede reducir su consumo de kVA, manteniendo, sin embargo, su potencia real, mediante un incremento en f. Los kVA así liberados en las redes y equipos que sirven al usuario, pueden ser usados para transmitir potencia activa, postergando, por ejemplo, expansiones en las redes o en las subestaciones. Definiendo:

M: kVA

D: potencia activa (fija) en kW

R: potencia reactiva

Se tienen las siguientes relaciones

$$M^2 = D^2 + R^2$$

$$dM = (R/M)dR = (1-f^2)^{1/2}dR \quad (6.1)$$

Esta ecuación indica que una reducción dR en los kVAR consumidos liberan $(1-f^2)^{1/2}dR$ kVA. Suponiendo que el factor de potencia normal es f_0, ello equivale a disponer de f_0dM kW incrementales.

Si, además, se tiene un costo marginal de potencia de p Bs/kW, el valor del kVAR será:

$$f_0p(1-f^2)^{1/2}Bs/kVAR \quad (6.2)$$

Este análisis es muy elemental puesto que supone un voltaje constante y no considera la interacción del usuario con el resto de la red. En realidad, una reducción de dR kVAR tendrá un efecto menor sobre la capacidad "liberada". El cuadro 6-7 muestra el factor $f_0(1-f^2)^{1/2}$ para varios valores de f suponiendo que f_0 es igual a 0,9.

Cuadro 6-7. Variación del coeficiente de sustitución kVA/kVAR
($f_0 = 0,9$)

f	0,6	0,65	0,7	0,75	0,8	0,85	0,9	0,95	1
$f_0(1-f^2)^{1/2}$	0,68	0,68	0,64	0,60	0,54	0,47	0,39	0,28	0

El cobro, usando la fórmula (6.2) no podría aplicarse para $f > 0,9$ pues es inevitable que el sistema tenga energía reactiva, y los beneficios que se logran con correcciones más allá de 0,85 son generalmente bajos.

6.5.3 Análisis de incentivos y sistemas de penalidad

El cobro de un costo marginal respecto a la energía reactiva no es particularmente importante, puesto que no se trata de un producto que el usuario desea consumir. Sin embargo, el sistema de penalidad usado sí tiene importancia, puesto que ello entra eventualmente en el proceso de decisiones al formar parte de la factura total del suscriptor por energía eléctrica. Por otra parte, la penalidad debe inducir al usuario con bajo factor de potencia a corregirlo en la medida que ello sea económicamente justificable.

a) Cobro por kVA

En el sistema venezolano tanto EDELCA como ENELVEN no tienen un cargo por kW de demanda sino un cargo por kVA. Por lo tanto, el usuario tiene un incentivo para corregir su factor de potencia hasta el punto en el cual el kVA marginal ahorrado iguale el costo marginal de corrección.

Para analizar esta modalidad de cobro, se definen las siguientes variables:

t = tarifa por kVA
D = demanda de potencia (kW)
f = factor de potencia sin corrección (cos F)
f ' = factor de potencia corregido (cos F ')

El ahorro en el cargo por kVA al pasar de f a f ' es $tD[(1/f)-(1/f')]$. Los kVAR necesarios para esta corrección son:

D (tan F−tan F ')

y el ahorro neto, suponiendo un costo de c Bs/kVAR, será

$S = tD[(1/f)-(1/f')]-cD(\tan F-\tan F')$

Este ahorro es máximo cuando $dS/dF' = 0$, lo cual corresponde a

sen F ' = c/t

$f' = [1-c^2/t^2]^{1/2}$

Esto indica que existe un factor de potencia óptimo para el usuario, independiente de su consumo en kW, y función únicamente de la tarifa por kVA y del costo por kVAR de corrección.

Puesto que la tarifa por kVA está condicionada sobre todo por el costo marginal del kW, y como el costo de corrección (c) está dado de manera exógena, el factor de potencia óptimo del usuario no necesariamente conduce a la corrección más deseable. Por ejemplo, en *Electricidad de Caracas* la tarifa actual en alta tensión (tarifas T4, T5, T6) corresponde a 31,5 Bs/kVA/mes. El costo de inversión de condensadores es del orden de 300 Bs/kVAR, equivalentes a 4 Bs/kVAR por mes con 10 años de vida útil y una tasa de 10%.

En este caso resultaría un factor de potencia óptimo $f' = 0,99$ que induce al usuario a corregir excesivamente dicho factor.

b) Cobro por kVAR

Otra fórmula de penalidad es el cobro al usuario del valor de los kVAR necesarios para llegar al factor de potencia normal. Este sistema es empleado por CADAFE con la siguiente fórmula.

Penalidad = $(\tan F - \tan F_0)$ Dt

donde t es el cobro por kVAR y D la demanda máxima.

Suponiendo que tan F es igual a la proporción entre energías reactiva y activa (kVARh/kWh), con t = 15 Bs/kVAR y $f_0 = 0,9$ la fórmula de CADAFE queda: [kVARh/kWh$-0,4843$] D$\times$15.

Con esta penalidad, el usuario tiene un incentivo para corregir su factor de potencia hasta $f = f_0$ siempre que el costo por kVAR de corrección no exceda el valor t, en este caso de 15 Bs/kVAR. Por ejemplo, para los usuarios en MT se tiene un cargo de 340 Bs/kW. Aplicando a este valor los factores del cuadro 6-7 se obtienen valores por kVAR que varían entre 20 Bs/kVAR/ mes para f = 0,6 y 13 Bs/kVAR/mes para f = 0,85.

El valor adoptado por CADAFE está claramente dentro de este rango y hay un incentivo claro para corregir el factor de potencia.

6.5.4 Conclusión

Como se dijo en la sección anterior, el cobro del costo por energía reactiva no es una señal especialmente importante "per se", puesto que no está relacionado con el consumo. Por esta razón, la eficacia de una penalidad depende de la información que se proporcione a los usuarios, para quienes puede ser provechoso corregir el factor de potencia.

En este aspecto, CADAFE lleva a cabo un análisis de facturación que le permite identificar usuarios que se beneficiarían con la asesoría técnica necesaria para la corrección. Este tipo de control y seguimiento es probablemente más efectivo para el control de reactivos que el mecanismo mismo de la penalidad. Sin embargo, cabe anotar finalmente que el cobro tal como lo hace CADAFE proporciona incentivos más claros y directos al usuario que el cobro por kVA.

7. VERIFICACION FINANCIERA, ASPECTOS DISTRIBUTIVOS Y CONSIDERACIONES DE *"SECOND BEST"*.

Las tarifas basadas en los costos marginales no cumplen necesariamente con requisitos financieros de las empresas. En particular, las tarifas no están diseñadas para cubrir costos tales como los administrativos, de ventas y generales que no dependen de la demanda y están determinados por el número de consumidores o el tipo de mercado.

En el caso de Venezuela se hizo una verificación financiera para CADAFE, suponiendo que se implanten las tarifas sugeridas en el capítulo 6. La metodología seguida fue:

a) Estimación de ventas por tarifa

b) Proyección del estado de pérdidas y ganancias

c) Proyección del estado de usos y fuentes de fondos

Sobre la base de los resultados del análisis financiero se efectuaron cambios en las tarifas propuestas con el objeto de cumplir con metas financieras de la Empresa. El estudio se hizo para los años 1986, 1987 y 1988, período en el cual se puede suponer que hayan sido puestas en práctica las reformas tarifarias.

Finalmente, un aspecto fundamental de la verificación financiera es el costo de combustibles para CADAFE. Los costos marginales y las tarifas correspondientes se calcularon de acuerdo con precios frontera, y en particular, de acuerdo con los precios internacionales de combustible. La verificación financiera sólo tiene sentido si se concretan estas suposiciones.

Además, ello se justifica puesto que la planificación del sistema y sus planes de expansión se hace sobre la base de precios internacionales, pues de otra manera no se justificarían los futuros desarrollos hidroeléctricos.

7.1 Proyecciones financieras

El cuadro 7-1 ilustra la proyección de ventas por tipo de usuario, junto con la demanda de facturación correspondiente. Aplicando a estas ventas las tarifas basadas en costos marginales (escaladas para tener proyecciones a 1986[1]) se obtuvieron los ingresos por ventas del cuadro 7-2.

El volumen proyectado de pérdidas y ganancias se muestra en el cuadro 7-3 en MBs corrientes (escalados anualmente por 10%). Como puede observarse, se prevén pérdidas operativas para todos los años con excepción de 1988. Las pérdidas mayores en 1986 reflejan la mayor generación térmica prevista para ese año. En 1988 habrá un saldo positivo cuando entre a operar una buena parte del parque hidráulico.

Una causa importante de las pérdidas son los gastos fijos que no fueron incluidos en las tarifas. El resultado de la verificación financiera indica la necesidad de reajustar las tarifas basadas en el costo marginal.

---

[1] 10% anual respecto a las tarifas señaladas en la sección 5.

Para enfrentar este problema, conviene establecer un marco de referencia preliminar:

- Los ingresos adicionales generados con el reajuste deben corresponder a una meta financiera claramente definida.
- El reajuste debe procurar minimizar las distorsiones con respecto al costo marginal.
- Los reajustes fundados en costos no imputados deben ser equitativos para asignarlos a aquellos consumidores que tienen mayores probabilidades de originarlos.

Cuadro 7-1. Proyección de la demanda facturada

Tarifa:	1986		1987		1988	
	MW	GWh	MW	GWh	MW	GWh
115 kV -Especiales	470	1.600	530	1.700	580	1.800
115 kV	330	1.900	360	2.100	400	2.350
Alta tensión primaria	1.240	2.600	1.380	2.900	1.530	3.200
Alta tensión secundaria	98	290	110	320	120	360
Alto factor de carga	110	430	120	480	130	530
Residencial social	—	200	—	210	—	220
Residencial	—	3.600	—	4.000	—	4.400
Comercial	—	1.500	—	1.650	—	1.800
Industrial	—	770	—	850	—	950
Agropecuaria	—	95	—	101	—	107
Oficial	—	4.300	—	4.600	—	4.800

Cuadro 7-2. Proyección de ingresos (MBs de 1986)

Concepto	1986		1987		1988	
	MW	GWh	MW	GWh	MW	GWh
Tarifa:						
115 kV -Especiales	110	260	120	270	133	290
115 kV	120	320	130	360	150	400
Alta tensión primaria	680	490	750	550	840	610
Alta tensión secundaria	64	58	72	64	79	72
Alto factor de carga	60	86	66	96	71	110
Residencial social	—	50	—	53	—	55
Residencial	—	1.100	—	1.200	—	1.400
Comercial	—	630	—	690	—	760
Industrial	—	320	—	360	—	400
Agropecuaria	—	24	—	25	—	27
Oficial	—	1.800	—	1.900	—	2.000
Ingresos totales	1.034	5.138	1.138	5.568	1.273	6.124
Total Anual (aprox.)	6.200		6.700		7.400	

Fernando Lecaros   117

Cuadro 7-3. Estado de pérdidas y ganancias
Combustible a precios frontera
(MBs corrientes)

	1986	1987	1988
Ingresos operativos	6.200	7.400	9.000
Egresos operativos			
Depreciación	1.340	1.450	1.550
Combustible	2.040	550	647
Gastos de operación	2.520	2.900	3.420
Amortizaciones	3	3	3
Compra de energía	1.650	3.050	3.300
Total gastos operativos	7.553	7.953	8.920
Utilidad operativa	(1.353)	(553)	80
Ingresos no operativos	20	21	22
Egresos no operativos	120	130	140
Utilidad Neta	(1.453)	(662)	(38)

7.2 Metas financieras

El establecimiento de una meta financiera para una empresa como CADAFE depende de las condiciones de acceso al crédito y los requisitos que las entidades prestamistas consideren convenientes. Sin embargo, hay algunos criterios que pueden aplicarse para comprobar si existe una situación financiera sana. Uno de ellos puede ser la exigencia de una rentabilidad sobre los activos revaluados. En este caso particular, el criterio puede ser de difícil y dudosa aplicación debido a las condiciones de expansión del parque generador; si hay equipos de muy baja utilización, la exigencia de una rentabilidad dada sobre ellos no parece un criterio adecuado.

Otro criterio que puede aplicarse es la fijación de un nivel de generación interna de fondos. Este se compone de las utilidades y la depreciación del año (al no haber repartición de dividendos en CADAFE). El uso de fondos comprende principalmente las inversiones y el servicio de la deuda. Una meta adecuada es, por lo tanto, que los fondos generados internamente cubran una proporción de los usos.

En particular, si los préstamos han sido contraídos con lapsos acordes con la duración de la inversión, los fondos generados internamente deben, por lo menos, alcanzar a cubrir el servicio de la deuda. Como alternativa, puede fijarse una proporción adecuada de generación de fondos. Para empresas en expansión, este valor puede estar en el rango de 30–40%. El cuadro 7-4 muestra los usos de fondos y las fuentes.

Si se quiere cubrir el servicio de la deuda, se necesitarían utilidades por los siguientes montos:

1986	2.153 MBs
1987	1.302 MBs
1988	718 MBs

Por otra parte, si se lograra generar los fondos para servir la deuda, ello representaría alrededor de un 40% de los usos totales de fondos, lo cual parece una proporción razonable. Esto significa que será necesario generar alrededor de 1.300 MBs adicionales por año. Si este valor se compara con los gastos no incluidos en la tarifa, se tienen los siguientes valores (MBs):

Cuadro 7-4. CADAFE: Usos y fuentes de fondos
(MBs corrientes)

Fuentes	1986	1987	1988
Depreciación	1.340	1.450	1.550
Utilidades netas[a]	(1.453)	(662)	(38)
Total de generación interna	(113)	788	1.512
Usos			
Servicio de la deuda	2.040	2.090	2.230
Inversiones	2.900	2.970	3.260
Incrementos en el capital de trabajo	70	80	120
Total de usos	5.010	5.140	5.610

[a]Precios internacionales de combustible.

	1986	1987	1988
Gastos de ventas	640	740	850
Administración y generales	660	770	900
Total	**1.300**	**1.510**	**1.750**

Estas cifras se comparan aproximadamente con la meta fijada de 1.300 MBs y se procede a efectuar los reajustes tarifarios necesarios.

7.3 Distribución de gastos de ventas

Este rubro es claramente identificable con los consumidores de baja tensión. Incluye el valor de alquiler de oficinas locales, sueldos de lectores, etc.

El valor de estos gastos en 1986 es de 640 MBs, lo cual resulta en un costo por suscriptor de 390 Bs por año. Una manera de cargar este costo es diseñar bloques decrecientes de manera tal que el consumidor promedio tenga una "tarifa marginal" igual al costo marginal. Esto introduce sin embargo el problema de consumidores que están "por debajo" de este valor. La solución ideal sería un cargo fijo de 390 Bs anuales (equivalentes a 65 Bs bimestrales en Bs de 1986, ó 41 Bs bimestrales en Bs de 1980). Sin embargo, se consideró que este cargo fijo no tendría una presentación adecuada y sería preferible crear un primer bloque de 200 kWh bimestrales en el cual se incluirán estos gastos fijos.

En este caso la tarifa de baja tensión tendría la siguiente estructura (Bs de 1986).

a) Residencial (bimestral)   127 Bs (mínimo)
   0-200 kWh   0,31 Bs/kWh
   Exceso

b) General
   0-200 kWh   149 Bs (mínimo)
   Exceso   0,42 Bs/kWh

El consumo de los suscriptores agropecuarios, con doble contador, es relativamente alto, por lo cual puede adoptarse el cargo fijo de 65 Bs bimestrales.

7.4 Distribución de gastos administrativos y generales

Si bien resulta claro, en el caso de los gastos de ventas, que éstos dependen sólo del número de suscriptores independientemente del consumo individual, no ocurre lo mismo con los gastos de administración. Este costo debiera cobrarse, idealmente, como un cargo fijo con el objeto de enfrentar al consumidor con una "tarifa marginal" igual al costo marginal. Sin embargo, la determinación de este cargo fijo y su distribución entre los distintos niveles de consumo puede dar lugar a injusticias sobre todo con los suscriptores de menor volumen. El valor de este rubro es de 660 MBs. Si se hace una primera asignación proporcional al consumo, se tendrían los siguientes valores para 1986:

	GWh	%	Valor a cargar (MBs)
Alta tensión y MT	6.800	39	258
Residencial social	200	1,2	8
Residencial y general	10.200	59	389
Agropecuario	95	0,6	4

Si este valor se cobra por kWh en las tarifas de BT, resulta un sobrecargo de 4 c/kWh.

En el caso de las tarifas de alta tensión, puede ser preferible distorsionar el valor del cargo por kW sin aumentar el valor del kWh. En este caso, habría un incremento de 115 Bs/kW, lo cual incidiría seriamente en el cargo por demanda a 115 kV (incremento del 66%) pero provocaría un incremento de sólo un 18% para la tarifa de demanda en alta tensión-servicio secundario. En general, es preferible la distorsión del cargo por kW con respecto al costo marginal puesto que puede aplicarse a la demanda suscrita, dejando al suscriptor con una tarifa marginal aproximadamente igual al costo marginal.

La aplicación práctica de estos criterios deberá hacerse con una verificación financiera más detallada: este informe se ha limitado a indicar pautas para la repartición de estos gastos cuando es necesaria la distorsión de los costos marginales.

Finalmente, puesto que las utilidades de CADAFE están determinadas por las compras a EDELCA, es posible que los reajustes sugeridos no sean necesarios si se pacta un nivel tarifario inferior o una canalización de recursos de EDELCA al resto del sector.

7.5 Distorsiones de precios

Las tarifas basadas en el costo marginal llevan a una situación óptima desde el punto de vista social, si no existen distorsiones de precios. En el caso venezolano, la principal distorsión reside en el precio de los combustibles.

Dentro del sector, ello implica que algunas empresas eléctricas pueden encontrar deseable, desde un punto de vista económico, generar con plantas térmicas propias en lugar de comprar energía de EDELCA.

La solución puede ser un reajuste del precio interno del combustible, un mecanismo de distribución de utilidades dentro del sector que neutralice el incentivo generado por el subsidio a los hidrocarburos de consumo interno, o una reducción de la tarifa fundada en costos marginales. Esta última es una medida que distorsiona los precios percibidos por las empresas, y en caso de adoptarla sería deseable considerarla como una solución temporal mientras se reajustan los precios internos.

El subsidio a los combustibles que se extiende al sector eléctrico cubre también a otras actividades. Esto se hace parcialmente a expensas de empresas petroleras productoras de dicho combustible. En particular, empresas petroleras de alguna magnitud podrían optar por autoabastecerse utilizando combustibles como el gas e instalando turbinas propias en lugar de comprar el servicio a las empresas eléctricas. A corto plazo, la distorsión existiría en la zona de Maracaibo donde se halla localizada la mayor parte de la producción petrolera. A largo plazo, esta situación puede extenderse al oriente del país con el desarrollo de la faja petrolera del Orinoco.

El problema puede medirse considerando el precio interno del gas (0,71 Bs/millones de Btu) que se traduce en 1 c/kWh suponiendo turbinas con consumos de 14.000 Btu/kWh. A estos precios, la tarifa de 115 kV no es competitiva con la alternativa de autoabastecimiento llevando así a una asignación errada de los recursos.

La solución ideal al problema (solución llamada "first best") es, naturalmente, un reajuste del precio interno de los combustibles. Si ello no fuere factible, será imprescindible pensar en otro tipo de alternativa cambiando el nivel tarifario para algunos clientes. Aunque esta solución complica el pliego tarifario, puesto que implica contratos especiales para estos clientes, puede ser una solución que asegure la adecuada asignación de recursos a escala nacional.

En otros usos, la sustitución puede ser posible pero su incidencia es mucho menor. Sería, por ejemplo, el caso de cocinas con queroseno subsidiado; sin embargo, puede decirse que este problema está limitado a clases de menores recursos que de todas maneras adoptarían otra alternativa si sus ingresos se lo permitieran.

7.6 Subsidios y distribución de ingresos

Este aspecto ya se trató parcialmente con el análisis de una tarifa social para CADAFE. Como se observó, el subsidio para estos suscriptores está dirigido a los de consumos muy bajos e indicativos, en la mayoría de los casos, de ingresos escasos. Por otra parte, los ingresos que se dejan de percibir por este concepto son menores dada la poca incidencia que tienen en el nivel de la demanda. Desde el punto de vista tarifario, un problema que subsiste está relacionado con el contrabando de energía que puede ser sustancial en algunas zonas. Una solución a este problema es la legalización de la situación irregular de estos consumidores, estableciendo contadores colectivos en barrios de invasión o urbanizaciones clandestinas y efectuando el cobro en cooperación con los líderes comunales, junto con una posible modernización de las redes. Para este tipo de consumo habría que aplicar la tarifa social, posiblemente sin cargo fijo.

Sin embargo, aparte del problema anterior, puede ser deseable promover una distribución del ingreso fundada en la estructura tarifaria. El problema de este tipo de objetivos es relacionar los niveles de cobro del servicio con los ingresos del suscriptor. Algunas de las alternativas propuestas han sido:

- Tarifas fundadas en avalúos del inmueble
- Tarifas marginales crecientes

Las tarifas apoyadas en avalúos inmobiliarios tienen el problema de actualización del avalúo, sobre todo en economías inflacionarias en las cuales el avalúo es rápidamente superado por el valor comercial de la propiedad.

Como consecuencia de ello, los suscriptores con viviendas nuevas (avalúos actualizados) subsidian a suscriptores con viviendas viejas pero de igual valor comercial. Por estas razones, se considera que soluciones de este tipo son altamente indeseables.

Las tarifas marginales crecientes se justifican con el argumento de que hay una alta correlación entre consumo e ingreso. Existen, sin embargo, desviaciones obvias como, por ejemplo, la familia grande que paga más que la pequeña aunque tenga un consumo per cápita menor. La redistribución del ingreso utilizando las tarifas de energía eléctrica es probablemente un sustituto ineficaz de la tributación y, por ello, parece preferible la tarifa social que favorece a un determinado grupo de consumidores claramente identificado.

Estudio III

El sistema de agua potable y alcantarillado de Monterrey (México)

Jorge Infante

Obtuvo el grado de ingeniero industrial en la Universidad INCCA y en Economía en la Universidad de Bogotá (Colombia) Jorge Tadeo Lozano. De 1969 a 1979 acumuló experiencia como analista financiero y economista a niveles técnicos y ejecutivos de la Empresa de Acueductos de Bogotá. Participó en varios seminarios y es el autor de numerosos trabajos de consultoría para agencias internacionales. Actualmente es funcionario de los Servicios de Agua y Drenaje de Monterrey, México.

INDICE

Secciones

Gráficos

Cuadros

Tablas en anexo

INTRODUCCION

El presente estudio se realizó con el concurso y la información aportados por Servicios de Agua y Drenaje de Monterrey (SADM) y la Comisión de Agua Potable y Drenaje de Monterrey (CAPDM).

SADM tiene a su cargo la operación del sistema de agua y alcantarillado de Monterrey. Asimismo, le incumbe fundamentalmente la responsabilidad de su expansión, en estrecha colaboración con los servicios técnicos de la CAPDM. Ambos organismos son entidades industriales de propiedad estatal.

El problema del abastecimiento de agua en Monterrey es objeto de gran atención por parte de los medios de comunicación social y la planificación oficial le atribuyó una elevada prioridad, especialmente después de la intensa y prolongada sequía de 1980 que acaso se traduzca en graves insuficiencias en los años venideros.

Una prueba tangible del interés y un resultado de esta crisis ha sido una decisión conjunta de los gobiernos estatal y federal de emprender un vasto proyecto que se terminará en 1983. El sistema Cerro Prieto, que comprende un amplio embalse, una planta de tratamiento y una conducción de 136 km, podrá atender al crecimiento de la demanda durante quince años. Las obras se encuentran ya en ejecución y, si bien el proyecto escapa al control de SADM, se consideró absolutamente necesario tenerlo en cuenta en el presente estudio.

Luego de un breve análisis de la demanda, se calculan los costos marginales en las secciones 2 y 3; en particular, la energía se valora al precio corriente de mercado y también a un costo marginal a precios frontera, calculado con el gentil concurso de la Comisión Federal de Electricidad.

En la sección 5, estos costos marginales se utilizan en calidad de ejercicio, para evaluar algunas decisiones de planificación, luego de lo cual se vuelven a calcular por segunda vez. Los límites superior e inferior del valor del agua obtenidos de este modo no dependen de una elasticidad desconocida de la demanda, sino de la gama limitada de acciones que se contemplan para satisfacer o restringir el consumo. Estas cifras constituyen el marco de referencia para la adquisición de agua en bloque de Cerro Prieto.

Asimismo, esto sirve de base para el cálculo del costo del servicio al nivel de distribución que figura en la sección 5 y para la estructura tarifaria alternativa que se examina en la sección 7, luego de un análisis de la tarifa vigente en la sección 6.

Agradecimientos

Quiero destacar que para el desarrollo del estudio ha sido muy valioso el asesoramiento del señor Yves Albouy, Coordinador Técnico del programa, quien con su amplia experiencia me señaló las guías para cumplir con los objetivos fijados por el BID, por lo cual le estoy profundamente agradecido.

También debo resaltar las magníficas facilidades y gran colaboración que he recibido del ingeniero Sergio Sedas R., Director General de SADM, para el cumplimiento de mis labores y de todos los functionarios de SADM y la CAPDM, que de alguna forma me brindaron su cooperación.

Dejo constancia de mi agradecimiento especial, por la decidida y permanente ayuda para la ejecución del trabajo, al ingeniero Eliseo Segovia C., de la CAPDM, al contador público José Chávez G., Contralor de SADM, y al contador público Raúl Cisneros R., Coordinador Local del Estudio.

1. ANALISIS DE LA DEMANDA

1.1 Pronósticos

Los pronósticos de demanda se fundan en un volumen diario de 377 litros "per cápita" (lhd), incluidas pérdidas, cuyo desglose es como sigue.

Cuadro 1-1. Desglose de la demanda y las pérdidas

Usuarios	Facturación lhd	%	Pérdidas lhd	%	Total lhd	%
Residencias	174	46,2	115,6	36,7	289,6	76,9
Comercios	16	4,2	6,8	1,8	22,8	6,6
Industrias	18	4,8	6,8	1,8	24,8	6,6
Sector público	33	8,7	6,8	1,8	39,8	10,5
Total	241	63,9	136,0	36,1	377,0	100,0

Estos volúmenes de consumo se obtuvieron de estudios del consumo de agua en condiciones sanitarias adecuadas y sin racionamientos. Tienen en cuenta los parámetros de diseño utilizados por CAPDM y las condiciones de vida observadas en Monterrey.

Se calculó que el 85% de las pérdidas (esto es, el agua no facturada) corresponde a las residencias, cuyo total se puede atribuir a la red de distribución.

Las estadísticas y pronósticos de población, usuarios, consumo facturado y abastecimiento figuran en las tablas 1 y 2 del apéndice B.

1.2 Variaciones periódicas

La variación estacional de la demanda se puede apreciar examinando los promedios de la relación de demanda mensual/demanda anual media en 1975-1980.

Esta variación, que ha sido algo mayor en 1979, se considera igual a 1,08 en los estudios de diseño.

Cuadro 1-2. Coeficiente de variación estacional

Enero	Feb.	Mar.	Abr.	Mayo	Jun.	Jul.	Agost.	Sept.	Oct.	Nov.	Dic.
0,95	0,97	1,00	1,02	1,02	1,02	1,00	1,03	1,02	1,00	0,98	0,97

La variación día a día se obtiene con la siguiente fórmula:

$$\frac{Q \text{ max día}}{Q \text{ max mes}} \times \frac{Q \text{ max mes}}{Q. \text{ prom. año}} = 1,15 \times 1,08 = 1,25$$

De la variación horaria Q max hora/Q max día = 1,8 resulta la siguiente variación total:

$$1,8 \times 1,25 = 2,25$$

La utilización de la carga horaria máxima en la red de distribución es de 31.536.000 segundos/2,25 = 14 millones de segundos/año.

2. COSTO MARGINAL DEL ABASTECIMIENTO DE AGUA

2.1 Condiciones operativas

2.1.1 Sinopsis del sistema de abastecimiento

Las fuentes en explotación representan un caudal promedio anual que varía entre 6 y 9 m³/s; más del 80% son aguas superficiales.

Las principales se localizan a menos de 50 kilómetros del área metropolitana de Monterrey. La red de conducción totaliza cerca de 200 kilómetros y una capacidad de 13,2 m³/s.

El agua llega a través de una red que una vez completa tendrá la forma de un anillo y abastecerá un sistema de cincuenta tanques de distribución (ver gráfico 1). En el cuadro 2-1 se resumen los datos hidrológicos para estas fuentes existentes y aquellas en proyecto.

Este anillo y todo el sistema de abastecimiento están diseñados con respecto a la producción media anual.

Las decisiones operativas se fundan en los costos variables y en dos clases de restricciones: la capacidad de extracción disponible en cuanto a bombeo, tratamiento y conducción, y el nivel de almacenamiento en embalses y acuíferos.

Las fuentes se explotan por orden de costos variables crecientes (en su mayor parte, electricidad).

Una regla conveniente y económica es extraer un flujo constante de los pozos, utilizar los flujos de túneles a medida que se los obtiene y dejar que los embalses regulen el abastecimiento durante el año, para nivelar los riesgos de déficit y los costos de abastecimiento del m³ adicional (esto es, el costo marginal a corto plazo).

Gráfico 1. Anillo de transferencia

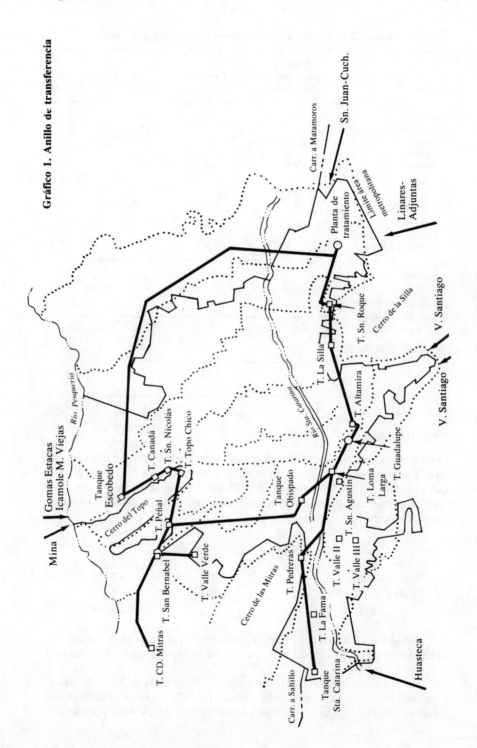

Cuadro 2-1. Resumen de las fuentes existentes y planeadas

Fuentes	Energía para bombeo (kWh/m³)	Caudal seco	medio (m³/s) en año: promedio	lluvioso
Pozos de Mina	0,58	1,5	2,0	2,5
Santa Catarina		1,7	3,2	4,3
Túneles	—	0,2	1,2	1,8
Pozos de Buenos Aires	0,40	1,5	2,0	2,5
Monterrey	—	0,5	0,9	1,3
Pozos someros	0,23	0,15	0,3	0,6
Pozos profundos	0,52	0,35	0,6	0,7
Santiago		1,7	2,9	3,2
Túneles		0,7	1,2	1,5
Embalse La Boca	0,92	1,0	1,7	1,7
Subtotal	—	5,4	9,0	11,3
Expansión 1983-1990				
Pozos Norte	0,58	1,8	2,0	2,0
Embalse de C. Prieto	1,60	4,1	4,1	4,1
Total	—	**11,5**	**14,7**	**17,5**

2.1.2 Hidrología

Los estudios señalan un ciclo hidrológico de treinta años, compuesto de quince años secos, seis años medios y nueve años lluviosos; durante el ciclo que comenzó en 1961 y terminó en 1978 hubo nueve años secos, dos años medios y siete años lluviosos. En cifras redondas, el rendimiento previsto de los pozos es por consiguiente:

	Total		Probabilidad		
Años secos	3,5	×	50%	=	1,75
Años medios	4,9	×	30%	=	1,47
Años lluviosos	6,3	×	20%	=	1,76
Total					**4,48** m³/s

Debido a la antelación que los acuíferos requieren para recargarse, puede haber un desfase de un año o más entre el año operativo de referencia y el año hidrológico.

Así por ejemplo, como los pozos Mina y Buenos Aires han sido sobre-explotados luego de la sequía que comenzó en 1979, se debe planificar una recuperación en la fecha más temprana posible. Los pozos Norte tendrán una producción firme no inferior a 1,8 m³/s, pero de sólo 1 m³/s en 1983, su primer año de operación.

En cuanto al embalse La Boca, el histograma de aportes anuales—gráfico 2—, utilizado por los planificadores de sistemas, exhibe un caudal firme de alrededor de 1 m³/s, con un promedio de 3 m³/s, del cual sólo se utiliza el 50% debido a la limitación de 1,7 m³/s en la extracción.

Sobre la base de estos factores, en la tabla 3 se ha presentado un esquema de producción por fuente.

Gráfico 2. Distribución de los caudales anuales en la presa de La Boca

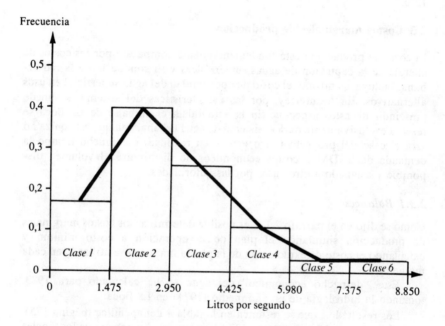

2.2 Costo incremental promedio a largo plazo (CIPLP)

El costo incremental promedio a largo plazo (CIPLP) representa el precio al cual se debería facturar toda la demanda adicional para cubrir en valor actualizado los costos de operación y de inversión adicionales que esta demanda entrañará.

De 1981 hasta el año 2000, cada peso cobrado por m³ de demanda adicional brinda en valor actualizado 1.351 P. El CIPLP que cubre los costos se puede desglosar así:

- captación y conducción $(8.334 + 732)/1.351$ $= 6,6$

- distribución $(2.046 + 134 + 156)/1.351 = \underline{2,5}$
  Total   **9,1 P/m³**

Los detalles de los cálculos figuran en el cuadro 2-2. Los costos operativos se calculan sobre la base del desglose de producción de la tabla 3 y de los costos unitarios establecidos en el apéndice A a precios de mercado. (A la fecha 1 peso = US$0,04).

Se supone que las inversiones podrán satisfacer el nivel de demanda proyectado para 1990 durante los siguientes quince o veinte años, o sea que, en otras palabras, se deprecia el valor presente del costo de reposición al 12%.

2.3 Costos marginales de producción

El costo de producción está fundamentalmente compuesto por los costos de energía de la captación de aguas subterráneas y su conducción a la red urbana. Incluye, asimismo, el costo de oportunidad del agua superficial en usos alternativos. En Monterrey, por las características del sistema, se puede prescindir de estos aspectos. En la actualidad, el embalse de La Boca se reserva exclusivamente para el sistema de agua urbana. Aunque este quizá no será el caso del proyecto Cerro Prieto, en realidad, por mucho tiempo la demanda de SADM a costos económicos no disminuirá el volumen disponible y asignado a otros usos por las autoridades.

2.3.1 Balances

Como se dijo en el párrafo 2.1.1, es posible determinar los costos marginales de producción simulando el plan de la operación a costo mínimo y calculando el costo de explotación de la planta más costosa utilizada en cada momento.

Este "despacho económico" del agua se ha calculado para 1983, tomando la hidrología de un año medio (1971) en La Boca.

Los resultados, que se resumen en la tabla 4 del apéndice (página 175), se ilustran en el gráfico 3 (página 137). Una vez que los aportes de los túneles y pozos se han sustraído de la demanda, queda un saldo por satisfacer con los embalses: primero La Boca (0,92 kWh/m³) y luego si es necesario, Cerro Prieto (1,6 kWh/m³)

Globalmente, los caudales recibidos en el embalse La Boca (88,4 Mm³ o 2,8 m³/s) casi serían suficientes, esto es, el excedente de agua de septiembre a noviembre (41,8 Mm³) representa el 82% de los déficit durante los nueve meses secos. Sin embargo, dos factores limitantes impiden esta transferencia: la capacidad del embalse de 39 Mm³ y, fundamentalmente, la capacidad de extracción de 1,7 m³/s o 54 Mm³/año.

En un año promedio estas limitaciones dan lugar a derrames importantes y, en todo caso, a la necesidad de complementar con volúmenes de Cerro Prieto: en nuestro caso, 43 Mm³ con un flujo máximo de alrededor de 2,2 m³/s.

Cuadro 2-2. Cálculo del costo incremental promedio a largo plazo
(Agua potable)

Conceptos	1981	1982	1983	1984	1985	1986	1987	1988	1989	1990	1991	Total
1) Factor de descuento: a = 12% (1980-0)	1,1200	1,2544	1,4049	1,5735	1,7623	1,9738	2,2107	2,4760	2,7731	3,1058	3,4785	
2) Inversiones en captación y conducción (millones de pesos)												
2.1) Cerro Prieto	4.740,0	3.160,0										7.900,0
2.2) Campo de Pozos Norte	500,0	600,0	800,0									2.000,0
2.3) Total	5.340,0	3.760,0	800,0									9.900,0
Valor Presente = (2.3)/(1)	4.768,0	2.997,0	569,0									8.334,0
3) Inversiones en distribución (millones de pesos)	1.078,7	885,4	424,8	445,2	272,3	271,0	274,7	277,3	286,0	187,4	-.-	4.403,8
Valor presente = (3)/(1)	963,1	705,8	302,4	282,9	155,1	137,3	124,2	112,0	103,1	60,3	-.-	2.046,2
4) Demanda incremental de agua potable (mill. m³)	69,0	86,6	105,3	126,0	146,4	163,6	181,7	201,7	220,5	241,5	2.012,5	3.554,9
5) Valor presente de la demanda (4)/(1)	61,6	69,0	74,9	80,1	83,1	82,9	82,2	81,5	79,5	77,7	578,5	1.351,0
6) Costos incrementales de operación para captación	20,1	69,0	168,1	161,1	145,8	130,3	117,0	165,2	227,1	259,0	-.-	1.473,3
7) Valor presente = (6)/(1) (millones de pesos)	17,9	55,0	119,5	102,8	82,7	66,0	52,9	66,7	81,9	85,6	-.-	732,1
8) Costos incrementales de operación para distribución	4,1	6,6	25,7	25,7	34,6	34,6	34,6	34,6	34,6	34,6	-.-	269,7
9) Valor presente = (8)/(1) (millones de pesos)	3,4	5,3	18,3	16,3	19,6	17,5	15,6	14,0	12,5	11,1	-.-	133,6
10) Costos incrementales de mantenimiento	6,6	8,0	23,5	28,2	32,7	36,6	40,6	45,1	49,3	54,0	-.-	324,5
11) Valor presente = (10)/(1) (millones de pesos)	5,9	6,4	16,7	17,9	18,5	18,5	18,4	18,2	17,8	17,4	-.-	155,7

2.3.2 Costo marginal de explotación

De acuerdo con nuestras proyecciones y esta hipótesis de alta demanda, Cerro Prieto es la planta marginal desde su fecha de entrada en servicio (1982) hasta el final del decenio (ver gráfico 4).

El costo marginal de explotación es la suma del costo de tratamiento y electricidad en Cerro Prieto, a precios de mercado, en pesos:

Productos químicos	0,18
Energía $1,6 \times 0,92 =$	$\underline{1,47}$
	$1,65/m^3$

Los costos de energía a precios frontera se facturan en tres partes:

- Costos de combustible durante las horas de punta:
  $1,6 \times 2,6 = 4,16/m^3$

- Costos de combustible en horas fuera de punta:
  $1,6 \times 1,66 = 2,65/m^3$

- Costos de contratación o capacidad para una producción máxima garantizada de 5,76 MW a precio económico de 2.065 P/kW, es decir, 11,9 $MP/m^3/s$

En la hipótesis, como ocurre en 1983, de que la utilización de esta capacidad sea suficientemente breve para que se pueda bombear fuera de las horas punta (2 horas por día), retendremos un costo marginal de:

$$2,65 + 0,18 = P\ 2,83/m^3$$

2.3.3 Costo de garantía en días críticos: Vp

Los déficit en días críticos son causados por estrangulamientos en la extracción: bombeo, tratamiento y conducción a la ciudad.

Cuando se mantiene un margen de capacidad apropiado, el valor Vp de déficit breves evitados es igual al costo de la decisión más onerosa adoptada con esa finalidad en ese momento. Así, en 1981, la ampliación de las obras de La Boca de 1,2 a 1,7 m^3/s aunque no aumenta el caudal anual firme, ayuda a superar los días difíciles.

Vp se calcula como la suma de tres anualidades:

- Obras civiles y tuberías: 288,5 MP y una vida útil de cincuenta años para 0,5 m^3/s o anualmente

  $0,1204 \times 288,5/0,5 = 69,5$ MP

- Bombeo en plantas de tratamiento: 58,4 MP y una vida útil de quince años o anualmente

  $0,147 \times 58,4/0,5 = 17,1$ MP

- Contratación de electricidad (véase párrafo anterior)

  $3,3$ MW $\times 2065 = 6,8$ MP

Total: *93 MP/m³/s*

Gráfico 3. Despacho económico del agua en 1983
(Hidrología de 1971)

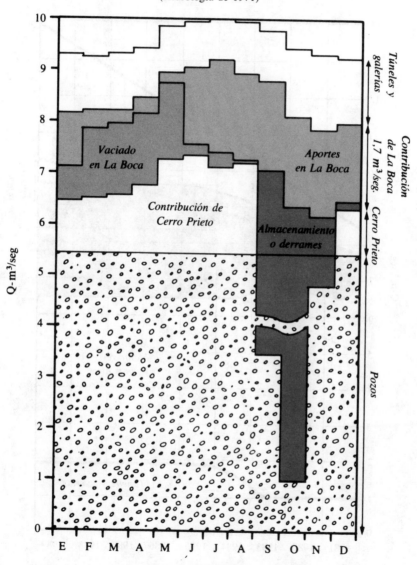

Los costos fijos de operación y mantenimiento (O & M) para esta ampliación son despreciables.

2.3.4 Costo de garantía en años secos: Vg

Los costos de los déficit de larga duración de valor Vg se originan en condiciones climáticas secas y para evitarlos se necesitan inversiones en embalses,

Gráfico 4. Evolución de la demanda y de las capacidades de abastecimiento
(Valores esperados)

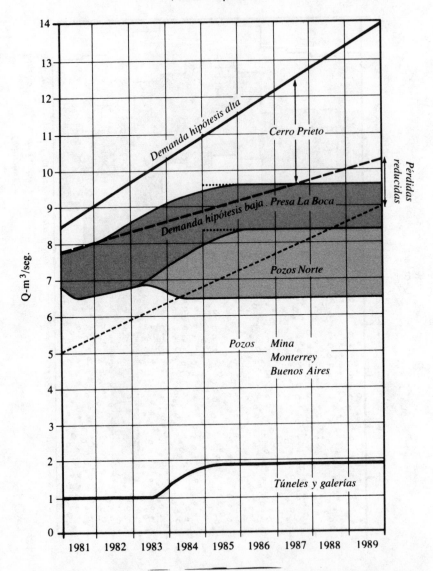

pozos y túneles. Estas obras, además, reducen los problemas en días críticos o, dicho de otro modo, la producción firme se valora en Vg, mientras que el caudal total posible en un día de punta se valora en Vp.

En el proyecto de Cerro Prieto, la producción punta de 4,1 m³/s se puede considerar firme, por lo cual Vp + Vg se puede calcular como la suma de tres anualidades:

- Obras civiles y cañerías   194,3
- Bombas y plantas de tratamiento   58,2
- Contratación de la potencia eléctrica $\underline{11,9}$
$$264,4 \ MP/m^3/s$$

Por diferencia, el cálculo de Vg es 171,4 MP/m³/s.

Cabe observar que estos costos unitarios son los que prevalecen en el largo plazo cuando se utiliza toda la capacidad.

2.3.5 Asignación de costos de capacidad entre los meses

Los costos de las inversiones que aumentan la producción firme (valor Vg) se deben asignar entre los meses en función del valor esperado de los costos de déficit que evitarán. En consecuencia, en años difíciles, si la capacidad de los embalses es insuficiente para transferir agua de los meses lluviosos a los meses secos, estos últimos constituirán un período crítico al cual se le debería asignar un porcentaje elevado del costo de capacidad.

En este caso, los embalses de La Boca y después de 1983, Cerro Prieto, tienen magnitud suficiente para nivelar los riesgos de déficit durante el año; en consecuencia, el costo mensual de capacidad es constante e igual a:

$$171,4/12 = 14,3 \ MP/m^3/s$$

2.4 Costo de conducción

a) Las tuberías maestras de conducción vinculadas con cada fuente se justifican por la misma razón que éstas (ahorros en los costos de operación y racionamiento) y su diseño está íntimamente vinculado con las características de la fuente. En consecuencia, su costo se debe incluir en el costo de la fuente, como se ha hecho con los pozos de Cerro Prieto y Campo Norte.

b) La red colectiva ha sido diseñada con respecto a la demanda anual media para igualar el costo del servicio y la confiabilidad entre zonas. Como su expansión abarca todo el decenio, se justifica perfectamente el enfoque del CIPLP.

Los costos operativos y de mantenimiento representan el 10% de la inversión; el valor presente de los incrementos de la demanda hasta el infinito es 1.351 Mm³ o 42,8 m³/s.

$$CIPLP = (1.392 + 139)/1.351 = 1,13 \ P/m^3$$

Estos costos incluyen los costos de energía a precios de mercado (apéndice A), esto es, 0,09 kWh/m³ × 0,917 = 0,10 P/m³.

A precios frontera estos costos son *0,15 P/m³*, más el costo de contratar 330 kW, esto es, *0,7 MP/m³/s*, y se añaden al costo de capacidad de:

$$1.391/42,8 = 32,5 \ MP/m^3/s$$

Cuadro 2-3. Inversiones de conducción comunes a varias fuentes

Años	Inversiones (MP)	Actualizado (MP)
1981	535,7	478,3
1982	488,1	389,1
1983	171,9	122,3
1984	131,9	83,8
1985	117,9	66,9
1986	143,0	72,4
1987	127,9	57,8
1988	107,6	43,5
1989	161,1	58,1
1990	60,3	19,4
	2.046,3	1.391,6

2.5 Tanques de distribución

Los tanques de distribución están diseñados para absorber y regular:

a) las variaciones diarias hasta 25% o seis horas de la producción media anual.

b) Las variaciones horarias por encima del consumo diario máximo, esto es de 5.30 a 20.00 horas como se indica en el gráfico 5. Este complemento representa 6,2 horas de consumo diario.

Gráfico 5. Variación del nivel en dos tanques representativos durante dos días típicos

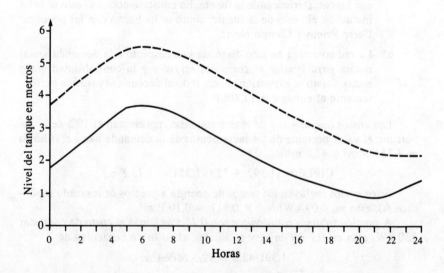

En consecuencia, la regulación requerirá aproximadamente $12 \times 3.600 = 44.000$ m^3 por cada m^3/s de caudal anual, cantidad a la que la sana práctica aconseja agregar 6.000 m^3 para asegurar la confiabilidad.

La anualidad es $1.380 \times 0,12 = 165$ P/m^3 para cada uno de los 50.000 m^3 que acompañan a un incremento de 1 m^3/s.

- Costo de regulación diaria: $165/365$ días $= 0,45 \ P/m^3$

- Costo anual de regulación: $6h \times 3.600$ m$^3 \times 165 = 3,56 \ MP/m^3/s$

- Costo de confiabilidad: 6.000 m$^3 \times 165 = 0,99 \ MP/m^3/s$

2.6 Bombeo en la red de distribución

Hay 38 estaciones de bombeo que elevan una parte importante de la demanda de agua (2,4 m^3/s) a niveles de 30 a 80 m. El centro de gravedad de la demanda se encuentra en 54 m, lo cual requiere una potencia total de:

$$2.000 \text{ Horse Power o } 622 \text{ kW/m}^3/\text{s}$$

El costo de las estaciones es de 13.250 P, más el 20% para repuestos por HP, por lo cual la anualidad con una vida útil de quince años es:

$$0,1468 \times 1,2 \times 13.250 \times 2.000/2,4 = 2 \ MP/m^3/s$$

Los costos de explotación corresponden fundamentalmente a costos de energía:

- a precios de mercado, del apéndice A : $0,2$ P/m^3

- a precios de frontera, energía sola : $0,17$ kWh $\times 1,65 = 0,28 \ P/m^3$

    contratación de kW : $622 \times 2065 = 1,3 \ MP/m^3/s$

2.7 Red de distribución

En Monterrey, la expansión de la red de distribución de agua se financia con recursos de los promotores inmobiliarios (cañerías de 10 pulgadas o menos) o de SADM que, en todo caso, se encarga del mantenimiento y de la reposición de toda la red.

Cuadro 2-4. Evolución de la red de distribución

Años	km. red secundaria (10″ o menos)	km. red principal (más de 10″)	número de conexiones (miles)
1975	1.614,4	350,7	176,5
1976	1.707,7	371,8	194,3
1977	1.744,9	385,0	210,3
1978	1.799,4	402,5	223,1
1979	1.846,3	438,9	238,5
1980	1.894,7	493,8	252,8

De lo cual $dL/dN = 3,67$ m/conexión en la red secundaria.

$= 1,88$ m/conexión en la red principal.

Respecto de las redes principal y secundaria, las series cronológicas muestran que existe una buena correlación entre el diámetro de las cañerías y el número de conexiones (véase el gráfico 6). Como los nuevos usuarios tendrán un consumo similar a los promedios históricos por conexión, esta correlación sirve de base para el cálculo del costo de desarrollo.

Gráfico 6. Relación entre el desarrollo de la red de distribución de agua potable y el número de usuarios, 1975-80

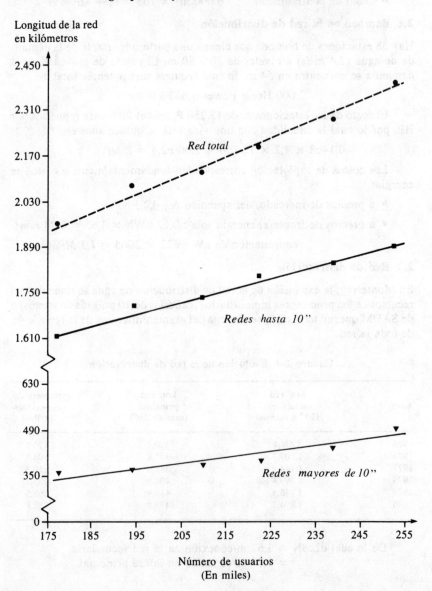

Longitud de la red
en kilómetros

Número de usuarios
(En miles)

Se debe observar, al pasar, que no tuvo éxito la tentativa para vincular la longitud con la densidad de consumo.

Sobre la base de los precios unitarios pronosticados para la red principal y los precios actuales de la red secundaria, obtenemos los siguientes resultados:

	Red principal	Red secundaria	Total
1) Longitud por conexión (m)	1,88	3,67	5,55
2) Costo unitario (P/m)	11.150	910	—
3) Inversión (1) × (2)	20.962	3.340	24.302
4) Inmovilización de capital (12%)	2.515	400	2.915
5) Recuperación de capital (30 años)	87	14	101
6) Costos de O. y M.	25	285	310
Anualidad por conexión (P)	2.627	699	3.326

El consumo medio es de 600 m³/año, excluidas las pérdidas con un caudal máximo de 600/14 millones de segundos = 0,43 1/s; en consecuencia, el costo de desarrollo se puede obtener del siguiente modo:

$$2.627/0,043 = 61,1 \text{ red principal}$$
$$699/0,043 = \underline{16,2} \text{ red secundaria}$$
$$77,3 \; MP/m^3/s \text{ en total}$$

2.8 Costo de conexión

Este costo es facturado por SADM de acuerdo con el tamaño de la conexión en pulgadas y su longitud.

Cuadro 2-5. Precios de la conexión al servicio
(Pesos de 1980)

(Diámetro)	3/4"	1"	2"
Corta	6.815	8.355	32.280
Larga	12.420	13.519	45.239

3. COSTO DE DESARROLLO DEL ALCANTARILLADO

3.1 Sinopsis del sistema

La red de alcantarillado operada por SADM es distinta del sistema de drenaje planificado y construido por el gobierno estatal por conducto de su Departamento de Obras Públicas Municipales. Cubre el 70% del área atendida por la red de abastecimiento de agua, con la cual está íntimamente vinculada. De sus 242.000 acometidas a lo largo de 1.700 km de red, funciona por gravedad; la descarga medida en puntos estratégicos asciende a 4 m³/s, esto es, el 60% del agua abastecida.

Hay cinco plantas de tratamiento en el área, todas ellas construidas y explotadas por firmas privadas a un costo de alrededor de P 2,50/m³, sin incluir P 0,26/m³ que SADM cobra por las aguas servidas recicladas.

3.2 Expansión de la red

Como ocurre con la distribución de agua, la expansión de la red de alcantarillados es financiada y construida por los urbanizadores (cañerías de 10″ o menos) y SADM (red primaria y cañerías principales) que, en todo caso, se ocupa del mantenimiento.

Como era de esperar, existe una buena correlación entre la longitud de la red y el número de acometidas (véase el gráfico 7), que servirá de base para el cálculo de costos.

Cuadro 3-1. Evolución de la red de alcantarillado

Años	km red secundaria (10″ o menos)	km cañerías principales (más de 10″)	número de acometidas (miles)
1975	1.248,8	190,8	168,5
1976	1.365,1	194,4	183,9
1977	1.393,9	199,5	202,1
1978	1.459,9	215,1	214,8
1979	1.494,6	234,5	229,6
1980	1.527,3	240,6	242,2

3.3 Costo marginal de desarrollo

	Cañerías principales	Red secundaria	Total
1) Longitud de la red por acometida (m)	0,66	3,68	4,34
2) Costo unitario (P/m)	9.380	785	—
3) Inversión (1) × (2)	6.190	2.890	9.080
4) Inmovilización de capital (12%)	743	347	1.090
5) Recuperación de capital (30 años)	25	12	37
6) Costos de O. y M.	10	85	95
Anualidad por acometida (P) (4) + (5) + (6)	778	444	1.222

3.4 Costos de instalación de acometidas

Como ocurre con el agua, SADM factura los costos de instalación de acometidas a los nuevos usuarios

Diámetro de 4″	P 3.828
Diámetro de 8″	P 4.158

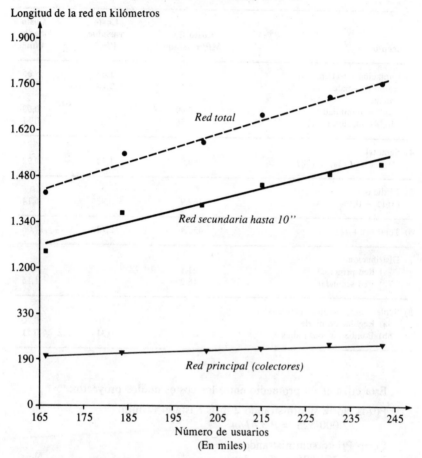

**Gráfico 7. Relación entre el desarrollo de la red de alcantarillado
y el número de usuarios, 1975–80**

4. RESUMEN DE LOS RESULTADOS

A continuación, los cuadros 4-1 y 4-2 resumen los costos marginales obtenidos con el método analítico.

Estos costos marginales tienen más significado cuando están evaluados a precios económicos, en este caso, a precios frontera.

El cálculo a precios de mercado permite darse cuenta del subsidio recibido por la empresa, principalmente, en su consumo de energía.

Permite también la comparación con el resultado del enfoque incremental obtenido en los párrafos 2.2 y 2.4.

El CIPLP incluyendo el anillo es de P 9,10/m³, o refiriéndose al cuadro 2-2: 8.334/1.351 = P 6,17/m³ sólo para las inversiones de captación.

Cuadro 4-1. Resumen de los costos marginales para el período 1982-90
(A precios de mercado)

Concepto	Costo fijo MP/m³/s/año	Costo variable P/m³	Costo medio P/m³
1) Captación y tratamiento	252,5	1,64	9,65
2) Anillo de conducción	32,5	0,10	1,13
3) Tanques			
a) Confiabilidad	0,99	-.-	0,03
b) Regulación anual	3,56	-.-	0,11
4) Subtotal			
(1) + (3) + (3a) + (3b)	289,5	1,74	10,92
5) Pérdidas			
(4)/(1 − 0,36) − (4)	162,9	0,98	6,14
6) Total (4) + (5)	452,4	2,72	17,06
7) Distribución			
7a) Red principal	61,1	-.-	4,36
7b) Red secundaria	16,2	-.-	1,15
8) Suplemento, incluidas pérdidas			
8a) Regulación diaria	-.-	0,70	0,70
8b) Bombeo a zonas altas	3,1	0,31	0,41

Esta cifra es un promedio entre los costos de dos proyectos:

Pozos Norte suministrando 2 m³/s hasta el infinito
$$2.000/525 = P\ 3,81/m^3$$

Cerro Prieto suministrando el resto
$$6.751/826 = P\ 8,17/m^3$$

El promediar esos costos aleja bastante el CIPLP del costo marginal verdadero y se aleja aún más cuando se incluyen los costos de operación de Pozos Norte muy por debajo de los de la fuente marginal que es Cerro Prieto. Encontramos pérdidas incluidas:

$$9,10/9,64 = P\ 14,2/m^3 \text{ contra } P\ 27,16/m^3$$

El costo incremental es una mejor aproximación del costo marginal cuando se considera sólo la fuente de Cerro Prieto. De hecho, el CIPLP igual a P 8,17/m³ equivale a MP 257/m³/s por año que es muy cercano a la anualidad de MP 252/m³/s calculada analíticamente.

El enfoque analítico sobre la base de la plena utilización de la capacidad de 4.1 m³/s es una buena aproximación debido a que los incrementos de demanda en el cuadro 2.2, logran copar esta capacidad en menos de tres años.

Cuadro 4-2. Resumen de los costos marginales (1982-90)
(A precios frontera)

Concepto	Costo fijo MP/m^3/s/año	Costo variable P/m^3	Costo medio P/m^3
1) Captación y tratamiento	264,4	2,83	11,21
2) Anillo de conducción	33,2	0,15	1,20
3) Tanques			
a) Confiabilidad	0,99	-.-	0,03
b) Regulación anual	3,56	-.-	0,11
4) Subtotal			
(1) + (3) + (3a) + (3b)	302,1	2,98	12,55
5) Pérdidas			
(4)/(1 − 0,36) − (4)	170,0	1,68	7,06
6) Total (4) + (5)	472,1	4,66	19,61
7) Suplemento, incluidas pérdidas			
7a) Regulación diaria	-.-	0,70	0,70
7b) Bombeo a zonas altas	5,15	0,44	0,60

Nota: Los costos medios se calculan con una utilización anual de 31,5 millones de segundos hasta los tanques inclusive y el bombeo a zonas altas, y en 14 millones de segundos al nivel de distribución.

5. ANALISIS MARGINAL DE LAS DECISIONES DE PLANIFICACION

En la presente sección hemos reunido algunos ejemplos de análisis de costo-beneficio para la adopción de decisiones en la firma. Los costos marginales utilizados son los calculados a precios frontera. Como primera aproximación, que en general es suficiente, se supone que estas decisiones no modifican los costos calculados en el margen de los programas de expansión y operación; esto no implica necesariamente que estos programas no se modifiquen, sino que no se modifica la planta o categoría de planta que abastece la unidad adicional. Analizaremos sucesivamente cinco ejemplos, cuyos resultados nos llevarán a examinar ajustes en la planificación del sistema y en los costos marginales.

5.1 Valor económico de los pozos Norte

El valor económico de una decisión es el valor presente del flujo de beneficios que entraña.

En el caso de los pozos Norte, los costos fijos anuales son estos:

- Inmovilización de capital (a 12%) 2.000 MP × 0,12 = 240

- Depreciación del capital (en 15 años)   54

- Costos de operación y mantenimiento (1%)   20
- Contratación de 2.100 kW   <u>4,4</u>
- Anualidad total   318,4 MP

Los costos de explotación son:

- energía   0,58 kWh × 1,66 =   0,96
- productos químicos   <u>0,01</u>

$$0,97 \text{ P/m}^3$$

Con un flujo de diseño de 2 m³/s y un flujo firme de 1,8 m³/s en años secos, los beneficios obtenidos son la suma de:

- Ahorros en los gastos de explotación; en promedio

$$(2,83 - 0,97) \times 2 \div 31,5 \text{ millones seg.} = 117,3$$

- Ahorros en los costos de racionamiento

     todo el año (Vp + Vg):   264 × 1,8 = 475,2
     días críticos (Vp):   92×(2−1,8) =   <u>18,4</u>
     Total   610,9

El beneficio neto anual es: 610,9 − 318,4 = <u>292,5</u> MP

Estos beneficios son aproximadamente constantes en cada año de vigencia del proyecto, razón por la cual la relación entre el valor presente y la inversión se puede aproximar del siguiente modo:

$$292,5/(0,12 \times 2.000) = P \ 1,21 \text{ por cada peso invertido}$$

Este índice se puede usar para clasificar los diversos proyectos por orden de mérito decreciente.

5.2 Costo implícito de los racionamientos evitados por el proyecto de Cerro Prieto

Debido a sus elevados costos de explotación, el proyecto de Cerro Prieto se justifica sólo por los racionamientos que evitará.

En la hipótesis de que el proyecto sea viable y esté diseñado óptimamente, queda por resolver el problema de su fecha de entrada en servicio. Si esta fecha es prematura, el costo de adelantamiento es superior a los costos de los déficit evitados; por el contrario, si se la considera tardía, el costo unitario del déficit que permite balancear el costo de la serie periódica con los beneficios, es inferior al costo socioeconómico del déficit implícito en la fecha de entrada en servicio.

El costo de la anualidad calculado en el párrafo 3.3.d asciende a A = 1.084 MP.

Con una demanda D y un caudal previsto de todas las demás fuentes igual a Q, los beneficios producidos por el proyecto son proporcionales al déficit evitado (D−Q) (en caso de ser positivo). En el siguiente cuadro se muestran estas cantidades en relación con dos pronósticos de demanda y tres fechas.

De la ecuación $A = 31,5 \times (D - Q) \times (CR - 2,83)$, se ha calculado el costo implícito del racionamiento CR para el pronóstico de demanda alta.

Obviamente, el tamaño de Cerro Prieto es algo desproporcionado en relación con las necesidades del sistema en los primeros años y la confiabilidad que entraña es elevada, aunque costosa. Estas cifras y las que se derivan de un pronóstico de demanda más baja, aunque realista, indican que debieran investigarse otros medios para eliminar los racionamientos entre hoy y 1987.

Cuadro 5-1. Costo implícito de racionamiento y proyecto de Cerro Prieto

Fuentes	1983	1985	1987
Pozos	5.480	6.480	6.480
Túneles	1.000	1.830	1.830
Embalse La Boca	1.500	1.500	1.500
Total (Q en l/s)	7.980	9.810	9.810
Embalse de Cerro Prieto (D-Q)			
demanda alta	1.620	1.100	2.220
demanda baja	480	−900	−210
CR implícito con demanda alta (P/m³)	25	35	19

5.3 Diseño de la tubería principal de conducción de Cerro Prieto

En lo antes expuesto se ha demostrado el efecto de la indivisibilidad de la inversión por el costo de abastecimiento. La tubería principal de conducción de Cerro Prieto es un factor importante en esta indivisibilidad; las autoridades públicas eligieron un diseño de 12 m³/s cuando sólo se necesitará 4,1 m³/s hasta 1992.

Un diseño alternativo de 4,1 m³/s con 5 m³/s adicionales en 1993 habría tenido un valor actualizado de: $2.244 + 2.407/(1,12)^{10} = 3.018$ MP en comparación con 4.651 MP para el diseño escogido.

Esta elección aumenta la anualidad en 160 MP o, de lo contrario, implica que la tasa de actualización del capital de estas obras es inferior al 2%.

Evidentemente, ese cargo no debiera ser cubierto por una compañía cuyo costo de oportunidad del capital es del 12% y el costo que SADM debiera estar dispuesto a solventar no es superior a: $264 - 160/4,1 = 225$ MP/m³/s, más los costos de explotación, esto es, *P 9,97/m³*.

5.4 Costo implícito del racionamiento en la red urbana

Un total de 80.000 m³ o el 12% de la capacidad instalada en los tanques de distribución se utiliza como reserva en caso de indisponibilidades en las fuentes. En 1980 hubo alrededor de nueve averías/mes, por un total de 561.000 m^3/año.

Por cuanto un tanque cuesta P 165/m^3 y cada m^3 se usa alrededor de siete veces (561.000/80.000), el costo del déficit implícito en esta norma de confiabilidad es 165/7 = *P 24/m^3*, cifra que parece congruente con el costo de abastecimiento.

5.5 Instalación de tanques individuales por los usuarios

Una gran parte del costo de abastecimiento es imputable a pérdidas en la red de distribución. Entre los diversos métodos que existen para reducirlas, uno radical es cerrar las válvulas de control de los tanques de distribución e interrumpir el servicio, preferiblemente por la noche.

En 1980, la aplicación de esta política durante ocho horas diarias, por razones de necesidad, se tradujo en una disminución del 4% en las pérdidas, a partir del nivel del 41,7% registrado en 1978.

Por otra parte, si las interrupciones de h horas diarias pasaran a ser la norma, ello entrañaría racionamientos o costos de almacenamiento por parte de los usuarios más sensitivos. Estos costos aumentan con h y si h es demasiado grande se agravarán con los riesgos de salud pública vinculados con un gran número de tanques individuales.

Ahora bien, ¿cuál sería la duración óptima h en la hipótesis de que sea suficientemente pequeña para despreciar estos efectos secundarios?

La anualidad para un tanque individual es P1.270/m^3; el volumen requerido Q(h)—o su límite superior—se deriva de la curva de carga y el coeficiente de pérdida p(h):

Q(h) = D(h)/[1−p(h)]; donde D(h) es la demanda durante las h horas de menor consumo, excluidas las pérdidas.

El costo de almacenamiento sería C(h) = 1.270 Q(h) y la producción valorada al costo marginal de P 10/m^3 equivale a:

V(h) = 10 D(24)/[1 − p(h)]

El mínimo de V(h) + C(h) se obtiene cuando las derivadas de cada costo se compensan: −V′(h) = C′(h).

Ejemplo: En 1985 con pérdidas de 36,7% D (24) = 0,633 × 350 = 222 Mm^3

Con h = 8, p(h) = 0,327   D′(h) = 5,5 m^3/s o 20.000 m^3/h.

Aproximando la demanda cortada por un triángulo de base h obtenemos: D(h) = 20.00 × 8/2 = 80.000 m^3,

Q(h) = 80.000/0,633 = 119.000 m^3 y C(h) = 150 MP

Con p′(h) = 0,005 (5 por mil por hora de interrupción) la derivada es C′(h) = 1.270 × (20.000 × 0,673 + 0,005 × 80.000)/(0,673)^2 = 39 MP/h

Por otra parte, al ampliarse la interrupción, el costo de producción decrece a la tasa: −V′(h) = 10 × 222 × 0,005/(0,673)^2 = 25 MP/h

Esto indicaría que las interrupciones sistemáticas se justifican desde el punto de vista económico, para períodos inferiores a ocho horas si se supone que quedan por construir todos los tanques requeridos.

5.6 Conclusiones. Esquema alternativo de expansión

En vista de lo antes expuesto, interesa considerar otras hipótesis de trabajo que reducirían el costo del abastecimiento:

- Revisión del diseño de la cañería principal de conducción de Cerro Prieto; esto disminuye el costo marginal de P 11,22 a P 9,97/m^3.

- Tratamiento y reciclaje de aguas servidas producidas por usuarios industriales con un beneficio de más de P 7/m^3.

- Reducción de pérdidas en la distribución mediante interrupciones del servicio (reducción inmediata de 4%) y campañas de detección.

5.6.1 Pronóstico alternativo de la demanda

Se ha preparado un pronóstico alternativo de la demanda sobre la base de los siguientes elementos:

- un consumo diario, sin racionamiento, de 240 l/persona/día,

- una tasa de crecimiento igual a la histórica para todos los consumidores, y que se vuelve 0 para los usuarios industriales después de 1985.

- una reducción progresiva de las pérdidas a razón del 1,5% por año hasta que llegan a un valor más normal del 20%.

5.6.2 Balance de abastecimiento y demanda

La demanda y el abastecimiento por fuentes se sintetizan en la tabla 5 en una secuencia hidrológica calificada "probable" porque ocurrió una vez, pero que representa, sin embargo, una de las peores combinaciones posibles (cuatro años secos de ahora a 1984); Cerro Prieto, en consecuencia, se necesita por más de 1 m^3/s en 1982-1984.

Con un valor esperado en probabilidad de 9,8 m^3/s para las fuentes SADM y una interrupción de ocho horas hasta 1983, el déficit medio podría desaparecer en 1990 (véase el gráfico 4). La realidad queda entre estas dos situaciones, pues la correlación estadística de los aportes anuales no es ni uno ni cero.

5.6.3 Costo marginal de producción

De acuerdo con el primer cálculo, SADM aceptaría invertir en una nueva fuente, aunque no necesariamente en Cerro Prieto con su actual diseño; con la segunda perspectiva no sería así, y los costos marginales serían considerablemente inferiores.

Los costos marginales de explotación serían los del embalse La Boca, esto es:

Productos químicos: 0,19			0,19
Energía:	0,84	a precios de frontera	1,52
	1,03		P1,72/m^3

Los costos de capacidad serían los vinculados con el proyecto de Campo Norte que se obtienen como diferencia entre (véase 5.1):

Los costos fijos anualizados: 318,4

Los ahorros anualizados en costos de:
explotación: $(1,71 - 0,97) \times 2 \times 31,5 = -46,6$
racionamientos en días críticos solamente: $0,2 \times 92 = \underline{-18,4}$

Costo de capacidad: $1.8 \times (Vp + Vg) = 253,4$
Por lo tanto: $Vp + Vg = 140\ MP/m^3/s$.

El costo marginal correspondiente a esta alternativa es un límite inferior; primero, porque tanto el costo de abastecimiento como las pérdidas alcanzan su mínimo económico; segundo, se supone que no existe una diferencia positiva entre el valor de Pozo Norte y su costo, como era el caso anterior cuando la alternativa era Cerro Prieto y la renta P 1,11 por peso invertido.

Es más difícil definir un límite superior; hemos supuesto en el cuadro 5-2 que SADM no tendría otra alternativa que la de aceptar el emplazamiento de Cerro Prieto con el diseño alternativo de la tubería principal de conducción.

Cuadro 5-2. Límites inferiores y superiores de los costos marginales de 1982 a 1987
(A precios frontera, incluidas pérdidas)

Concepto	Costo fijo MP/m³/s		Costo variable MP/m³		Costo medio P/m³	
Captación, tratamiento, conducción y confiabilidad	394	226	4,65	2,35	17,15	9,5
Red de distribución						
Principal	49	61,1	—		3,5	4,36
Secundaria	13	16,2	—		0,93	1,15
Total	62	77,3	—		4,43	5,51
Regulación anual	5,56	4,45	—		0,18	0,14
Regulación diaria			0,7	0,6	0,7	0,6
Bombeo a zonas más altas	5,2	4,1	0,45	0,35	0,6	0,5

5.7 Abastecimiento de agua en bloque a SADM

Como hemos visto, el precio que SADM estaría dispuesto a pagar por una cantidad adicional de agua en su red circular urbana es un costo marginal que no necesariamente incluye todos los costos del proyecto Cerro Prieto.

A decir verdad, la ponderación de los riesgos de racionamiento con el precio que los consumidores están dispuestos a pagar (alrededor de P 20/m³ de acuerdo con una reciente encuesta) da lugar a beneficios inferiores al costo de adelantamiento del proyecto, para cualquier fecha anterior a 1987 (asociado con un CR implícito de P 25 a P 35/m³ al nivel del anillo o P 32 a P 55/m³ al nivel de la distribución).

El valor del agua correspondiente a la alternativa más baja se armonizaría mejor con la expectativa pública, y los riesgos vinculados con esta cifra se podrían aceptar. Además, es aún suficientemente elevado cuando se lo compara con la tarifa actual y, de ser trasladado al consumidor, podría ciertamente estimular una cierta conservación, lo que refuerza la credibilidad de esa alternativa.

5.7.1 Adquisición de agua complementaria

SADM adquiriría agua adicional para complementar la producción de sus fuentes en las siguientes condiciones:

- Un costo proporcional igual a su costo marginal de explotación (el de La Boca): P 1,71/m³ a precios frontera;

- Una cuantía equivalente a la que está invirtiendo costos capacidad para los pozos Norte, esto es, 140 MP/m³/s.

Esta suma se paga como cargo fijo proporcional al flujo contratado; cubre entre el 20% y el 53% de los costos fijos de Cerro Prieto, según se contraten 1,5 (alternativa baja) o 4,1 m³/s (a largo plazo).

El costo proporcional solventaría algo más que los costos de explotación de Cerro Prieto a precios de mercado (P 1,64/m³).

Con el pronóstico de demanda alta en 1983, estas adquisiciones complementarias llegarían a los siguientes desembolsos:

$$
\begin{array}{rcl}
2,6 \text{ m}^3/\text{s} \times 140 & = & 364 \\
43 \text{ Mm}^3 \times 1,73 & = & \underline{74} \\
& & 438 \text{ MP o P } 10/\text{m}^3
\end{array}
$$

5.7.2 Adquisición de un suministro de base

Los flujos máximos contratados en calidad de complemento son determinados por el adquirente para el año siguiente al de la adquisición según sus necesidades.

El caso de un suministro de base constante durante 8.760 horas por año plantea un problema enteramente distinto. La incorporación de esa fuente en la producción, desde el punto de vista del adquirente, implica que el costo proporcional no excede del costo de explotación de su "planta de base" más costosa, en este caso, los pozos de Campo Norte. Por lo tanto, el contrato comprendería:

- El mismo costo fijo indicado anteriormente: 140 MP/M³/s;

- Un costo proporcional de P 0,97/m³.

Con un suministro básico de 4,1 m³/s, el gasto total sería de:

$$4,1 \text{ m}^3/\text{s} \times 140 = \quad 574$$
$$31,5 \times 4,1 \times 0,97 = \underline{\quad 125 \quad}$$
$$699 \text{ MP o P } 5,4/\text{m}^3$$

La utilidad bruta a precios frontera de los propietarios de Cerro Prieto se limitaría a 334 MP. En el contrato de suministro complementario, esta utilidad bruta apenas sería inferior en 1983 (316 MP) y se incrementaría de manera gradual en consonancia con la utilización del sistema, permitiendo recuperar una parte creciente de los costos de capital. Esta parte es aún mayor si los costos de la energía continúan subvencionados en más de P $1/\text{m}^3$ por debajo del precio frontera.

6. COSTO DEL SERVICIO

En secciones anteriores hemos evaluado la variación en los costos debido a cambios en los tres parámetros determinantes del costo de servicio:

- El volumen de consumo en m^3.
- La producción máxima en m^3/s.
- El número de conexiones.

Examinaremos seguidamente la forma en que estos costos se pueden combinar y sintetizar el costo del servicio para dos clientes adicionales con demandas típicas.

6.1 Asignación de los costos fijos

6.1.1 Captación y conducción

Tal como el sistema ha sido diseñado, un consumidor adicional aumentaría la producción media que deben atender los sistemas de producción y conducción; en consecuencia, su responsabilidad en la expansión de la capacidad a este nivel, es proporcional a la cantidad consumida de agua en metros cúbicos o equivalente al factor de carga (o utilización en horas) de su demanda máxima en $1/\text{s}$.

6.1.2 Tanques de regulación

Lo mismo se puede decir del costo de mantener la confiabilidad del suministro y, obviamente, la contribución al costo de la regulación diaria con tanques de distribución es aproximadamente proporcional al metro cúbico consumido entre las 6:00 y las 20:00 horas.

La responsabilidad de un consumidor en los costos anuales de regulación depende de la coincidencia entre el día de su máximo consumo y el período crítico del sistema de tanques; si este día está muy alejado del período, el factor de coincidencia es cero y, por lo tanto, su responsabilidad es cero; por el contrario, si ambas fechas coinciden y el consumo máximo es tan grande que no se puede compensar estadísticamente con niveles bajos en el consumo de otras personas, su responsabilidad es del 100%.

Aunque el primer caso sí ocurre (algunos usos industriales no exhiben ninguna variación estacional), el segundo no se ha detectado en este estudio y al parecer es excepcional. Muy probablemente, la pauta de consumo de un usuario adicional es tan típica de la pauta de la vasta mayoría, en sus variaciones estacionales y aleatorias, que una vez superpuesta a la diversidad del universo de usuarios es responsable por la irregularidad del 20% sobre la producción media registrada a nivel del sistema, y es proporcional a la cantidad consumida en m³.

6.1.3 Red de distribución y alcantarillado

Al nivel de la distribución, la responsabilidad de un nuevo usuario en la expansión de un elemento de la red depende de la coincidencia entre su demanda horaria punta en l/s y la del elemento. Como dijimos anteriormente, aumenta con el factor de carga y ciertamente es igual al 100% para una demanda estabilizada en su nivel máximo durante todo el intervalo de 6:00 a 20:00 horas; sin embargo, como los primeros metros cúbicos tienden a concentrarse en las horas punta del sistema, y como la demanda máxima del usuario afecta en gran medida la magnitud de los elementos más cercanos, esta responsabilidad es más que proporcional al factor de carga.

Para un grupo de n usuarios con demandas máximas q_1, q_2,...q_n, atendido por un elemento de la red, la diversidad se define así:

$$d = (q_1 + q_2 + \ldots + q_n)/Q$$

donde Q es la producción máxima nominal que determina el diseño del elemento.

Cuando q_1 aumenta en una unidad, en general Q aumenta en c = 1/d, el factor de coincidencia que es también la responsabilidad del usuario típico en la expansión. Utilizando el factor de carga del elemento de la red F = Q promedio/Q, y f el factor de carga del usuario "promedio", (f = q promedio/q;) tenemos: c = f/F

Estos factores de carga en el intervalo de las 6:00 a las 20:00 horas se obtienen del análisis de las curvas; por lo tanto, respecto de las cañerías directamente conectadas con los tanques, el gráfico 8 indica que:

$$F = 140\%/180\% = 0,78$$

Esta cifra disminuye en el caso de los elementos que están más cercanos a la conexión (aumentando correlativamente la responsabilidad).

Ahora bien, si para un usuario industrial f = 0,7 entonces c = 0,9, en tanto que para un hogar con demandas repentinas, aunque de corta duración, (ocho veces el flujo medio), f = 1/8 = 0,125 y c = 0,15.

6.2 Dos ejemplos de cálculos de costos del servicio

(A precios frontera, excluidos los costos de conexión, facturación y gastos de administración.)

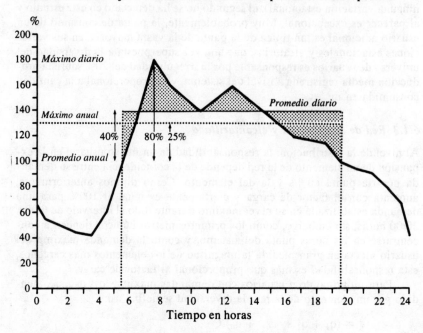

Gráfico 8. Porcentaje de demanda máxima horaria para el área metropolitana

6.2.1 Usuario industrial en el valle

Se trata de un uso permanente de 1 litro/seg. durante 19 millones de segundos día y 12 millones de segundos noche. El costo se puede desglosar en los siguientes rubros, en miles de pesos por año:

	Hipótesis baja	Hipótesis alta
Producción, tratamiento, conducción y confiabilidad de 31.000 m³	294,2	531,6
Regulación diaria de 19.000 m³	10,6	13,3
Distribución (responsabilidad de 100%)	62,0	77,3
Total	**366,8**	**622,2**
Costo medio (P/m³)	11,83	20,07

6.2.2 Residenciales en zonas altas

Para un uso de 0,3 1/s de demanda máxima, durante 1,5 horas por día, esto es, 50 m³/mes, el costo mensual en pesos sería:

	Hipótesis baja	Hipótesis alta
Producción, tratamiento, conducción y confiabilidad de 50 m³	475	857,5
Regulación anual (0,14 o 0,18 P/m³)	7	9
Regulación diaria de 45 m³	27	31,5
Bombeo a zonas de más elevación	25	30
Distribución (responsabilidad del 15%) (0,15 × 0,30/12) × 62.000 o 77.300 P =	232,5	290
Total	**766,5**	**1.218**
Costo medio (P/m³)	15,3	24,3

En la hipótesis baja, el costo de distribución calculado con una responsabilidad proporcional a la utilización sobre 14 millones de segundos es P4,4/m³. Es una buena aproximación del P4,65/m³ obtenido con el cálculo más exacto que se explica arriba.

7. ANALISIS DE LA TARIFA VIGENTE

7.1 Repartición del consumo por clases de consumidores

La distribución del consumo por clases de consumidores se obtuvo de un promedio de 12 meses de 1980. Los resultados se presentan en la tabla 6.

a) *Para los residenciales*, el consumo mensual es inferior a 30 m³ en el 69% de la categoría; 13.360 usuarios (6%) consumieron más de 60 m³; el promedio fue de 31 m³ (véase el gráfico 9).

b) *Los usuarios comerciales* consumieron un promedio de 66 m³/mes; el 73,5% tuvo consumos inferiores a 50 m³ y el 7,5% tuvo consumos superiores a 100 m³.

c) El promedio de los 1.253 *usuarios industriales* fue de 644 m³/mes; sin embargo, solo el 32% consumió más de 200 m³ (que representa el 92% del consumo de esta categoría, con un promedio de 1.780 m³).

d) *Los usuarios del sector público* (1.663 en 1980) consumieron 764 m³ y el 40% tuvo un consumo superior a 200 m³/mes.

En total, el 85,8% de los usuarios, esto es, 222.517, tuvo consumos inferiores a 50 m³ y sólo el 1,1% (2.749 contratos) tuvo un consumo superior a 200 m³, con un promedio de 42 m³/mes.

La encuesta de los usuarios de agua por hogares muestra que el 65% del consumo se destina a las que pueden considerarse necesidades higiénicas básicas.

Gráfico 9. Distribución porcentual de los usuarios domésticos
independientes por rangos de consumo en M³/mes

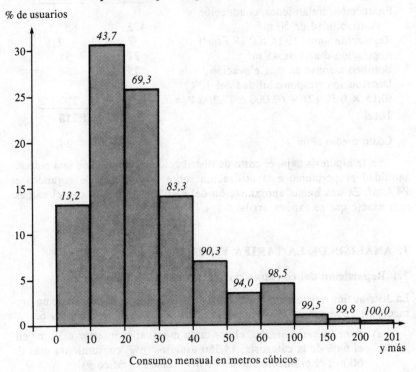

Consumo mensual en metros cúbicos

7.2 Estructura tarifaria vigente

La tarifa vigente, que se presenta en la tabla 7, representa un aumento del 90% en relación con el nivel de 1980; se aumentará a razón del 2% por mes por un período indefinido a fin de compensar los efectos de la inflación.

A los fines del análisis financiero en este estudio, hemos utilizado el nivel de marzo de 1981, un promedio de P7,50/m³, de los cuales P1,14 se factura por alcantarillados.

La estructura vigente comprende un cargo fijo correspondiente a un nivel de consumo mínimo, que aumenta de una categoría de usuario a la otra; el precio proporcional pagado por el consumo superior al mínimo aumenta también de 3 a P12/m³ para los residenciales y algo más para las demás categorías.

La tasa por alcantarillados representa el 20% de la factura de agua para quienes utilizan ambos servicios (95% de todos los contratos).

En marzo de 1981 los ingresos provenientes de las diversas categorías de usuarios se distribuían como sigue:

Cuadro 7-1. Distribución de los usuarios según la tarifa vigente

Categorías	Número de usuarios (miles)	Facturación de consumo (Mm³)	(MP)	Promedios m³/mes	P/mes	P/m³
Hogares	241,4	6,762	39,641	28	164	5,86
Comercios	13,0	0,789	8,044	61	619	10,20
Industrias	1,3	0,822	8,368	654	6.657	10,18
Sector público	1,6	0,875	8,784	478	2.303	4,82
Venta en bloque	—	0,497	1,294	35.552	92.436	2,60
Toda la clientela	257,3	9,745	66,131	37	238	6,33

Los hogares consumen el 70% del agua, a una tarifa inferior en un 7,4% al promedio, en tanto que los usuarios comerciales e industriales pagarán el 61% más por m³ que el promedio y casi el doble de los hogares.

El sector público es el más favorecido, si se excluye el abastecimiento en bloque a las aldeas ubicadas a lo largo de las cañerías de conducción.

Los ingresos por servicios de alcantarillados fueron de alrededor de P1,32/m³ y representaron el 18,5% de la cuantía antes indicada.

En comparación con los costos marginales en la hipótesis baja y a precios de mercado, se observa que la tasa por alcantarillados representa el 75% del costo de expansión y que las tarifas de agua solventan entre el 20 y el 60% del costo marginal. Estos porcentajes son aún más bajos cuando se los compara con los costos marginales a precios frontera.

7.3 Viabilidad financiera

7.3.1 Proyecciones operativas

Los datos operativos y su pronóstico hasta 1990, elaborado en la sección 2, constituyen la base de las siguientes proyecciones financieras.

Los ingresos de la tabla 8 se calcularon sobre la base de las tarifas vigentes, que producen el 70% de los ingresos totales. Los costos operativos están compuestos de los siguientes elementos:

	%
Costos directos del agua	24,9
Costos directos del alcantarillado	3
Adquisición de agua en bloque	25,3
Costos del usuario	13,8
Administración y gastos generales	6,6
Depreciación	26,4
Total	**100**

Los costos de las adquisiciones en bloque a Cerro Prieto se calcularon de acuerdo con el contrato de suministro complementario de agua, descrito en el párrafo 5.7.1, sobre la base de costos marginales a precios de frontera. El flujo máximo contratado para atender el mes más crítico se indica en el cuadro 7-2.

Cuadro 7-2. Flujos máximos solicitados de Cerro Prieto

Años	Producción de SADM (m^3/s)	Flujo contratado (m^3/s)	Producción complementaria (Mm^3)
1983	7,0	3,18	82,2
1984	8,1	2,75	67,6
1985	9,0	2,57	60,3
1986	10,1	2,04	42,8
1987	11,1	1,65	29,3
1988	10,8	2,59	57,9
1989	10,1	3,96	99,8
1990	10,0	4,10	123,8

Con un cargo por capacidad de 140 MP/m^3/s y un precio proporcional de P1,71/m^3, el costo medio del suministro complementario oscila entre P7,13 /m^3 en 1983 y P6,35/m^3 en 1990, con un nivel máximo de 9,59 en 1987.

El actual nivel tarifario de P6,36/m^3 apenas si solventa el precio de adquisición del suministro complementario cuando se lo utiliza a plena capacidad en 1980 y sólo el 65% de su costo de desarrollo de P9,65/m^3 a precios de mercado.

7.3.2 Proyecciones financieras

Otra indicación de la viabilidad financiera es la tasa de rendimiento sobre los activos fijos, cuyo cálculo se presenta en la tabla 9. Se puede observar, que esa tasa declina nuevamente con las compras del agua de Cerro Prieto a un promedio del 3,9%.

El flujo de fondos pronosticado para el decenio se presenta en la tabla 10 considerando sólo las inversiones realizadas por SADM (anillo de interconexión y red de distribución). Aunque la tasa de autofinanciamiento interno es relativamente aceptable, la cobertura de la deuda (renglón 5), igual a 1,2, no lo es, pues resulta insuficiente para satisfacer los compromisos de amortización. Seguidamente se presentan flujos acumulados:

Cuadro 7-3. Acumulado de usos y fuentes de fondos con la tarifa vigente
(en millones de pesos de 1980)

	Uso de los fondos		Fuente	
Inversiones	8.303	Generación interna neta		8.113,2
Servicio de la deuda	6.893	Préstamos		6.759,5
Otros compromisos	(256,5)	Otros recursos (déficit)		66,8
Total	14.939,5	Total		14.939,5

7.4 Redistribución del ingreso

La tarifa vigente está llena de subvenciones, algunas de las cuales son recibidas por SADM en la forma de bajos costos de la energía y se transfieren a todos los usuarios; otras benefician sólo a ciertas categorías de consumidores. En el cuadro 7-4 se sintetiza la tentativa de evaluar esta subvención con respecto al costo marginal en la hipótesis baja:

Cuadro 7-4. Distribución de los subsidios económicos en la tarifa vigente

Clase de Ingreso en P/mes	Demanda m^3/mes	% de usuarios	Facturación P/mes	Precio P/m^3	% del ingreso	Subsidio %
– – 5.700	20	43,6	84	4,2	1,5	74
5.701 – 7.300	30	25,7	144	4,80	2,2	70,3
7.301 – 12.100	40	14,0	222	5,55	2,3	65,6
12.101 – 24.900	60	10,6	388	6,47	2,1	60,0
24.901 – 37.700	100	4,5	780	7,80	2,5	51,7
37.701 – 55.000	150	1,1	1.440	9,60	3,1	40,6
55.001 –	300	0,5	3.240	10,80	5,9	33,1

8. DISEÑO DE UNA NUEVA ESTRUCTURA TARIFARIA

8.1 Observaciones preliminares sobre los excedentes generados por la venta al costo marginal

En esta sección se examina cómo reconciliar los objetivos de eficiencia de la aplicación de precios al costo marginal con otros requisitos, principalmente los criterios financieros y distributivos.

La aplicación estricta de los costos marginales a precios frontera generaría excedentes, en parte debido a que el volumen complementario de agua de Cerro Prieto se adquiere al precio que cubre el costo de expansión de SADM desde ahora a 1987.

En el futuro, se podría sostener que este volumen complementario se cobre a su costo verdadero (hipótesis alta) en razón de que el costo de expansión de SADM después de 1987 se aproximaría al de Cerro Prieto y que los recursos públicos volcados a este proyecto se deben recuperar en algún momento. No se ha utilizado esta hipótesis de trabajo en el mediano plazo, pero debiera tenérsela presente al examinar estos excedentes.

Una segunda observación es que al aumentar la demanda y al satisfacerse una parte creciente de ella con este proyecto de gran escala (aunque marginal), los costos contables aumentarán extraordinariamente y se aproximarán al costo marginal. Los excedentes disminuirán y lo harán aún más si la Comisión Federal de Electricidad decide facturar la electricidad a su costo económico.

No se puede descartar una rápida declinación de estos excedentes. Entretanto, permitirán precisamente el mantenimiento de algunas de estas subvenciones en la nueva estructura tarifaria y, por lo tanto, harán más tolerable la transición a los consumidores y a las autoridades.

8.2 Fundamento de la tarifa alternativa

Para esta tarifa de transición hemos escogido el nivel y la estructura de los costos marginales en la hipótesis baja, que se conforman al precio de adquisición del agua en Cerro Prieto; asimismo, hemos resuelto no asignar los costos fijos de la red como fue explicado en la sección 6, por dos razones:

- Las dificultades para obtener la información pertinente y para renegociar nuevos contratos;
- Los cargos de demanda representan un porcentaje tan pequeño de la factura que se considera aceptable la aproximación obtenida cuando el costo fijo se incorpora en el precio por m^3 (como fue indicado en 6.2).

Los únicos cargos fijos son los costos de cliente (P30/mes) y de administración (P25/mes).

Como se recordará, los otros costos que se deben cobrar son los siguientes:

- Producción, tratamiento, conducción y confiabilidad
- Regulación diaria
- Red de distribución (sólo la parte de SADM)
- Bombeo a zonas de más elevación
- Alcantarillado

8.3 Asignación de las subvenciones

Aunque con frecuencia, desde un punto de vista económico, las subvenciones
carecen de sentido, se podría sostener que sí lo tienen en el caso de una cantidad mínima de uso de agua para higiene y saneamiento.

Así, en esta tarifa de transición no se ha eliminado por entero el sesgo
actual en favor de los clientes residenciales.

A fin de afectar lo menos posible nuestro objetivo de un empleo racional del agua, las subvenciones deberían concentrarse en los elementos de
la factura que no dependen de la cantidad consumida y frente a los cuales el
usuario es menos sensitivo (cargos por conexión y distribución y, de ser
necesario, consumos pequeños).[1]

Las subvenciones se asignan del siguiente modo:

- Para todas las categorías de usuarios se dispensa del suplemento
  por bombeo a zonas elevadas.

- Los costos de regulación diaria (P0,55/m³) son pagados sólo por los
  usuarios no residenciales.

El monto de los demás subsidios se determina en virtud de factores
financieros y de redistribución de ingreso y se reparten de manera distinta de
acuerdo con el nivel de consumo mensual.

Cuadro 8-1. Cargos principales en la tarifa propuesta

Categoría de consumo	0-10 m³ (clase 1)		11-50 m³ (clase 2)		Más de 50 m³ (clase 3)	
	Res.	Otros	Res.	Otros	Res.	Otros
Producción (P/m³)	4,80	4,80	6,70	6,70	9,65	9,65
Distribución (P/m³)	0	0	0	0	0	2,70
Alcantarillado (P/m³)	1,00	1,00	1,00	1,00	1,45	1,45
Cargo fijo (P/mes)	30	55	30	55	55	55

Nota: Para el suministro en bloque a lo largo de las cañerías de conducción: P8/m³, esto es, el
100% de los costos de producción y tratamiento.

---

[1]*Nota del editor:* En particular, como resulta difícil conocer la parte de la red de distribución
cuyo tamaño depende del consumo, no se ha cobrado el costo de esta red para los residenciales;
esto equivale a admitir que el 100% de esta red es una obra de infraestructura dependiente sólo
del número de clientes. Para los industriales, esta parte independiente del consumo se considera
más pequeña y se ha cobrado el 70% de los costos de expansión.

8.4 Repartición por categorías y efecto distributivo de las subvenciones

El cuadro 8-2 resume la distribución de las conexiones y el consumo de los usuarios, con respecto a las clases antes definidas:

Cuadro 8-2. Distribución de los usuarios según la tarifa propuesta

Conexiones	Clase 1 1-10 m³ No.	%	Clase 2 11-50 m³ No.	%	Clase 3 51 m³+ No.	%	Total No.	%
Residenciales								
c/alcant.	23.930	9,34	176.737	68,95	28.203	11,0	228.870	89,3
s/alcant.	5.859	2,28	5.505	2,15	196	0,08	11.560	4,5
Otros	3.177	1,24	7.309	2,85	5.408	2,11	15.892	6,2
Total	**32.966**	**18,86**	**189.551**	**73,55**	**33.805**	**13,19**	**256.322**	**100,0**

Consumo	10³m³	%	10³m³	%	10³m³	%	10³m³	%
Residenciales								
con alcant.	160	1,6	4.532	45,0	2.688	26,7	7.380	73,24
sin alcant.	45	0,45	109	1,1	15	0,15	170	1,68
Otros	16	0,15	194	1,9	2.317	23,0	2.527	25,1
Total	**221**	**2,2**	**4.835**	**48,0**	**5.020**	**49,8**	**10.077**	**100,0**

Del cuadro anterior se desprende que la gran mayoría de usuarios (74%) pertenece a la clase 2 y representa el 48% del consumo; su subvención sería la primera en desaparecer más adelante. Los hogares más subvencionados de la clase 1 representan sólo el 2,2% del consumo total.

Utilizando la distribución de ingresos del párrafo 7.4 se puede apreciar el efecto de esta estructura tarifaria alternativa sobre el gasto mensual:

- La factura por servicios de agua y alcantarillados no pasa del valor de un día de ingreso, salvo en la clase con ingresos superiores a P55.000;

- La dispersión en el precio pagado se ha reducido de P6,6/m³ en la tarifa actual a P3,7/m³.

8.5 Viabilidad financiera

En la tabla 11 mostramos los resultados de las proyecciones financieras con la estructura tarifaria alternativa. El ingreso medio generado asciende a P8,45/m³ por agua más P1,15/m³ por alcantarillado. Cabe observar que es muy inferior al costo marginal a precios frontera; sin embargo, durante el decenio, es suficiente para eliminar futuros déficit en SADM, elevar el índice

Cuadro 8-3. Acumulado de usos y fuentes de fondos con la tarifa propuesta
(En millones de pesos de 1980)

Uso de los fondos		Fuentes	
Inversiones	8.303	Generación interna neta	13.646
Servicio de la deuda	4.374	Préstamos	2.431
Otros compromisos	(256)		
	12.421		
Excedentes	3.656		
Total	**16.077**	**Total**	**16.077**

de cobertura de la deuda a 3,1 y allanar el camino a una mejor recuperación de los costos de Cerro Prieto.

8.6 Estrategia de implantación

En término medio, el efecto sobre los presupuestos de las residenciales, es de P144 (US$6) para los consumos entre 10 y 100 m³. Esto es una pequeña fracción del ingreso familiar. Representa un aumento medio de P7,50 a P9, 60/m³, o sea, 28%, con la dispersión indicada en el gráfico 10.

El principal obstáculo que se opone a la implantación de esta estructura alternativa radica en que acaba de establecerse una nueva tarifa en enero de 1981. Por otra parte, la previsión de un aumento mensual del 2% incluida en esta tarifa se podría emplear para facilitar el proceso de transición hacia la aplicación de precios sobre la base del costo marginal.

Gráfico 10. Comparación de las tarifas domésticas actual y propuesta

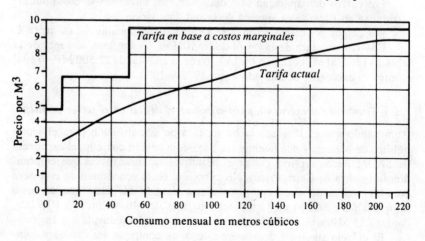

Addenda sobre el excedente financiero

8.6.1 Corrección preliminar por subsidios en la electricidad

En los cálculos anteriores, los excedentes de fondos generados por la venta al costo marginal, se explican en gran parte porque la energía eléctrica utilizada por SADM se cobra a P0,917/kWh, precio que está muy por debajo de su costo económico.

Este costo se compone de un costo de energía de P2,60/kWh en la punta y P1,66/kWh fuera de ella (P1,80/kWh en promedio), más un costo de capacidad de P2.065/kWh, o sea, al mínimo 2.065/8.760 h = P0,236/kWh con una utilización permanente.

De ser suprimido el subsidio de P1,2/kWh, los gastos de energía variarían de acuerdo a esta progresión:

1981	1982	1983	1984	1985	1986	1987	1988	1989	1990
120	122	116	137	150	168	185	180	168	167

El excedente acumulado pasaría a $3.656 - 1.513 = 2.143$

Este excedente residual puede llevar a dos clases de medidas según el grado de autonomía financiera de la empresa.

A — Concurre íntegramente al financiamiento interno de la empresa y entonces, si es permanente, conviene bajar la tasa de descuento considerada anteriormente.

B — Se lo traspasa al gobierno para aliviar el déficit en otros renglones.

8.6.2 Revisión de la tasa de actualización interna de la empresa

Se efectuó una variante de cálculo con una tasa de actualización del 10% en lugar del 12%. Esta reducción no modificaría el programa de obras de SADM y apenas el diseño de las mismas.

Los cargos de capacidad se reducen en casi un 15% y el costo del m³ disminuye en P1/m³ a la entrada de la red de distribución.

Los cargos por distribución y de alcantarillado disminuyen en un 18%.

Con la estructura de la tarifa de transición, los ingresos de venta de la tabla 11 (25.800 MP) caen en un 13%, o sea, a un total de 22.500 MP, lo cual elimina el excedente acumulado entre 1982 y 1990.

8.6.3 Traspaso del excedente para eliminar el déficit en el sector público

Admitiendo que el 12% sea la buena tasa de actualización para el sector público de México y que la empresa haga caja común con ello, el excedente de SADM puede servir a cubrir el déficit de las autoridades que emprendieron la obra de Cerro Prieto. No cubren el costo económico de esta obra con las ventas de agua complementaria de SADM, dado que el costo marginal para SADM en la hipótesis baja es de 140 MP/m³/s y P1,71/m³ contra 225 MP/m³/s y P2,83/m³ con una conducción reducida a 4,1m³/s.

El cálculo siguiente demuestra que, si se contratan los caudales com-

Cuadro 8-4. Requerimientos adicionales para costear Cerro Prieto

Años	(1) Caudal a contratar (m³/s)	(2) Suministro de agua (Mm³)	(3) = (1) × P225 Valor caudal contratado (Millones P)	(4) = (2) × P2,83 Valor suministro (Millones P)	(5) = (3) + (4) Total a pagar (Millones P)
1983	3,2	82,2	720	232,6	952,6
1984	2,7	67,6	607,5	191,3	798,8
1985	2,6	60,3	585,0	170,6	755,6
1986	2,0	42,8	450,0	121,1	571,1
1987	1,6	29,3	360,0	82,9	442,9
1988	2,6	57,9	585,0	163,8	748,8
1989	3,9	99,8	877,5	282,4	1.159,9
1990	4,1	123,8	922,5	350,3	1.272,8
Total		563,7	5.107,5	1.595,0	6.702,5

Año	(6) Valor a pagar cálculo bajo (MP)	(7) = (5) − (6) Mayor valor a pagar (MP)	(8) = (5) / (2) Precio medio cálculo alto (P/m³)	(9) Precio medio cálculo bajo (P/m³)	(10) = (8) − (9) Diferencia (P/m³)
1983	586,2	366,4	11,59	7,13	4,46
1984	500,9	297,9	11,82	7,41	4,41
1985	462,3	293,3	12,53	7,67	4,86
1986	359,5	211,6	13,34	8,39	4,95
1987	281,3	161,6	15,12	9,59	4,53
1988	461,6	287,2	12,93	7,97	4,96
1989	724,9	435,0	11,62	7,26	4,36
1990	785,8	487,0	10,28	6,35	3,93
Total	4.162,5	2.540,0	11,89	7,38	4,51

plementarios en estas condiciones, el cargo adicional para SADM es de 2.540 MP entre 1983 y 1990, lo cual rebasa el excedente.

Esto no cubre todavía todo el costo de Cerro Prieto porque el caudal contratado por SADM deja mucha capacidad ociosa hasta 1989.

APENDICE A

CALCULO DE LOS COSTOS DE EXPLOTACION
A PRECIOS DE MERCADO DE 1980

1. Fuentes

a) Costos de la energía

Sobre la base del consumo diario medio y del costo de P0,917 de kWh en 1980, el cuadro siguiente presenta los gastos de energía de cada fuente.

Tabla A-1. Gastos de energía en cada fuente

Fuente	kWh/m³	P/m³	Mm³/año	MP/año
Pozos de Mina	0,579	0,531	46,74	24,8
S. Catarina	0,405	0,371	53,63	19,9
(pozos Buenos Aires)				
Monterrey				
Pozos someros	0,231	0,212	9,61	2,0
Pozos profundos	0,521	0,477	13,63	6,5
Embalse La Boca	0,916	0,84	29,98	25,2
Pozos Cerro Norte[a]	0,579	0,531	31,54	16,7
Cerro Prieto	[a]1,6	1,47	31,54	46,3

[a]Proyecciones.

b) Sustancias químicas

Precios de mercado en diciembre de 1980 en P/g.

Cloro	1,14
Fluoruro	3,11
Sulfato de aluminio	0,38
Cal	0,22

Seguidamente se resumen los costos resultantes para cada fuente en centavos de peso por metro cúbico (cP/m³).

Tabla A-2. Gastos de químicos en cada fuente

Fuente	Necesidades en g/m³ de producción anual				Costo total (cP/m³)
	Cloro	Fluor.	Sulfato de aluminio	Calcio	
Mina	1	—	—	—	1,14
S. Catarina	1	0,5	—	—	2,70
Monterrey	1				1,14
La Boca	6	0,5	25	6	19,22
Túneles de Santiago	1	0,5			2,70
Cerro Norte	1	—	—	—	1,14
Cerro Prieto	6	0,5	22	5	17,86

2. Costos de energía para el bombeo en la red

Esos costos son proporcionales al producto del flujo por la elevación Q × h, o cuando se calcula el promedio para un sistema, al flujo total multiplicado por la elevación del centro de gravedad de este flujo h*.

En la red de distribución se utilizaban en 1980 unas 38 estaciones para elevar agua a zonas de más altura.

Tabla A-3. Estaciones de bombeo en la red de distribución

No. de Estaciones	Altura (h)	Flujo (Q)	Q × h
13	30 m	227 1/s	6.810
4	40	485	19.400
9	50	597	29.850
4	60	490	29.400
6	70	322	22.540
2	80	260	20.800
		2.381	128.800

Con una eficiencia real de bombeo del 67% en 1980, la altura media h* = 128.800/2.381 = 54 m requería una potencia de bombeo de

9,81 × 54/0,67 = 785 kW/m³/s y una energía de
785/3.600 = 0,28 kWh/m³, o sea, 20,5 cP/m³.

En el anillo de conducción que interconectará los tanques de distribución, durante el próximo decenio se instalarán alrededor de diez estaciones de bombeo; las necesidades de energía evolucionarán así:

Años	1981-82	1983-84	1985-90
Q Total (l/s)	1.214	7.383	8.530
Q × h Total	33.955	172.028	246.131
h* media (m)	28	23,3	28,8
kWh/m³ media	0,117	0,097	0,119
Costo (cP/m³)	10,63	8,86	10,96

3. Costos de mantenimiento

En 1980 los gastos de mantenimiento fueron como sigue:

- Captación y conducción   2,56 MP
- Distribución   41,69 MP

El abastecimiento, incluidas las pérdidas, ascendió a 197,7 Mm³, o en términos de máxima producción a 6,28 m³/s para la captación y 14,12 m³/s para la distribución (9 m³/s, excluidas las pérdidas).

En base a estas cifras, se puede derivar y extrapolar para el decenio el costo unitario por m³ o por m³/s de producción:

	cP/m³	MP/m³/s
• Captación y conducción	1,29	0,407
• Distribución	21,08	4,63

APENDICE B

TABLAS

Tabla 1. Estadísticas y proyecciones de demanda: Población y número de contratos

Años	Población Total	% Crecimiento	NUMERO DE CONTRATOS (PROMEDIO ANUAL) CON SERVICIO DE AGUA POTABLE										
			Doméstico	% Crecimiento	Comercial	% Crecimiento	Industrial	% Crecimiento	Público	% Crecimiento	Total de Usuarios	% Crecimiento
1975	1.555.778	5,4	168.311	---	1.477	---	789	---	1.002	---	171.579	---
1976	1.639.790	5,4	180.087	7,0	3.485	135,9	1.004	27,2	1.250	24,7	185.826	8,3
1977	1.728.339	5,4	193.044	7,2	7.789	123,5	1.128	12,1	1.360	8,8	203.319	9,4
1978	1.821.669	5,4	203.652	5,5	10.657	36,8	1.236	9,8	1.670	22,8	217.215	6,8
1979	1.920.039	5,4	215.686	5,9	12.165	14,1	1.323	7,0	1.837	10,0	231.011	6,3
1980	2.023.721	5,4	230.603	6,9	12.586	3,5	1.282	(3,1)	1.943	5,8	246.414	6,7
1981*	2.133.002	5,4	246.745	7,0	13.215	5,0	1.340	4,5	2.030	4,5	263.330	6,9
1982	2.248.184	5,4	264.511	7,2	13.876	5,0	1.400	4,5	2.121	4,5	281.908	7,0
1983	2.369.586	5,4	283.556	7,2	14.570	5,0	1.463	4,5	2.216	4,5	301.805	7,0
1984	2.497.544	5,4	303.972	7,2	15.298	5,0	1.529	4,5	2.316	4,5	323.115	7,0
1985	2.632.411	5,4	325.751	7,2	16.063	5,0	1.598	4,5	2.420	4,5	345.832	7,0
1986	2.764.032	5,0	349.205	7,2	16.866	5,0	1.670	4,5	2.529	4,5	370.270	7,1
1987	2.902.234	5,0	374.348	7,2	17.709	5,0	1.745	4,5	2.643	4,5	396.445	7,1
1988	3.047.346	5,0	401.301	7,2	18.594	5,0	1.823	4,5	2.762	4,5	424.480	7,1
1989	3.199.713	5,0	430.195	7,2	19.524	5,0	1.905	4,5	2.886	4,5	454.510	7,1
1990	3.359.699	5,0	461.169	7,2	20.500	5,0	1.991	4,5	3.016	4,5	486.676	7,1

*Proyecciones a partir de 1981.

Tabla 2. Estadísticas y proyecciones de demanda: Consumo y promedio anual

Años	Población Servida con Agua	Nº Personas Por Contrato	% Población Servida	Promedio Mensual Facturado por Contrato (M³)					Promedio Anual Facturado	Agua No Facturada litro/segundo	Agua No Facturada %	Suministro Promedio litro/segundo	% Incremento
				Doméstico	Comercial	Industrial	Público	Total					
1975	1.251.337	7,3	80,4	38,0	337,0	1.381,0	1.676,0	56,0	3.653	2.119	36,7	5.772	10,7
1976	1.335.781	7,2	81,5	35,0	161,0	900,0	1.378,0	51,0	3.570	2.590	42,0	6.160	6,7
1977	1.433.575	7,1	82,9	35,0	95,0	773,0	1.228,0	49,1	3.800	2.650	41,1	6.450	4,7
1978	1.546.207	7,1	84,9	34,0	75,0	709,0	994,0	47,1	3.891	2.777	41,6	6.668	3,4
1979	1.675.321	7,2	87,2	34,0	70,0	691,0	928,0	47,0	4.129	2.748	40,0	6.877	3,1
1980	1.762.618	7,2	87,1	31,0	63,0	644,0	764,0	42,0	3.905	2.347	37,5	6.252	(9,1)
1981*	1.886.574	7,2	88,4	40,0	69,0	770,0	932,0	52,0	5.260	3.198	37,8	8.458	35,3
1982	2.016.621	7,2	89,7	40,0	71,0	789,0	954,0	52,0	5.625	3.389	37,6	9.014	6,6
1983	2.156.323	7,1	91,0	40,0	72,0	807,0	977,0	52,0	6.015	3.592	37,4	9.607	6,6
1984	2.305.233	7,1	92,3	40,0	74,0	828,0	1.002,0	52,0	6.430	3.808	37,2	10.238	6,6
1985	2.463.937	7,1	93,6	40,0	75,0	844,0	1.022,0	52,0	6.873	4.039	37,0	10.912	6,6
1986	2.625.830	7,1	95,0	40,0	76,0	861,0	1.011,0	52,0	7.294	4.164	36,3	11.458	5,0
1987	2.757.122	6,9	95,0	39,0	76,0	865,0	1.015,0	51,0	7.659	4.371	36,3	12.030	5,0
1988	2.894.978	6,8	95,0	38,0	76,0	872,0	1.023,0	50,0	8.042	4.590	36,3	12.632	5,0
1989	3.039.727	6,7	95,0	37,0	76,0	874,0	1.025,0	49,0	8.444	4.820	36,3	13.264	5,0
1990	3.191.714	6,6	95,0	37,0	76,0	878,0	1.030,0	48,0	8.866	5.061	36,3	13.927	5,0

*Proyecciones sin restricciones en el suministro a partir de 1981.

Tabla 3. Cálculo del suministro probable por fuentes de abastecimiento
(promedio litros/seg)

CONCEPTOS		1980	1981	1982	1983	1984	1985	1986	1987	1988	1989	1990
DEMANDA PROMEDIO ANUAL		7.936	8.458	9.014	9.607	10.238	10.912	11.458	12.030	12.632	13.264	13.927
FUENTE MINA:	TOTAL	1.478	1.592	1.500	1.500	1.500	2.000	2.300	2.300	2.300	2.000	2.000
FUENTE SANTA CATERINA:	TOTAL	1.978	1.888	1.700	1.700	1.700	2.000	2.300	2.600	2.800	2.800	2.800
GALERIAS		282	270	260	250	240	1.000	1.500	1.800	1.700	1.700	1.500
POZOS BUENOS AIRES		1.696	1.618	1.440	1.450	1.460	1.000	800	800	1.100	1.100	1.300
FUENTE MONTERREY:	TOTAL	735	1.045	700	500	500	700	1.000	1.300	1.000	800	800
POZOS SOMEROS		304	645	350	150	150	200	300	600	400	200	200
POZOS PROFUNDOS		431	400	350	350	350	500	700	700	600	600	600
FUENTE VILLA DE SANTIAGO:	TOTAL	2.061	2.678	2.500	2.300	2.400	2.300	2.500	2.900	2.700	2.500	2.400
PLANTA LA BOCA		948	.483	1.600	1.600	1.600	1.300	1.500	1.700	1.700	1.700	1.700
TUNELES		1.113	1.195	900	700	800	1.000	1.000	1.200	1.000	800	700
FUENTE POZOS NORTE:	TOTAL	—	—	—	1.000	2.000	2.000	2.000	2.000	2.000	2.000	2.000
FUENTE CERRO PRIETO:	TOTAL	—	—	1.000*	2.607	2.138	1.912	1.358	930	1.832	3.164	3.927
SUMINISTRO ANUAL PROMEDIO		6.252	7.203	7.400	9.607	10.238	10.912	11.458	12.030	12.632	13.264	13.927
DEFICIT ANUAL PROMEDIO		1.684	1.255	1.614	—	—	—	—	—	—	—	—

*Suponiendo que Cerro Prieto entre a operar en octubre de 1982, sólo se pueden obtener 3/12 de los 4,1 metros cúbicos por segundo.

Tabla 4. Balances mensuales en 1983 (litros/seg)

CONCEPTOS	ENERO	FEBR.	MARZO	ABRIL	MAYO	JUNIO	JULIO	AGOSTO	SEPT.	OCT.	NOV.	DIC.
1) DEMANDA MEDIA	9.309	9.290	9.328	9.434	9.914	9.943	10.183	9.991	9.799	9.444	9.338	9.318
VOLUMENES NO REGULABLES												
Pózos	5.438	5.438	5.438	5.438	5.438	5.438	5.438	5.438	5.438	5.438	5.438	5.438
Tuneles y galerías	1.140	1.080	1.020	960	900	870	930	1.020	940	1.380	1.490	1.380
2) TOTAL NO REGULABLE	6.578	6.518	6.458	6.398	6.338	6.308	6.368	6.458	6.378	6.818	6.928	6.818
VOLUMENES REGULABLES												
3) Aportes La Boca:	1.075	384	299	293	112	1.505	2.199	1.800	9.568	11.783	3.025	1.452
4) TOTAL (2)+(3)	7.653	6.902	6.757	6.691	6.450	7.813	8.567	8.258	15.946	18.601	9.953	8.270
5) SALDOS (1)−(4)	−1.656	−2.388	−2.571	−2.743	−3.464	−2.130	−1.616	−1.733	−6.147	−9.157	−615	−1.048
SUPERAVITS 0 DEFICITS ACUMULADOS	−1.656	−4.044	−6.615	−9.358	−12.822	−14.952	−16.568	−18.301	−12.154	−2.997	−2.382	−3.430
6) ALMACENAMIENTO = (3) − 1.700	−625	−1.316	−1.401	−1.407	−1.588	−195	+499	+100	+7.868	+10.083	+1.325	−248
ACUMULADO	−625	−1.941	−3.342	−4.749	−6.337	−6.532	−6.033	−5.933	+1.935	+12.018	+13.343	+13.095
7) Cerro Prieto (1)−(2)−1.700	1.031	1.072	1.170	1.336	1.876	1.935	2.115	1.833	1.721	926	710	800

Tabla 5. Cálculo bajo del suministro probable por fuentes de abastecimiento (litros/seg.)

CONCEPTOS		1980	1981	1982	1983	1984	1985	1986	1987	1988	1989	1990
DEMANDA PROMEDIO ALTO		7.936	8.458	9.014	9.607	10.238	10.912	11.458	12.030	12.632	13.264	13.927
BAJO		7.691	8.097	8.263	8.460	8.698	8.926	9.083	9.546	10.022	10.525	11.050
FUENTE MINA:	TOTAL	1.478	1.592	1.500	1.500	1.500	2.000	2.300	2.300	2.000	2.000	2.000
FUENTE SANTA CATARINA:	TOTAL	1.978	1.888	1.700	1.700	1.700	2.000	2.300	2.600	2.800	2.800	2.800
GALERIAS		282	270	260	250	240	1.000	1.500	1.800	1.700	1.700	1.500
POZOS BUENOS AIRES		1.696	1.618	1.440	1.450	1.460	1.000	800	800	1.100	1.100	1.300
FUENTE MONTERREY:	TOTAL	735	1.045	700	500	500	700	1.000	1.300	1.000	800	800
POZOS SOMEROS		304	645	350	150	150	200	300	600	400	200	200
POZOS PROFUNDOS		431	400	350	350	350	500	700	700	600	600	600
FUENTE VILLA DE SANTIAGO:	TOTAL ALTO	2.061	2.678	2.500	2.300	2.400	2.300	2.500	2.900	2.700	2.500	2.400
	TOTAL BAJO	2.061	2.678	2.500	2.300	2.400	2.300	1.483	1.346	1.922	2.500	2.400
PLANTA LA BOCA:	CALCULO ALTO	948	1.483	1.600	1.600	1.600	1.300	1.500	1.700	1.700	1.700	1.700
	CALCULO BAJO	948	1.483	1.600	1.600	1.600	1.300	483	146	966	1.700	1.700
TUNELES:	CALCULO ALTO	1.113	1.195	900	700	800	1.000	1.000	1.200	1.000	800	700
	CALCULO BAJO	1.113	1.195	900	700	800	1.000	1.000	1.200	1.000	800	700
FUENTE POZOS NORTE:	CALCULO ALTO	--	--	--	1.000	2.000	2.000	2.000	2.000	2.000	2.000	2.000
	CALCULO BAJO	--	--	--	1.000	2.000	1.926	2.000	2.000	2.000	2.000	2.000
FUENTE CERRO PRIETO:	CALCULO ALTO	--	--	1.000*	2.607	2.138	1.912	1.358	930	1.832	3.164	3.927
	CALCULO BAJO	--	--	1.000*	1.460	598	--	--	--	--	425	1.050
SUMINISTRO TOTAL	ALTO	6.252	7.203	7.400	9.607	10.238	10.912	11.458	12.030	12.632	13.264	13.927
	BAJO	6.252	7.203	7.400	8.460	8.698	8.926	9.083	9.546	10.022	10.525	11.050
DEFICIT ANUAL PROMEDIO:	ALTO	1.684	1.255	1.614	--	--	--	--	--	--	--	--
	BAJO	1.439	894	863	--	--	--	--	--	--	--	--

*Suponiendo que Cerro Prieto entre en octubre de 1982, sólo se pueden obtener 3/12 de los 4,1 m³/seg.

Tabla 6. Distribución del consumo por rangos y categorías de usuarios

Consumo mensual en m³	Hasta 10	11 a 20	21 a 30	31 a 40	41 a 50	51 a 60	61 a 100	101 a 150	151 a 200	201 y más
SERVICIO DOMESTICO INDEPENDIENTE										
Nº de Usuarios	29.190	67.639	56.920	31.067	15.577	8.069	9.998	2.354	593	415
Porcentaje	13,16	30,49	25,66	14,00	7,02	3,64	4,51	1,06	0,27	0,19
Nº Acumulado de Usuarios	29.190	96.829	153.749	184.816	200.393	208.462	218.460	220.814	221.407	221.822
Porcentaje Acumulado	13,16	43,65	69,31	83,31	90,33	93,97	98,48	99,54	99,81	100,00
Consumo promedio m³	6,9	15,9	25,1	34,9	45,0	55,0	74,7	119,3	171,0	320,9
SERVICIO DOMESTICO COLECTIVO										
Nº de Usuarios	599	1.985	3.244	3.281	2.529	1.791	3.235	1.033	323	588
Porcentaje	3,22	10,67	17,43	17,63	13,59	9,62	17,38	5,56	1,74	3,16
Nº Acumulado de Usuarios	599	2.584	5.828	9.109	11.638	13.429	16.664	17.697	18.020	18.608
Porcentaje Acumulado	3,22	13,89	31,32	48,95	62,54	72,16	89,54	95,10	96,84	100,00
Consumo promedio m³	6,4	16,3	25,7	35,4	45,3	55,2	75,9	120,1	171,9	806,7
SERVICIO COMERCIAL										
Nº de Usuarios	2.921	2.456	1.994	1.245	942	640	1.243	582	292	685
Porcentaje	22,47	18,89	15,34	9,58	7,25	4,92	9,56	4,48	2,25	5,26
Nº Acumulado de Usuarios	2.921	5.377	7.371	8.616	9.558	10.198	11.441	12.023	12.315	13.000
Porcentaje Acumulado	22,47	41,36	56,70	66,28	73,53	78,45	88,01	92,49	94,74	100,00
Consumo promedio m³	5,1	15,4	25,2	35,2	45,4	55,4	77,2	122,4	172,3	601,3
SERVICIO INDUSTRIAL										
Nº de Usuarios	66	83	84	66	58	47	191	149	108	401
Porcentaje	5,27	6,62	6,70	5,27	4,64	3,75	15,24	11,89	8,62	32,00
Nº Acumulado de Usuarios	66	149	233	299	357	404	595	744	852	1.253
Porcentaje Acumulado	5,27	11,89	18,59	23,86	28,50	32,25	47,49	59,38	68,00	100,00
Consumo promedio m³	4,0	16,2	25,4	35,7	46,0	54,6	79,3	124,1	174,3	1.779,4
SERVICIO PUBLICO										
Nº de Usuarios	190	97	135	79	70	43	153	139	87	646
Porcentaje	11,59	5,92	8,24	4,82	4,27	2,62	9,33	8,48	5,31	39,42
Nº Acumulado de Usuarios	190	287	422	501	571	614	767	906	993	1.639
Porcentaje Acumulado	11,59	17,51	25,75	30,57	34,84	37,46	46,79	55,27	60,58	100,00
Consumo promedio m³	2,7	14,9	25,7	35,2	46,3	55,0	79,2	124,9	173,4	1.295,8
GRAN TOTAL										
Nº de Usuarios	32.966	72.260	62.377	35.738	19.176	10.590	14.820	4.257	1.403	2.749
Porcentaje	12,86	28,19	24,33	13,94	7,48	4,13	5,78	1,66	0,55	1,08
Nº Acumulado de Usuarios	32.966	105.226	167.603	203.341	222.517	233.107	247.927	252.184	253.587	256.336
Porcentaje Acumulado	12,86	41,05	65,38	79,32	86,80	90,93	96,71	98,37	98,92	100,00
Consumo promedio m³	6,7	15,9	25,2	35,0	45,0	55,0	75,3	120,3	171,9	939,7

Tabla 7. Sistema tarifario vigente (en pesos mexicanos)

Tarifa	Litros Mínimo	Litros Máximo	Precio Base 1.000 lts.	Factor Base Excesos	Cuota Fija	Máxima Categoría	Cuota Adicional 20%	Cuota Mínima	Máxima Categoría
							(2)		
SERVICIO DOMESTICO AGUA POTABLE SIN DRENAJE:									
1	10.000	19.000	$ 3,00	4,00	$ 30,00	$ 66,00			
SERVICIO DOMESTICO AGUA POTABLE Y DRENAJE SANITARIO:									
Tarifa para consumos normales									
2	20.000	29.000	3,50	5,00	70,00	115,00	20%	$ 84,00	$ 138,00
3	30.000	49.000	4,00	6,50	120,00	243,00	20%	144,00	292,00
4	50.000	74.000	5,00	7,25	250,00	424,00	20%	300,00	509,00
Tarifa para altos consumos									
5	75.000	99.000	5,75	8,75	431,00	641,00	20%	517,00	769,00
6	100.000	149.000	6,50	11,00	650,00	1.189,00	20%	780,00	1.427,00
7	150.000	199.000	8,00	12,00	1.200,00	1.788,00	20%	1.440,00	2.146,00
8	200.000	y más	9,00		1.800,00		20%	2.160,00	
9	Cualquier consumo		4,00		400,00		20%	480,00	
10	Efluentes de agua no proporcionada por SADM.								
SERVICIO DOMESTICO COLECTIVO:									
14	50.000	y más	3,00	4,00	150,00		20%		
15	40.000	y más	3,50	(3)	140,00		20%		
16	30.000	y más	3,00		90,00				

(1)

SERVICIO A ESTABLECIMIENTOS COMERCIALES:

No.	Desde	Hasta							
41	25.000	49.000	4,50	7,50	112,00	292,00	20%	135,00	351,00
42	50.000	99.000	6,00	9,00	300,00	741,00	20%	360,00	889,00
43	100.000	199.000	7,50	12,50	750,00	1.987,00	20%	900,00	2.385,00
44	200.000	y más -	10,00		2.000,00		20%	2.400,00	
45	Efluentes de agua no proporcionada por SADM.								

SERVICIO A ESTABLECIMIENTOS INDUSTRIALES:

No.	Desde	Hasta							
51	25.000	49.000	4,50	7,50	112,00	292,00	20%	135,00	351,00
52	50.000	99.000	6,00	9,00	300,00	741,00	20%	360,00	889,00
53	100.000	199.000	7,50	12,50	750,00	1.987,00	20%	900,00	2.385,00
54	200.000	y más	10,00		2.000,00		20%	2.400,00	
55	200.000	y más	10,00		2.000,00		20%	2.400,00	
56	40.000	y más	3,50		140,00		20%	168,00	
57	Convencional								
58	Efluentes de agua no proporcionada por SADM.								

SERVICIO A GOBIERNO Y ORGANISMOS PUBLICOS:

No.	Desde	Hasta						
61	30.000	y más	4,00		120,00		20%	144,00
62	100.000	y más	5,00	6,00	500,00		20%	600,00
63	50.000	y más-	4,00		200,00		20%	240,00
64	50.000	y más	4,00		200,00		20%	240,00
65	Hidrantes contra incendio $250.00 c/u.							
66	Agua "en bloque" $2.50/m³.							

(1) No es precio; se agrega el factor para calcular el importe de cada 1.000 litros excedentes del mínimo correspondiente.

(2) Se aplicará sobre el importe del consumo de agua potable.

(3) Ver Notas Complementarias, Art. 2, Tarifa 15.

Fuente: "Periódico Oficial" Monterrey, N.L., viernes 26 de dic. de 1980, pág. 3.

Tabla 8. Resultado de explotación con la tarifa vigente
(Millones de pesos de 1980)

Conceptos	1980	1981	1982	1983	1984	1985	1986	1987	1988	1989	1990
1. **INGRESO DE EXPLOTACION**											
1.1 Venta de Agua Potable	417,5	898,1	925,4	1.208,9	1.289,0	1.377,3	1.461,9	1.534,9	1.616,3	1.692,6	1.777,1
1.2 Ingresos de Alcantarillado	75,2	161,6	166,6	217,6	232,0	247,9	263,1	276,3	290,9	304,7	319,9
1.3 Otros Ingresos de Explotación	259,3	256,0	268,8	282,2	296,3	311,2	326,7	343,1	360,2	378,2	397,1
TOTAL INGRESOS DE EXPLOTACION	752,0	1.315,7	1.360,8	1.708,7	1.817,3	1.936,4	2.051,7	2.154,3	2.267,4	2.375,5	2.494,1
2. **GASTOS DE EXPLOTACION**											
2.1 Costos Directos de Agua Potable	256,1	284,2	296,8	320,0	348,3	382,5	411,6	439,9	449,5	453,1	467,1
2.1.1 Captación y Conducción	109,3	124,2	128,0	122,4	140,4	154,7	172,2	188,3	185,2	175,2	174,9
2.1.1.1 Salarios y Beneficios Sociales	14,4	15,1	15,9	16,7	17,5	18,4	19,3	20,3	21,3	22,3	23,5
2.1.1.2 Sustancias Químicas	5,9	6,8	7,0	6,6	7,6	8,5	9,5	10,4	10,2	9,5	9,4
2.1.1.3 Electricidad	79,8	91,7	94,2	88,9	103,4	114,6	128,6	141,3	137,8	128,6	127,3
2.1.1.4 Materiales y Mantenimiento	9,2	10,6	10,9	10,2	11,9	13,2	14,8	16,3	15,9	14,8	14,7
2.1.2 Distribución	146,8	160,0	168,8	197,6	207,9	227,8	239,4	251,6	264,3	277,9	292,2
2.1.2.1 Salarios y Beneficios Sociales	86,1	90,4	94,9	99,7	104,6	109,9	115,4	121,2	127,2	133,6	140,2
2.1.2.2 Electricidad	9,3	14,7	15,1	34,9	35,9	45,8	46,8	47,7	48,6	49,5	50,5
2.1.2.3 Materiales y Mantenimiento	51,4	54,9	58,8	63,0	67,4	72,1	77,2	82,7	88,5	94,8	101,5
2.2 Costos Directos de Alcantarillado	33,9	35,8	37,9	40,0	42,2	44,7	47,3	50,0	52,9	55,9	59,2
2.2.1 Salarios y Beneficios Sociales	22,4	23,5	24,7	25,9	27,2	28,6	30,0	31,5	33,1	34,7	36,5
2.2.2 Materiales y Mantenimiento	11,5	12,3	13,2	14,1	15,0	16,1	17,3	18,5	19,8	21,2	22,7
2.3 Compra de Agua en Bloque				586,2	500,9	462,3	359,5	281,3	461,6	724,9	785,8
2.4 Créditos por Consumo	28,8	55,8	57,5	75,1	80,1	85,6	90,8	95,4	100,5	105,2	110,4
2.5 Gastos de Clientela y otros Servicios	88,3	94,4	101,0	108,1	115,8	123,9	132,7	142,1	152,1	162,9	174,4
2.6 Administración y Gastos Generales	75,2	79,0	82,9	87,0	91,4	96,0	100,8	105,8	111,1	116,7	122,5
2.7 Depreciación	251,4	286,7	332,5	368,5	391,9	413,1	430,1	446,2	462,4	478,7	494,0
TOTAL GASTOS DE EXPLOTACION	733,7	835,9	908,6	1.584,9	1.570,6	1.608,1	1.572,8	1.560,7	1.790,1	2.097,4	2.213,4
INGRESO NETO DE EXPLOTACION (1)-(2)	18,3	479,8	452,2	123,8	246,7	328,3	478,9	593,6	477,3	278,1	280,7

Tabla 9. Inversión inmovilizada (millones pesos) Rentabilidad con la tarifa vigente y la propuesta (%)

CONCEPTOS	1980	1981	1982	1983	1984	1985	1986	1987	1988	1989	1990
1) Activo fijo bruto en operación al comienzo del año.	8.029,4	8.382,0	9.557,7	11.084,2	12.286,4	13.064,6	13.773,1	14.339,5	14.876,0	15.414,2	15.959,7
2) Adiciones netas en el año	352,6	1.175,7	1.526,5	1.202,2	778,2	708,5	566,4	536,5	538,2	545,5	509,5
3) Activo fijo bruto al fin del año (1)+(2)	8.382,0	9.557,7	11.084,2	12.286,4	13.064,6	13.773,1	14.339,5	14.876,0	15.414,2	15.959,7	16.469,2
4) Depreciación acumulada al comienzo del año.	2.295,5	2.546,9	2.833,6	3.534,6	3.926,5	4.339,6	4.769,7		5.215,9	5.678,3	6.157,0
5) Provisión anual para depreciación	251,4	286,7	332,5	368,5	391,9	413,1	430,1	446,2	462,4	478,7	494,0
6) Depreciación acumulada al fin del año (4)+(5)	2.546,9	2.833,6	3.166,1	3.534,6	3.926,5	4.339,6	4.769,7	5.215,9	5.678,3	6.157,0	6.651,0
7) Activo fijo neto al fin del año (3)-(6)	5.835,1	6.724,1	7.918,1	8.751,8	9.138,1	9.433,5	9.569,8	9.660,1	9.735,9	9.802,7	9.818,2
8) Activo fijo neto-promedio del año.	5.784,5	6.679,6	7.321,1	8.334,9	8.944,9	9.285,8	9.501,6	9.615,1	9.698,0	9.769,3	9.810,4
9) Ingreso neto explotación	18,3	479,8	452,2	123,8	246,7	328,3	478,9	593,6	477,3	278,1	280,7
10) Tasa de rentabilidad (9)÷(8)	0,3	7,6	6,1	1,5	2,7	3,5	5,0	6,1	4,9	2,8	2,8
11) Ingreso neto con tarifa propuesta	18,3	479,8	865,4	636,5	794,0	913,3	1.101,1	1.250,1	1.171,4	1.008,9	1.052,0
12) Rentabilidad (11)÷(8)	0,3	7,6	11,8	7,6	8,8	9,8	11,6	13,0	12,0	10,3	10,7

Tabla 10. Usos y fuentes de fondos con la tarifa vigente (millones de pesos)

CONCEPTOS	1980	1981	1982	1983	1984	1985	1986	1987	1988	1989	1990
1) DISPONIBILIDADES											
1.1- Excedentes de Explotación											
1.1.1 Ingreso Neto	18,3	479,8	452,2	123,8	246,7	328,3	478,9	593,6	477,3	278,1	280,7
1.1.2 Provisión para Depreciación	251,4	286,7	332,5	368,5	391,9	413,1	430,1	446,2	462,4	478,7	494,0
TOTAL GENERACION INTERNA	269,7	766,5	784,7	492,3	638,6	741,4	909,0	1.039,8	939,7	756,8	774,7
1.2 Desembolsos de Préstamos											
1.2.1 Préstamos Vigentes	1.077,0	354,0	—	—	—	—	—	—	—	—	—
1.2.2 Gobierno Federal	—	1.000,0	—	—	—	—	—	—	—	—	—
1.2.3 Nuevos Préstamos	—	—	913,7	751,0	612,3	485,0	338,6	154,8	239,7	420,3	413,1
TOTAL RECURSOS DEL CREDITO	1.077,0	1.354,0	913,7	751,0	612,3	485,0	338,6	154,8	239,7	420,3	413,1
TOTAL DISPONIBILIDADES	1.346,7	2.120,5	1.698,4	1.243,3	1.250,9	1.226,4	1.247,6	1.194,6	1.179,4	1.177,1	1.187,8
2) REQUERIMIENTOS											
2.1 Construcciones											
2.1.1 Programa actualmente en ejecución	777,0	545,2	—	—	—	—	—	—	—	—	—
2.1.2 Nuevas Obras	—	1.223,0	1.014,0	560,0	573,0	407,0	399,0	402,0	404,0	350,0	256,0
2.1.3 Inversiones Generales, Estudios y Proyectos	73,0	140,0	107,0	112,3	118,0	123,9	130,0	136,6	143,4	150,5	158,1
TOTAL CONSTRUCCIONES	850,0	1.908,2	1.121,0	672,3	691,0	530,9	529,0	538,6	547,4	500,5	414,1
2.2 Servicio de la Deuda											
2.2.1 Préstamos Actuales	499,4	472,0	494,0	471,0	337,0	312,0	194,0	178,0	150,0	139,0	128,0
2.2.2 Nuevos Préstamos	—	—	63,7	171,0	242,3	285,0	491,6	522,8	542,7	578,3	621,1
TOTAL SERVICIO DE LA DEUDA	499,4	472,0	557,7	642,0	579,3	579,0	685,6	700,8	692,7	717,3	749,1
Otros Compromisos de Caja	(2,7)	(203,2)	24,5	(71,4)	(22,4)	98,5	36,5	(46,4)	(60,8)	(41,6)	32,6
TOTAL REQUERIMIENTOS	1.346,7	2.177,0	1.703,2	1.242,9	1.247,9	1.226,4	1.251,1	1.193,0	1.179,3	1.176,2	1.195,8
3) EXCEDENTE ANUAL (1)–(2)	—	(56,5)	(4,8)	0,4	3,0	—	(3,5)	1,6	0,1	0,9	(8,0)
4) EXCEDENTE ACUMULADO	—	(56,5)	(61,3)	(60,9)	(57,9)	(57,9)	(61,4)	(59,8)	(59,7)	(58,8)	(66,8)
5) COEFICIENTE DE COBERTURA DE LA DEUDA (1)÷(2.2)	0,54	1,62	1,41	0,77	1,10	1,24	1,32	1,48	1,36	1,06	1,03

Tabla 11. Proyecciones financieras con la tarifa propuesta (millones de pesos)

CONCEPTOS	1980	1981	1982	1983	1984	1985	1986	1987	1988	1989	1990
1) Ingreso de Explotación											
1.1 Cargos Fijos	—	898,1	115,0	123,1	131,8	141,1	151,1	161,7	173,2	185,4	198,6
1.2 Venta de Agua Potable	471,5		1.230,3	1.607,2	1.713,7	1.831,1	1.943,5	2.040,7	2.148,8	2.250,2	2.362,6
1.3 Ingresos por Alcantarillado	75,2	161,6	159,9	208,9	222,8	238,0	252,6	265,3	279,3	292,5	307,1
1.4 Otros Ingresos de Explotación	259,3	256,0	268,8	282,2	296,3	311,2	326,7	343,1	360,2	378,2	397,1
TOTAL INGRESOS DE EXPLOTACION	752,0	1.315,7	1.774,0	2.221,4	2.364,4	2.521,4	2.673,9	2.810,8	2.961,5	3.106,3	3.265,4
2) *TOTAL GASTOS DE EXPLOTACION*	733,7	835,9	908,6	1.584,9	1.570,6	1.608,1	1.572,9	1.560,7	1.709,1	2.097,4	2.213,4
3) INGRESOS NETO EXPLOTACION (1)–(2)	18,3	479,8	865,4	636,5	794,0	913,3	1.101,1	1.250,1	1.171,4	1.008,9	1.052,0
4) *DEPRECIACION*	251,4	286,7	332,5	368,5	391,9	413,1	430,1	446,2	462,4	478,7	494,0
5) Disponibilidades											
5.1 Generación Interna de Caja (3)+(4)	269,7	766,5	1.197,9	1.005,0	1.185,9	1.326,4	1.531,2	1.696,3	1.633,8	1.487,6	1.546,0
5.2 Desembolsos de Préstamos											
5.2.1 Préstamos Vigentes	1.077,0	354,0	—	—	—	—	—	—	—	—	—
5.2.2 Gobierno Federal	—	1.000,0	—	—	—	—	—	—	—	—	—
TOTAL RECURSOS DEL CREDITO	1.077,0	1.354,0	—	—	—	—	—	—	—	—	—
TOTAL DISPONIBILIDADES	1.346,7	2.120,5	1.197,9	1.005,0	1.185,9	1.326,4	1.531,2	1.696,3	1.633,8	1.487,6	1.546,0
6) Requerimientos											
6.1 Construcciones	850,0	1.908,2	1.121,0	672,3	691,0	530,9	529,0	538,6	547,4	500,5	414,1
6.2 Total Servicio de la Deuda	499,4	472,0	494,0	471,0	377,0	312,0	394,0	378,0	350,0	339,0	328,0
6.3 Otros Compromisos de Caja	(2,7)	(203,2)	24,5	(71,4)	(22,4)	98,5	36,5	(46,4)	(60,8)	(41,6)	32,6
TOTAL REQUERIMIENTOS	1.346,7	2.177,0	1.639,5	1.071,9	1.005,6	941,5	959,5	870,2	836,6	797,9	774,7
7) EXCEDENTE ANUAL (5)–(6)	—	(56,5)	(441,6)	(66,9)	180,3	385,0	571,7	826,1	797,2	689,7	771,3
8) EXCEDENTE ACUMULADO	—	(56,5)	(498,1)	(565,0)	(384,7)	0,3	572,0	1.398,1	2.195,3	2.885,0	3.656,3
9) COEFICIENTE DE COBERTURA DE LA DEUDA											
(5.1)÷(6.2)	0,54	1,62	2,42	2,13	3,52	4,25	3,89	4,49	4,67	4,39	4,71

Estudio IV

El sistema de agua potable y alcantarillado de Medellín (Colombia)

Carlos E. Vélez Giraldo

Ingeniero Administrador de la Facultad de Minas de la Universidad Nacional de Colombia (1974) y M.Sc. en Economía de la London School of Economics (1976). Comenzó su labor profesional como Profesor Asistente de Economía en la Universidad EAFIT, de donde pasó, en 1978, a las Empresas Públicas de Medellín, inicialmente como Coordinador del Comité de Tarifas y, a partir de 1980, como Coordinador del Area de Investigaciones Económicas. Continúa vinculado a la Universidad EAFIT como Profesor de Cátedra en Economía.

INDICE

Secciones

Gráficos

Cuadros

Tablas en Anexo

Tablas en Anexo (cont.)

INTRODUCCION

Las *Empresas Públicas de Medellín* fueron creadas por el Concejo de la ciudad el 6 de agosto de 1955, como establecimiento público autónomo encargado de la dirección, administración y prestación de los servicios públicos de energía eléctrica, acueducto, alcantarillado y teléfonos en el Municipio de Medellín o en otros municipios con los cuales haya celebrado (o celebre en el futuro) destinados a la misma finalidad.

Los cuatro sistemas (acueducto, alcantarillado, energía y teléfonos) operan independientemente, excepto para su dirección administrativa, planeamiento y uso de servicios comunes. Asimismo, la contabilidad se lleva por separado en cada uno de los sistemas y los ingresos de cada uno de ellos sólo se pueden aplicar a la expansión del propio sistema.

El estudio que aquí se presenta se refiere únicamente a los servicios de acueducto y alcantarillado y tiene como propósitos:

Primero, el análisis detallado de la estructura de costos de producción, tratamiento y distribución del agua potable y de la estructura de costos de recolección y transporte de los residuos líquidos en la ciudad de Medellín y los municipios vecinos, definidas en el largo plazo, teniendo en cuenta los tipos de servicios producidos, los momentos en el tiempo en los cuales se suministran y los puntos en el espacio en los cuales se entregan. Ambas estructuras expresadas en precios de mercado y en precios de eficiencia económica.

Segundo, el diseño de estructuras tarifarias que reflejen fielmente las distintas estructuras de costos económicos.

Tercero, el análisis de la viabilidad administrativa, financiera y social de cada una de estas estructuras tarifarias.

Agradecimientos

El autor agradece al señor Luis Fernando Montoya y a la señora Tatyana Aristizábal quienes, desde la Gerencia Financiera de las *Empresas Públicas de Medellín*, apoyaron con decisión y entusiasmo la realización de este estudio. Al señor Gerard Vacca, quien actuó como consultor del BID durante una parte de la realización de este trabajo, y al señor Yves Albouy, Coordinador Técnico de este programa, por las interesantes discusiones que sostuvo con ellos. A la señora Luz María González y al señor Mauricio López por sus valiosos comentarios y, en especial, por la infatigable colaboración que le brindaron a lo largo de la ejecución del trabajo. Y, en general, a todos los funcionarios de las *Empresas Públicas de Medellín* que en una u otra forma colaboraron con él para sacar adelante este proyecto. Obviamente, ninguna de estas personas es responsable por los errores que aquí puedan persistir.

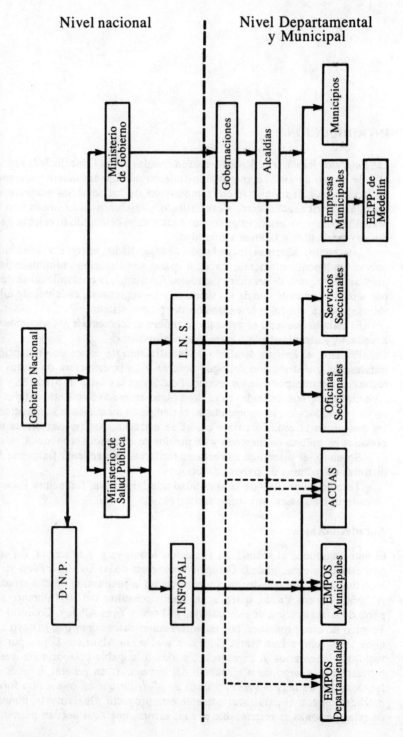

Gráfico 1. Estructura institucional del sector de Acueducto y Alcantarillado en Colombia

1. DESCRIPCION DEL SISTEMA EXISTENTE

1.1 Zona de influencia

Empresas Públicas de Medellín (EE.PP. Medellín) prestan los servicios de acueducto y alcantarillado a la casi totalidad de los habitantes del municipio de Medellín y a una parte, todos los días creciente, de los habitantes de los municipios vecinos de Bello, Itaguí y Envigado, todos ellos pertenecientes a la región del Valle de Aburrá.

El servicio de alcantarillado se presta en estrecha ligazón con el servicio de acueducto, ya que la instalación de éste se halla condicionada a la construcción de las redes del alcantarillado. Por ello puede afirmarse que las zonas de influencia de ambas empresas prácticamente coinciden.

El porcentaje de habitantes cubierto por estos servicios alcanzaba, al 31 de diciembre de 1980, al 96,0% en el municipio de Medellín y al 71,0%, 52,6% y 9,0% en los municipios de Bello, Itaguí y Envigado, respectivamente. La población atendida en estos cuatro municipios era, para la misma fecha, de 1.613.575 habitantes, el 86,2% de su población total, el 80,5% de la del Valle de Aburrá y el 45,5% de la del Departamento de Antioquia. El grado de cobertura para los establecimientos de tipo industrial, comercial y oficial era, excluyendo aquellas entidades que tienen agua propia, del 100% para la misma fecha.

Los programas de expansión de *Empresas* prevén que la actual zona de influencia de sus sistemas de acueducto y alcantarillado se extenderá de tal manera que para el año 1984 cobijará no sólo el 100% de las cabeceras municipales de Bello, Itaguí y Envigado, sino también el 100% de las cabeceras municipales de Sabaneta y La Estrella, municipios también situados en el Valle de Aburrá y actualmente servidos por otras entidades. En cuanto al municipio de Medellín se prevé que el porcentaje de cobertura residencial alcance al 97% en 1984 y al 98% en 1990. Finalmente, *Empresas* considera que al final de esta década estarán atendiendo la cabecera municipal de Copacabana, también situada en el Valle de Aburrá.

La zona de influencia actual y futura del sistema de acueducto y alcantarrillado de las EE.PP. Medellín se puede apreciar en el gráfico 2.

Gráfico 2. Zona de influencia del sistema de acueducto y alcantarillado de Las Empresas Públicas de Medellín

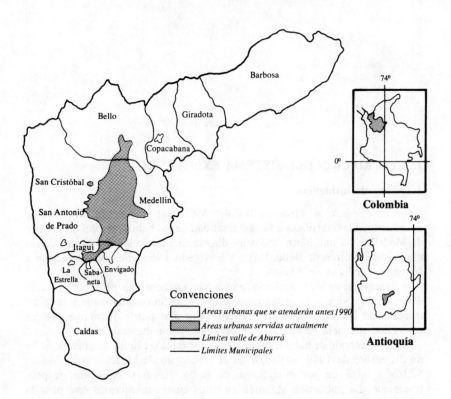

Convenciones

☐ *Areas urbanas que se atenderán antes 1990*
▨ *Areas urbanas servidas actualmente*
—— *Límites valle de Aburrá*
—— *Límites Municipales*

1.2 Demanda

La cantidad total de agua producida por las EE.PP. Medellín ascendió, en el año 1980, a 197,7 millones de metros cúbicos. El agua facturada en este mismo año (124,3 millones de m^3) se discriminó como sigue: servicio residencial: 68,4%, servicio comercial: 11,7%, servicio industrial: 10,6%, servicio oficial: 8,2%, otros: 1,1%.

La tasa de crecimiento de la demanda por agua potable tuvo un promedio del 5,1% anual durante la década de los sesenta.

1.3 Sistema físico

a) Sistema de acueducto

Para la prestación del servicio de acueducto en su zona de influencia las EE.PP. Medellín disponen actualmente de doce fuentes superficiales de tipo torrencial, sin problemas especiales de carácter físico-químico o bacterial. Estas fuentes de abastecimiento se encuentran agrupadas en los siguientes sistemas de producción y tratamiento de agua cruda: La Fe-La Ayurá, Piedras Blancas-Villa Hermosa, La García-Pedregal y La Iguaná-San Cristóbal.

El sistema *La Fe-La Ayurá*, cuya representación esquemática aparece en el gráfico 3, consta en la actualidad de cuatro fuentes de abastecimiento (los ríos Piedras y Pantanillo y las quebradas Las Palmas y Chorrillos) con un caudal promedio aprovechable[1] conjunto de 6,2 m³/s en la estación seca (diciembre a abril) y de 7,0 m³/s en la estación húmeda (mayo a noviembre); equipos de bombeo en los ríos Piedras y Pantanillo; un embalse con capacidad útil de 12,0 millones de m³ en La Fe, y una planta con capacidad para tratar hasta 5,2 m³/s.[1]

Gráfico 3. Esquema simplificado del sistema de producción La Fe - Ayurá

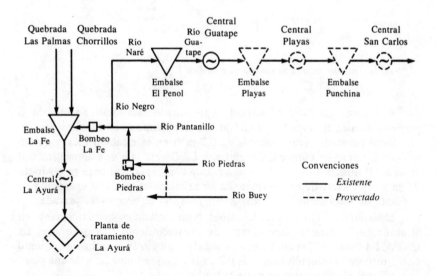

---

[1]Este sistema, tal como se ilustra en el gráfico 3, sufrirá profundas modificaciones durante los próximos años: incorporación de una fuente más (rio Buey), ampliación de la capacidad de tratamiento en la planta de La Auyurá, construcción de una central hidroeléctrica en la entrada a la planta de tratamiento y de dos centrales más (con sus respectivos embalses) aguas abajo de la central Guatapé.

El sistema *Piedras Blancas-Villa Hermosa*, cuya representación esquemática aparece en el gráfico 4, consta de cuatro fuentes de abastecimiento (las quebradas La Mosca, La Honda, Piedras Blancas y Santa Elena) con un caudal promedio aprovechable conjunto de 1,0 m³/s en la estación seca y de 1,6 m³/s en la estación húmeda; equipos de bombeo en La Mosca y La Honda; un embalse con capacidad útil de 1,4 millones de m³ en Piedras Blancas, y una planta con capacidad para tratar hasta 1,7 m³/s.

**Gráfico 4. Esquema simplificado del sistema de producción
Piedras Blancas - Villa Hermosa**

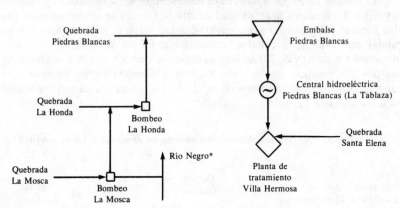

* Véase la continuación de este sistema en el gráfico 3.

El sistema *La García-Pedregal*, representado esquemáticamente en el gráfico 5, consta de la quebrada La García como fuente de abastecimiento con un caudal promedio aprovechable de 0,2 m³/s en la estación seca y de 0,5 m³/s en la estación húmeda, del embalse La García con una capacidad útil igual a 2,0 millones de m³, y de una planta con capacidad para tratar hasta 0,5 m³/s. Característica importante de este sistema es que, con excepción de la planta de tratamiento, sus otros elementos son de propiedad privada.

El sistema *La Iguaná-San Cristóbal*, representado esquemáticamente en el gráfico 6, consta de tres fuentes de abastecimiento (las quebradas La Iguaná, La Puerta y Tenche) con un caudal promedio aprovechable conjunto de 0,1 m³/s en la estación seca y de 0,2 en la estación húmeda, y de una planta con capacidad para tratar hasta 0,2 m³/s.

**Gráfico 5. Esquema simplificado del sistema de producción
La García - Pedregal**

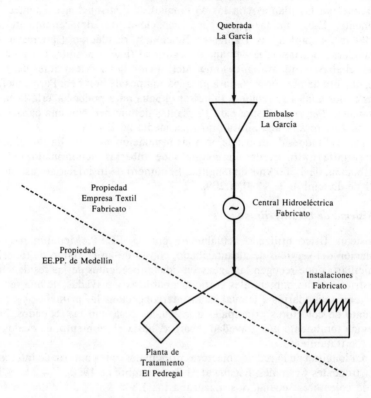

**Gráfico 6. Esquema simplificado del sistema de producción
La Iguaná - San Cristóbal**

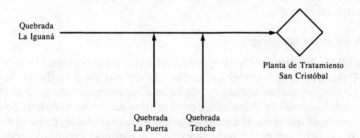

La distribución del agua tratada en las diferentes plantas se realiza mediante un sistema de 140 kms. de conducciones, un conjunto de tuberías que interconectan las plantas con los 43 tanques de distribución existentes actualmente. Estos tanques, con una capacidad de almacenamiento de 214.000m³, cumplen las siguientes funciones: regulación (satisfacen las variaciones horarias de la demanda), seguridad (hacen posible, por algunas horas, el abastecimiento en caso de interrupción del servicio antes del tanque), quiebre de presión y cámara para los equipos de bombeo. Para aquellos casos en los cuales se requiere impulsar el agua para poder hacerla llegar a los tanques, *Empresas* dispone de 10 plantas de bombeo con una capacidad total de 2,67 m³/s y una altura dinámica media de 117 m.

De los tanques de distribución a las instalaciones domiciliarias, el agua se transmite a través de un conjunto de tuberías denominado red de distribución, de 1.500 kms de longitud. El número de instalaciones ascendía, al 31 de diciembre de 1980, a 209.522.

b) Sistema de alcantarillado

El sistema físico utilizado actualmente por las EE.PP. Medellín para la prestación del servicio de alcantarillado, consta de un conjunto de tuberías domiciliarias que recogen las aguas servidas procedentes de las residencias, industrias, locales comerciales y oficinas públicas y privadas; de una red de colectores secundarios a la cual están interconectadas las primeras, y de un conjunto de colectores principales a los cuales desaguan los segundos. Este funciona totalmente por gravedad y carece, hasta el momento, de cualquier clase de tratamiento.

La longitud de la red de colectores principales, que comprende interceptores, troncales y ramales, llegaba al 31 de diciembre de 1980, a 74.2 kms. La red de colectores secundarios alcanzaba los 1.845 kms., divididos en 656 kms. de redes para aguas residuales, 546 kms. de redes para aguas lluvias y 643 kms. de redes para aguas combinadas. El múmero de instalaciones domiciliarias ascendía, a la misma fecha, a 198.897.

Un esquema simplificado del sistema físico utilizado actualmente para la presentación del servicio de alcantarillado se presenta, a manera de ilustración, en el gráfico 7.

1.4 Régimen tarifario

Las EE.PP. Medellín, al igual que cualquier otra empresa de servicio público en Colombia, debe someter sus tarifas a la aprobación de la Junta Nacional de Tarifas, organismo creado en 1968 como dependencia adscripta al Departamento Nacional de Planeación, cuyo criterio básico en el desarrollo de sus funciones, es que tanto el diseño de las estructuras tarifarias como el nivel de las tasas, debe ser de tal naturaleza que las distintas empresas reciban ingresos suficientes para cubrir los costos reales de prestación del servicio y obtengan una rentabilidad razonable sobre sus activos en uso, que les permita financiar la reposición y ampliación de sus sistemas.

Dentro de esta filosofía general existente en Colombia se enmarca la estructura tarifaria actualmente vigente para los servicios de acueducto y

Gráfico 7. Esquema simplificado del alcantarillado

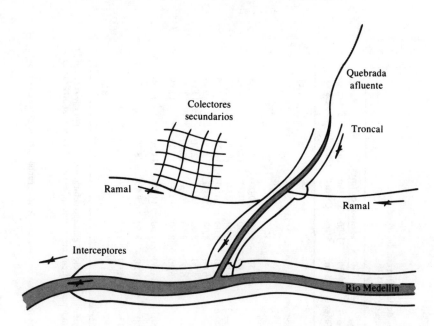

alcantarillado en las Empresas, que data del 19 de enero de 1981. Característica muy importante de esta estructura (cuadro 1), es que todas sus tasas se incrementan en un 1,8% mensual compuesto con el fin de contrarrestar la inflación prevista, manteniendo así el valor real de las tarifas aproximadamente constante.

Otros aspectos de esta estructura que conviene resaltar son los siguientes:

1. La existencia de tarifas diferenciales dentro del sector residencial. Este sistema, que se traduce en un cargo marginal por metro cúbico que se incrementa paralelamente con los aumentos del consumo, busca, de un lado, hacer más racional el uso del agua y de otro, contribuir a la redistribución del ingreso en la certeza de que los consumos más altos se presentan en los estratos socio-económicos más elevados.

2. La clasificación de los usuarios residenciales en ocho categorías de acuerdo con el avalúo catastral de la propiedad que habitan. La inclusión de esta variable en el diseño de la estructura tarifaria obedece a la necesidad de complementar la redistribución que se logra mediante las tarifas diferenciales, con una variable más que se pueda considerar representativa del nivel de ingreso de las familias. Es así como el cargo fijo, atado al avalúo catastral, se concibe, principalmente, como un elemento redistributivo.

3. La diferencia que se observa en la tarifa promedio perteneciente a los distintos sectores y la cual resulta de la política de subsidios y recargos existente en las EE.PP. Medellín. Son notables el subsidio recibido por el sector

Cuadro 1. Estructura tarifaria actual de la empresa de acueducto: tasas vigentes a enero de 1981[1]

Tipo de Usuarios			Cargo Fijo C\$/Inst/Mes	Cargo Mínimo[2] C\$/Inst/Mes	Consumo: m³/mes				Tarifa Promedio[3] C\$/m³
					0-30 C\$/m³	31-50 C\$/m³	51-100 C\$/m³	101+ C\$/m³	
A. RESIDENCIAL			84,02	—					7,17
Avalúo Catastral (C\$)									
	De:	Hasta:							
A1.	0	30.000	20,00	—	0,55	8,00	10,00	12,00	3,13
A2.	30.001	75.000	40,00	—	1,00	8,00	10,00	12,00	4,32
A3.	75.001	150.000	80,00	—	2,65	8,00	10,00	12,00	6,82
A4.	150.001	300.000	100,00	—	4,50	8,00	10,00	12,00	8,76
A5.	300.001	600.000	150,00	—	6,00	8,00	10,00	12,00	9,94
A6.	600.001	1.000.000	165,00	—	6,00	8,00	10,00	12,00	11,06
A7.	1.000.001	3.000.000	190,00	—	6,00	8,00	10,00	12,00	11,30
A8.	3.000.001	En adelante	220,00	—	6,00	8,00	10,00	12,00	11,59
B. INDUSTRIAL O COMERCIAL			—	172,50	11,50	11,50	11,50	11,50	11,50
C. OFICIAL O PREFERENCIAL[4]			—	127,50	8,50	8,50	8,50	8,50	8,50
D. PILAS PUBLICAS[5]				16,35	1,09	1,09	1,09	1,09	1,09
E. GENERAL[6]									8,24

[1] La estructura tarifaria de la empresa de alcantarillado no es más que el fiel reflejo de esta estructura, por cuanto por ese servicio se cobra, con la única excepción de los derechos de conexión e independientemente de cualquier consideración, el 30% de lo que se cobra por concepto del servicio de acueducto.

[2] Equivale a un consumo de 15 m³/mes.

[3] Resulta de dividir el total de pesos facturados a todos los usuarios incluidos en cada uno de los grupos durante el mes, por los metros cúbicos consumidos por ellos en este mismo mes.

(4) Usuarios oficiales son todos los establecimientos públicos del orden nacional, departamental o municipal; usuarios preferenciales son todas las entidades de utilidad común sin ánimo de lucro.

(5) Las pilas públicas son fuentes de suministro de carácter público instaladas en sitios estratégicos al interior de aquellos barrios en los cuales razones de orden técnico o de otro tipo, no han hecho factible la extensión de redes y la instalación de conexiones domiciliarias.

(6) Comprende la totalidad de usuarios de la empresa. Su tarifa promedio resulta de dividir la facturación total del período por el consumo total en metros cúbicos registrados durante el mismo.

Derechos de Conexión

1. SERVICIO DE ACUEDUCTO

a. *Instalación con diámetro de ½'*

Se distinguen los siguientes casos:

1) La instalación tiene la acometida ya construida: $1.362

2) No tiene acometida construida y la vía no es de asfalto: $2.224

3) No tiene acometida construida y la vía no es de asfalto: $2.710

b. *Instalaciones con diámetro mayor de ½'*

Su costo depende del diámetro solicitado y de la longitud de la acometida.

2. SERVICIO DE ALCANTARILLADO

a. *Instalaciones con diámetro 6'*

Se distinguen los siguientes casos:

1) La instalación tiene la acometida ya construida: $0,50 por cada $1.000 o fracción de avalúo carastral.

2) No tiene acometida construida, el alcantarillado es combinado y la vía no es de asfalto: $1.712 más $0,50 por cada $1.000 o fracción de avalúo catastral.

3) No tiene acometida construida, el alcantarillado es combinado y la vía es de asfalto: $2.305 más $0,50 por cada $1000 o fracción de avalúo catastral.

4) No tiene acometida construida, el alcantarillado no es combinado y la vía no es de asfalto: $2.240 más $0,50 por cada $1.000 o fracción de avalúo catastral.

5) No tiene acometida construida, el alcantarillado no es combinado y la vía es de asfalto: $3.082 más $0,50 más cada $1.000 o fracción de avalúo catastral.

b. *Instalaciones con diámetro mayor de 5'*

Su costo depende del diámetro solicitado y de la longitud de la acometida.

3. AMBOS SERVICIOS

Lo anterior es válido sólo en aquellos casos en los cuale existen redes cubriendo el frente de la propiedad. En los casos restantes, el solicitante debe sufragar la totalidad de los costos que acarrea la construcción de las redes, los cuales varían de acuerdo con el diámetro y la extensión de las mismas.

de pilas públicas y el recargo que presenta la tarifa media del sector industrial y comercial.

4. La existencia de unos derechos de conexión que deben pagarse al contado en el momento de solicitar la incorporación a los sistemas de acueducto y/o alcantarillado. Estos cargos no se tuvieron en cuenta para el cálculo de la tarifa media de los distintos sectores ni de la tarifa media general.

5. La ausencia de toda diferenciación horaria o estacional y de cargos por caudal máximo demandado.

2. COSTOS MARGINALES DEL SISTEMA DE ACUEDUCTO

2.1 Demanda

El análisis de la demanda por agua potable en la zona de influencia de las EE.PP. Medellín, se realizó sobre la base de un estudio adelantado por su Dirección de Planeación. La demanda proyectada por este estudio distingue entre cada uno de los circuitos en que se halla dividido el sistema de acueducto de *Empresas* y, en el interior de cada circuito, entre la demanda industrial y la demanda residencial. La industrial fue proyectada asumiendo una determinada tasa anual de crecimiento para ella y la residencial sobre la base del crecimiento previsto de la población en cada uno de los circuitos y en el consumo por habitante/día estimado para cada uno de ellos.

Las cuatro plantas de tratamiento que existen en el sistema de acueducto de *Empresas* alimentan cada una circuitos diferentes, los cuales conforman las zonas de influencia que se señalan en el gráfico 8. Estos límites, sin embargo, no definen territorios inviolables ya que parte de éstos pueden ser atendidos desde dos plantas diferentes, configurando así un sistema de producción y distribución de agua potable que está, al menos parcialmente, interconectado.

En la estación seca de 1988, cuando la planta de tratamiento de Bello entre en operación, la distribución de las zonas de influencia variará sustancialmente. La planta de Bello, como se puede apreciar en el gráfico 9, atenderá la mayor parte del territorio servido por *Empresas*, pudiendo alcanzar, incluso, las partes más bajas de las futuras zonas de influencia de las plantas de Villa Hermosa y La Ayurá. Estas últimas, a su vez, conservarán la posibilidad de atender la totalidad de sus actuales zonas de influencia, expandiendo de esta manera el área interconectada del sistema e incrementando el nivel de confiabilidad en la prestación del servicio. La planta de El Pedregal ya no será necesaria y se constituirá en planta de emergencia.

En la delimitación de la futura zona de influencia del sistema de producción La Fe-La Ayurá primó el criterio de poder contar, en esa planta, con un caudal suficiente para operar la central hidroeléctrica que a partir de 1982 estará funcionando allí. Además, tanto en este caso como en el de la planta de Villa Hermosa, se tuvo en cuenta el costo de las conducciones o bombeos que fuera necesario construir para poder abastecer parte de las áreas pertenecientes a estas plantas, con agua perteneciente al sistema de producción Río Grande-Bello.

El análisis cuidadoso de la demanda estimada año a año, en cada una de las zonas de influencia, de cada una de las plantas de tratamiento del sistema de acueducto, pone de relieve la necesidad de recurrir, dentro de algunos años, al sistema de interconexión, esto es, a la utilización del agua de ciertas plantas en el abastecimiento de regiones diferentes a las de su zona de influencia.[1]

El análisis de la demanda mostró que no se presenta ni se prevé para el futuro estacionalidad alguna en el consumo de agua. Este crece mes a mes de manera más o menos continua, previéndose, para el período 1981-2000, una tasa anual de crecimiento del 3,8% en la demanda por caudales máximos. Sin embargo, esta tasa será mucho mayor en la primera década (1981-1990), en la cual crecerá a un ritmo del 6,1% anual, que en la segunda (1991-2000), en la cual el crecimiento promedio sólo alcanzará el 1,5% anual.

El año 2000 fue tomado como fecha límite para la proyección, dado que el horizonte de planificación elegido para el caso de los proyectos de captación y tratamiento cubre hasta esta fecha. Bello, la planta de tratamiento del proyecto Río Grande, se copa en el año 2000 y si bien es cierto que aún resta algo de capacidad en Villa Hermosa y, muy especialmente, en La Ayurá, no se tiene en cuenta, primero, por la pequeña magnitud de la capacidad disponible en Villa Hermosa, segundo, por el deterioro progresivo de las fuentes que alimentan esta planta y, tercero, por la posibilidad de utilizar continuamente, en la generación de energía eléctrica, las aguas no necesarias en La Ayurá.

Este último punto, la liberación de una cantidad considerable de metros cúbicos en el sistema de producción La Fe-La Ayurá, con el propósito de generar energía eléctrica, es de una gran importancia. La entrada en operación del proyecto Río Grande permite al sistema de acueducto la entrega al sistema de energía eléctrica de un caudal promedio, durante la estación seca, de 3,78 m³/s y, durante la estación húmeda, de 5,35 m³/s. El agua disponible en las cuencas de los ríos Buey y Piedras, que antes de la entrada en operación del proyecto Río Grande estará siendo bombeada continuamente para su utilización en la producción de agua potable, continuará bajo un modo de operación semejante, sólo que ahora tendrá como fin la producción de energía eléctrica. Debe hablarse entonces, a partir de 1988, de una demanda de agua cruda por parte del sistema productor de electricidad, adicional a la ejercida por los usuarios del sistema de acueducto.

La demanda total por caudales y volúmenes de agua potable aparece proyectada, para cada uno de los años del período 1980-2000, en el cuadro 2. El caudal máximo de la estación húmeda (mayo a noviembre) corresponde a la proyección establecida en el estudio de la Dirección de Planeación de las *Empresas* antes citado; el caudal máximo de la estación seca (diciembre a abril) se estimó en un 95% del correspondiente a la estación húmeda, de

---

[1]Sin embargo, los racionamientos originados en insuficiencias en el sistema físico de conducciones son una realidad que el sistema deberá enfrentar hasta que no entren en operación las obras complementarias del proyecto Río Buey (estación seca de 1984), momento a partir del cual se espera que el supuesto arriba establecido sea válido. La magnitud de este racionamiento puede oscilar alrededor de un 12% de la demanda total.

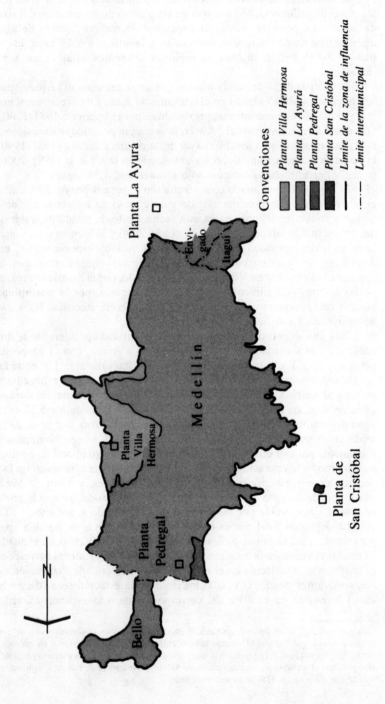

Gráfico 8. Zona de influencia de las plantas de tratamiento hasta 1987

Convenciones

Planta Villa Hermosa
Planta La Ayurá
Planta Pedregal
Planta San Cristóbal
Límite de la zona de influencia
Límite intermunicipal

Gráfico 9. Zona de influencia de las plantas de tratamiento a partir de 1988

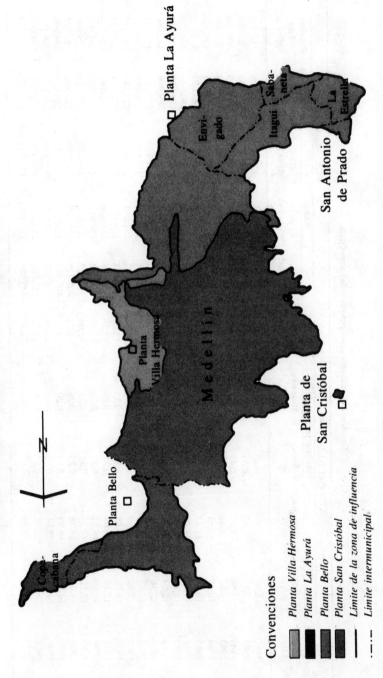

Convenciones

Planta Villa Hermosa
Planta La Ayurá
Planta Bello
Planta San Cristóbal
Límite de la zona de influencia
Límite intermunicipal

Cuadro 2. Demanda total proyectada: acueducto

Año	CAUDAL					VOLUMEN				
	Máximo		Máximo Incremental		Medio	Año	Total		Facturado	Pérdidas
	E. Seca m³/s	E. Húmeda m³/s	E. Seca m³/s	E. Húmeda m³/s	Año m³/s	Miles m³	E. Seca Miles m³	E. Húmeda Miles m³	Año Miles m³	Año Miles m³
1980	6,99	7,36	—	—	6,40	202.383	81.965	120.418	121.406	80.977
1981	7,43	7,82	0,44	0,46	6,80	214.445	86.850	127.595	128.641	85.804
1982	7,86	8,27	0,43	0,45	7,19	226.744	91.831	134.913	136.019	90.725
1983	9,01	9,48	1,15	1,21	8,24	259.857	105.242	154.615	155.883	103.974
1984	10,30	10,84	1,29	1,36	9,43	298.199	120.771	177.428	178.884	119.315
1985	10,61	11,17	0,31	0,33	9,71	306.215	124.017	182.198	183.692	122.523
1986	10,92	11,49	0,31	0,65	9,99	315.045	127.593	187.452	188.989	126.056
1987	11,21	11,80	0,29	0,31	10,26	323.559	131.041	192.518	194.097	129.462
1988	12,09	12,73	0,88	0,93	11,07	350.060	141.774	208.285	209.994	140.066
1989	12,36	13,01	0,27	0,28	11,31	356.672	144.452	212.220	213.960	142.712
1990	12,67	13,34	0,31	0,33	11,60	365.818	148.156	217.662	219.447	146.371
1991	12,92	13,60	0,25	0,26	11,83	373.071	151.094	221.977	223.789	149.273
1992	13,16	13,85	0,24	0,25	12,04	380.734	154.197	226.537	228.395	152.339
1993	13,39	14,09	0,23	0,24	12,25	386.316	156.458	229.858	231.743	154.573
1994	13,60	14,32	0,21	0,23	12,45	392.623	159.012	233.611	235.527	157.096
1995	13,81	14,54	0,21	0,22	12,64	398.615	161.439	237.176	239.121	159.494
1996	14,01	14,75	0,20	0,21	12,83	405.715	164.315	241.400	243.380	162.335
1997	14,20	14,95	0,19	0,20	13,00	409.968	166.037	243.931	245.932	164.036
1998	14,38	15,14	0,18	0,19	13,17	415.329	168.208	247.121	249.148	166.181
1999	14,55	15,32	0,17	0,18	13,32	420.060	170.124	249.936	251.986	168.074
2000	14,72	15,49	0,17	0,17	13,47	425.954	172.511	253.443	255.521	170.433

acuerdo con lo observado en el período 1962-1980; se calcula el incremento como el caudal máximo de una estación en el año i menos el caudal máximo de esa misma estación en el año (i-1); el caudal medio anual es igual al caudal máximo de la estación húmeda dividido por 1,15, factor que resulta del caudal de diseño utilizado por las EE.PP. Medellín. El volumen total anual es igual al caudal medio anual multiplicado por los segundos que contenga cada año; el volumen total de la estacion seca se estimó en un 40,5% del volumen total anual, correspondiendo el 59,5% restante a la estación húmeda, de acuerdo con lo observado durante el período 1962-1980; el volumen facturado anual es igual al volumen total anual dividido por 1,667, factor que resulta de asumir un 40% de pérdidas; el volumen no facturado anual (pérdidas) es igual a la diferencia entre el volumen total anual y el volumen facturado anual.

Finalmente, es importante anotar que la metodología usada para proyectar la demanda, al fundarse en la ingeniería y no en la econometría, no permite establecer relación alguna entre cambios en una o más variables económicas y cambios en la cantidad de agua potable demandada. Indicadores tales como la elasticidad-precio o la elasticidad-ingreso de la demanda y los procedimientos iterativos de cálculo que se siguen de los mismos, no se pueden obtener ni aplicar a partir de los resultados que arroja esta metodología.

2.2 Plan de expansión

Con la finalidad primordial de poder satisfacer el crecimiento previsto en la demanda por agua filtrada en plantas de tratamientos, las EE.PP. Medellín, definieron un plan de expansión de su capacidad de captación que cubre dichas necesidades hasta el año 2000. Parte fundamental de este plan es la integración al acueducto de un nuevo sistema de producción y tratamiento de agua cruda: Río Grande-Bello, y la expansión del ya existente: La Fe-La Ayurá.

El sistema *Río Grande-Bello*, cuya representación esquemática aparece en el gráfico 10, constará de dos fuentes de abastecimiento (río Grande y río Chico), con un caudal promedio aprovechable conjunto de 8,5 m³/s en ambas estaciones; un embalse con capacidad útil igual a 110 millones de m³, y una planta de capacidad para tratar hasta 8,5 m³/s. Adicionalmente a estas obras, necesarias para la captación y tratamiento del agua cruda, este proyecto contempla la construcción de una central hidroeléctrica en la entrada a la planta de tratamiento y una central más, independiente del sistema de acueducto y competitiva con éste por el recurso hídrico.

El embalse de Río Grande, parte integrante del proyecto de propósito múltiple del mismo nombre, se imputa en su totalidad al sistema de energía eléctrica por cuanto los estudios realizados en *Empresas* indicaron que su construcción obedece, fundamentalmente, a exigencias impuestas en la producción de electricidad. Las centrales también fueron imputadas íntegramente al sistema de energía eléctrica y las obras restantes al sistema de acueducto. Se estima que este proyecto entrará en operación en la estación seca de 1988.

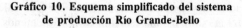

**Gráfico 10. Esquema simplificado del sistema
de producción Río Grande-Bello**

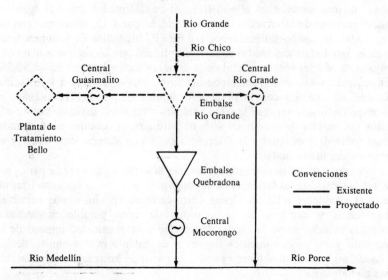

La expansión del sistema *La Fe-La Ayurá* (véase gráfico 3) consistirá en la incorporación del río Buey como una fuente más del sistema, con un caudal promedio aprovechable de 2,0 m³/s en ambas estaciones; en la ampliación en 1,0 m³/s de la capacidad de bombeo de la estación del río Piedras, y en la ampliación de la capacidad de tratamiento de la planta de La Ayurá, la cual pasará de 5,21 m³/s a 9,61 m³/s. Estas obras entrarán en operación en las estaciones secas de 1982 (ensanche de la planta de trata-miento), 1983 (ensanche del bombeo) y 1984 (desviación del río Buey). Además, en el complejo hidroeléctrico Guatapé-Playas-San Carlos, com-petitivo con este sistema de producción de agua potable por el recurso hídrico de la región, se pondrán en operación las centrales de San Carlos y Playas en las estaciones secas de 1983 y 1986, respectivamente.

De otro lado y con el fin de satisfacer la demanda de usuarios finales, *Empresas* definieron otro plan de expansión, complementario del anterior, que hace posible dicho cubrimiento hasta el año 1990. Los proyectos con-templados en este último plan comprenden la construcción de 25 nuevos tan-ques de distribución o almacenamiento con una capacidad adicional de 227.000 m³; el montaje de 12 nuevos equipos de bombeo de agua filtrada, y la ampliación del sistema de conducciones en 103,7 kms., de la red de distribución en 618,2 kms. y del número de instalaciones domiciliarias en 148.480. De estas últimas, un total de 26.581 corresponden al programa de Habilitación Viviendas y otros 37.504 serán construidas por municipios diferentes al de Medellín para facilitar su conexión al sistema de acueducto de las *Empresas*. Se estima que las 84.395 restantes serán construidas directa-mente por los particulares que soliciten el servicio de acueducto durante la década de los ochenta.

El costo de cada uno de los proyectos reseñados fue presupuestado a partir de la exigencia que cada uno de ellos hacía de los siguientes insumos: mano de obra calificada, semicalificada y no calificada; equipos y maquinaria; materiales; transporte (fletes y seguros); administración y utilidades, y terrenos, servidumbres e indemnizaciones. El monto a invertir en cada uno de ellos fue discriminado, año a año, en moneda nacional y extranjera. Los precios utilizados como base para la ejecución de los distintos presupuestos, tanto en moneda nacional como extranjera, fueron aquellos vigentes al 31 de diciembre de 1980. La tasa de cambio utilizada para la conversión de dólares a pesos fue la vigente a la misma fecha: C$50,92 por US$1.00. Además, atendiendo el deseo de obtener resultados en el estudio que reflejaran los costos, no sólo desde el punto de vista comercial, sino también desde el punto de vista económico, los presupuestos que se obtuvieron utilizando el conjunto de *precios de mercado*, fueron recalculados. Para hacerlo se tomó como unidad de medida un conjunto de precios, procurando tener en cuenta los distintos aspectos causantes de la discrepancia existente entre la valoración comercial y económica de los distintos insumos[1]. Este conjunto de precios se denomina precios frontera y para su obtención se aplicaron los factores de conversión encontrados por Schohl para Colombia[2]. Finalmente, los costos correspondientes a cada proyecto, valorados en precios de mercado y precios frontera, fueron incrementados entre un 15% y un 20% por concepto de imprevistos físicos y el total que incluía estos últimos en un 10%, por concepto de ingeniería y administración.

El costo del plan de expansión, su valor presente al 31 de diciembre de 1980, se presenta en el cuadro 3, en precios de mercado y en precios frontera y discriminado proyecto por proyecto.

La clasificación de la red de distribución y de las instalaciones domiciliarias en el programa de Habilitación de Viviendas, Municipios y Particulares obedece a la posibilidad de que estas obras sean construidas por *Empresas* (los dos primeros casos) o directamente por los usuarios (el último). La política adoptada por las EE.PP. Medellín en cuanto hace a estas obras, ha sido la de permitir que sean los mismos usuarios potenciales quienes, directa o indirectamente, se encarguen de su construcción[3]. La política de *Empresas* es reducir su campo de acción al refuerzo de aquellas redes en las cuales el crecimiento de la demanda así lo exige y a la reposición de las otras que ya han cumplido con su ciclo de vida útil. Todas las obras nuevas requeridas

[1]Fenómenos como la existencia de estructuras de mercado imperfectas, de una distribución del ingreso y de la riqueza bastante desigual y otros como una escala considerable de desempleo, una estructura administrativa relativamente débil, una relativa escasez de fondos públicos.

[2]Schohl, Wolfgang W. *Estimating Shadow Prices for Colombia in an Input Output Table Framework*. World Bank Staff Working Paper No. 357. Septiembre 1979. Más exactamente, los factores de conversión que se utilizaron fueron los calculados teniendo en cuenta la *eficiencia económica*. Los resultantes de incluir consideraciones de orden no sólo económico, sino también *social*, no se tuvieron en cuenta. Los factores utilizados se presentan en la tabla A1 del anexo.

[3]Esta política es común a los servicios de acueducto, alcantarillado, energía eléctrica y, parcialmente, al de teléfonos.

Cuadro 3. Valor del programa de inversiones al 31 de diciembre de 1980[a]
(Millones de pesos del 31 de diciembre de 1980)

Tipo de proyecto	Precios de mercado	Precios frontera
Producción y conducción a plantas	1.641,22	1.454,13
Plantas de tratamiento	436,96	405,49
Conducciones agua tratada	1.639,93	1.450,58
Bombeos agua tratada	236,25	226,81
Tanques de distribución	1.271,14	1.145,58
Red de distribución	1.371,78	1.178,74
Instalaciones domiciliarias	597,29	513,15

[a]Tasa de descuento = 12%.
Fuente: tabla A2 del Anexo.

para dotar de servicio de acueducto a nuevas calificaciones, corren por cuenta de los usuarios. Los costos se cubren a través de aumentos en los precios de venta implantados por los constructores-vendedores. Este punto es de gran importancia, por cuanto de él se deriva que al nivel de la distribución los usuarios pagan al contado la totalidad de las obras necesarias para dotarlos del servicio. Debe, por tanto, agregarse, a la tarifa corriente, el equivalente tarifario de este pago, cuando se trate de comparar su magnitud con el costo real de la prestación del servicio.

Excepciones a la anterior política las constituyen los programas de Habilitación de Viviendas y de ayuda a municipios diferentes al de Medellín. El programa de Habilitación de Viviendas está destinado a llevar los servicios de acueducto, alcantarillado y energía eléctrica a usuarios que, por sus características socio-económicas, están incapacitados para hacerlo por ellos mismos.

El programa de ayuda a municipios diferentes al de Medellín se originó en la incapacidad financiera de éstos para acometer, por sí mismos, los costos que resultan de la construcción de las obras necesarias para su conexión al sistema de acueducto y alcantarillado de las EE.PP. Medellín. Pero, tanto en este caso como en el de Habilitación de Viviendas, los usuarios pagan por las obras que se les construyen. La diferencia con el resto de usuarios está sólo en las condiciones de pago: al contado unos y con amplios plazos y favorables condiciones de financiación los otros[1].

2.3 Operación óptima del sistema

El objetivo que persigue todo sistema productor y distribuidor de agua potable es, en el corto plazo, la minimización de sus costos de operación. Esta meta se puede lograr mediante la utilización de diversas técnicas, que

---

[1]La clasificación de la red de distribución y de las instalaciones domiciliarias en Habilitación de Viviendas, Municipios y particulares se mantiene a lo largo de todo el anexo y la interpretación de los resultados debe hacerse teniéndola presente. En esta parte del trabajo, sin embargo, se prescinde de ella con el fin de simplificar las tablas.

comprenden desde los refinados modelos matemáticos construidos con base en la programación dinámica estocástica, hasta los más simples modelos determinísticos.

En el sistema de producción de agua de las EE.PP. Medellín, los costos de oportunidad que resultan de la competencia existente entre los servicios de acueducto y energía eléctrica por la utilización del recurso hídrico, así como los beneficios que produce la utilización complementaria de este mismo recurso, constituyen, sin lugar a dudas, el aspecto más sobresaliente en el análisis de los costos de operación de este sistema. Los costos de bombeo en que se debe incurrir para poder utilizar el agua de algunas de las fuentes de abastecimiento, esto es, el valor de la energía empleada por cada metro cúbico bombeado, y los costos de tratamiento en las distintas fuentes y plantas, esto es, el valor del alumbre, la cal, el cloro y el flúor utilizados por cada metro cúbico producido, son los otros aspectos que se deben considerar al estudiar los costos asociados con la operación óptima del sistema.[1]

Los costos de oportunidad no son otra cosa que los costos de la mejor alternativa sacrificada. Así, por ejemplo, un metro cúbico de agua perteneciente al río Pantanillo, en el caso del sistema de producción La Fe-La Ayurá (véase figura 3), puede dejarse correr a lo largo del cauce del río Negro, en cuyo caso se incurriría en un costo igual al beneficio que se deja de percibir por no poder consumirlo como agua potable, o puede bombearse al embalse de La Fe, en cuyo caso se incurriría en un costo igual al beneficio que se deja de percibir por no poder consumirlo como energía eléctrica. Suponiendo que el precio que la comunidad paga por los servicios de acueducto y energía eléctrica es una buena medida del beneficio que ambos servicios reportan a la sociedad, el valor de un metro cúbico en el primer caso o el valor de los kilovatios-hora que se pueden producir con un metro cúbico en el segundo, constituyen el costo de la mejor alternativa sacrificada en uno y otro caso, respectivamente. Es decir, el costo de oportunidad de utilizar un metro cúbico de agua en la producción de electricidad es igual al valor de un metro cúbico de agua potable y el costo de oportunidad de utilizar el mismo metro cúbico de agua en la producción de agua potable es igual al valor de los kilovatios-hora que se podían haber producido con él.

Siguiendo con el ejemplo del agua perteneciente al río Pantanillo puede verse que su bombeo al embalse de La Fe equivale en la actualidad (1981), a privar al complejo Guatapé-Playas-San Carlos de la posibilidad de generar 1,92 kWh por cada metro cúbico de agua. En la estación seca de 1983, cuando la central hidroeléctrica de San Carlos entre en operación, esa cantidad se elevará a 3,27 kWh/m^3 (1,92 en Guatapé y 1,35 en San Carlos). En la estación seca de 1986, cuando la central hidroeléctrica de Playas entre en operación, esa cantidad se elevará a 3,70 kWh/m^3 (1,92 en Guatapé, 1,34 en San Carlos y 0,43 en Playas). Estas cantidades, valorizadas de acuerdo con el precio de mercado de la energía eléctrica a nivel de interconexión

---

[1]En este trabajo, de acuerdo con el patrón de comportamiento de la hidrología en las regiones donde se hallan las fuentes de abastecimiento del sistema, cada año estudiado fue dividido en dos estaciones. La *seca* comprende los meses de diciembre a abril y la *húmeda* los meses de mayo a noviembre.

(C$1,05/kWh)[1], resultan en un precio por metro cúbico que no es otra cosa que el costo de oportunidad en el cual incurre el acueducto al utilizar para sus fines el agua de la cuenca del río Pantanillo, es decir, el precio de la mejor alternativa disponible para uso de esa agua: la generación de energía eléctrica.

Los beneficios que produce la utilización complementaria del agua destinada al sistema de acueducto en la generación de electricidad, resultan de la cantidad de kilovatios-hora que se pueden producir con cada metro cúbico y del precio de cada kWh en el mercado. En el sistema La Fe-La Ayurá, por ejemplo, a partir de la entrada en operación de la central de La Ayurá (estación seca de 1982), se obtendrán beneficios iguales a C$0,46 por cada metro cúbico que ingrese a la planta de tratamiento (0,44 kWh que se podrán generar con cada metro cúbico, valorizados a C$1,05 cada uno).

El costo de bombeo es igual a la cantidad de kilovatios-hora que se requieren para poder elevar un metro cúbico de agua cruda de alguna de las fuentes de abastecimiento a otra fuente o embalse (0,11 kWh/m³ en el bombeo Pantanillo-La Fe, por ejemplo) por el precio al cual tiene que pagar el kilovatio-hora la empresa de acueducto (C$0,97).

Los costos de tratamiento del agua cruda resultan de la cantidad de alumbre, cal, cloro, y flúor requeridos por cada metro cúbico y del costo de los mismos elementos. La cantidad de materiales utilizada varía de una planta a otra de acuerdo con la calidad de las aguas. El precio de los materiales es uniforme en todo el sistema.

Cuando el ejercicio se plantea en términos de precios frontera, en lugar de precios de mercado, aparece el valor de la potencia como un componente más de los costos de bombeo, de los costos de oportunidad y de los beneficios de generación, mientras que el componente costo de la energía presenta ahora valores diferentes para las estaciones seca y húmeda[2]. Estos resultados del cambio en el sistema de precios hacen más complejo el cálculo de los

---

[1]Los precios de mercado de la energía eléctrica al nivel de la interconexión se estimaron en un 92,2% del precio promedio de venta de la energía a los usuarios finales del sistema de EE.PP. Medellín, de acuerdo con los resultados presentados en: Velez Giraldo, Carlos E. "Electricity Tariffs at Empresas Públicas de Medellín: A Marginalist Approach". In Mohan Munasinghe and Colin Warren (eds.) *Power Tariffs: Case Studies in Latin America and The Caribbean*. World Bank, Washington, D.C., 1981. pp. 188-259.

Los precios frontera, escalados de acuerdo con el índice nacional de precios al consumidor de ingresos bajos (20,8% en 1979 y 26,5% en 1980), también se extrajeron de la misma fuente.

[2]*Nota del editor*: Se ha despreciado aquí el alza relativa del valor de la potencia durante la estación seca bajo el supuesto que los embalses del sistema eléctrico, aunque diseñados para ahorrar un máximo de combustible fósil, resultarán suficientemente grandes para nivelar los riesgos de racionamiento a lo largo del año.

De la misma forma se ha despreciado el alza relativa de este valor durante las ocho horas de punta diaria y lo que ella implicaría en la operación de los embalses: en los años secos, concentrar la generación sobre ⅓ del tiempo, de modo que para cada m³/s que necesita el acueducto se pierde 3 m³/s de caudal firme para las turbinas. Esta segunda aproximación equivale a admitir que aún en los años secos, las presas consideradas aquí seguirán generando en las horas nocturnas.

Para más detalles sobre la relación entre el valor del agua y el costo marginal de generación véase Albouy, Yves. "*Análisis de Costos Marginales y Diseño de Tarifas de Electricidad y Agua. Notas de Metodología*", BID, 1983, Cap. IV, Secciones 2 y 3.

costos de operación, pero no modifican los principios metodológicos envueltos en el mismo. De la misma forma que existen factores de conversión para pasar de metros cúbicos a kilovatios-hora, existen factores para pasar de metros cúbicos por segundo a kilovatios, y así como existe un precio para los kilovatios-hora, existe otro para los kilovatios.

En esta etapa del análisis se conocen ya los costos correspondientes a todos los elementos que componen el costo marginal de operación de cada una de las fuentes de abastecimiento del sistema, durante todos los años comprendidos en el período bajo análisis, 1981-1990. Su cálculo, que no es otra cosa que la aplicación detallada de la metodología hasta aquí descrita, se presenta, paso a paso, en precios de mercado, en las tablas A4-a y A4-b del anexo y, en precios frontera, en las tablas A5-a y A5-b del mismo anexo. Los factores de conversión de los m^3 a kWh y de los m^3/s a kW existentes en las distintas centrales hidroeléctricas, base del cálculo de algunos de esos elementos, se reúnen en la tabla A3 del anexo.

Para obtener el costo marginal final de operación de cada una de las fuentes, en cada uno de los años del período 1981-1990, lo único que resta por hacer es identificar, mediante el análisis detenido de los diagramas con que se ilustran cada uno de los sistemas de producción, los elementos que entran en juego en cada caso y proceder a sumar algebraicamente los costos asociados con cada uno de ellos.

Del resultado de este ejercicio, que se presenta en el cuadro 4, es importante resaltar, primero, la existencia de dos componentes a nivel de precios frontera: costos de capacidad y costos de volumen. Los primeros se refieren al costo de poder producir un caudal de un $m^3/s/$año y guardan, por tanto, una relación directa con la demanda máxima por caudales. Los costos de volumen se refieren al costo de producir un m^3 adicional y son, por lo tanto, directamente proporcionales al volumen demandado. Segundo, la existencia de costos de volumen diferentes para las estaciones seca y húmeda cuando se trata de precios frontera. Y tercero, la gran dispersión que presentan estos resultados, los cuales van desde unos costos negativos (unos beneficios) en el caso de la quebrada Piedras Blancas hasta costos bastante altos en el caso de la quebrada La Mosca, especialmente en los años 1986 y siguientes.

La comparación de los costos marginales de operación de cada una de las fuentes del sistema, tanto en precios de mercado como en precios frontera, permite establecer un ordenamiento de las fuentes según su costo marginal, válido durante toda la década que se analiza y el cual, en orden creciente es como sigue: Piedras Blancas, Santa Elena, La Iguaná, La García, La Honda, Río Grande, Las Palmas y Chorrillos, Río Pantanillo, Ríos Piedras y Buey y, finalmente La Mosca. El despacho óptimo de las fuentes consiste, simplemente, en tratar de satisfacer la demanda correspondiente a cada estación, de cada año, de la manera más barata posible. Esto significa que, respetando las restricciones físicas propias del sistema, se utilice al máximo la fuente más barata, esto es, se le saque la máxima cantidad de agua posible, luego se haga lo mismo con la segunda, con la tercera y así sucesivamente hasta copar la demanda.

Obsérvese que en este ejercicio es perfectamente probable que, en un determinado período, la oferta disponible no sea suficiente para satisfacer la demanda. Con el objeto de hacer frente a esta eventualidad se introduce el racionamiento como una fuente adicional; es la última fuente en el despacho, la que equilibra la oferta y la demanda de ser necesario[1].

La última fuente despachada en cada estación, de cada uno de los años estudiados, se denomina la fuente marginal y su costo marginal de operación,

**Cuadro 4. Total de costos marginales de operación
en cada una de las fuentes incluido el tratamiento
(Pesos de diciembre 31 de 1980)**

| | | | Precios de Mercado | Precios Frontera* | | |
| | | | | Capacidad | Volúmen | |
	Código	Sumandos	Voulúmen C$/m³	C$millones /m³/s/año	E. Seca C$/m³	E. Húmeda C$/m³
A. *Sistema de Producción La Fe—La Ayurá*						
Quebradas Las Palmas y Chorrillos						
— Año 1981	a_{12}	$a_6 + a_{11}$	2,13	46,14	7,98	4,30
— Año 1982	a_{13}	$a_6 - a_{10} + a_{11}$	1,67	35,54	6,18	3,34
— Años 1983 a 1985	a_{14}	$a_7 - a_{10} + a_{11}$	3,07	68,00	11,68	6,26
— Años 1986 y siguientes	a_{15}	$a_8 - a_{10} + a_{11}$	3,53	78,43	13,48	7,22
Río Pantanillo						
— Año 1981	a_{16}	$a_6 + a_9 + a_{11}$	2,24	49,71	8,48	4,56
— Año 1982	a_{17}	$a_6 + a_9 - a_{10} + a_{11}$	1,78	39,11	6,68	3,60
— Años 1983 a 1985	a_{18}	$a_7 + a_9 - a_{10} + a_{11}$	3,18	71,57	12,18	6,52
— Años 1986 y siguientes	a_{19}	$a_8 + a_9 - a_{10} + a_{11}$	3,64	82,00	13,98	7,48
Río Piedras y Río Buey:						
— Año 1981	a_{20}	$a_1 + a_3 + a_9 + a_{11}$	2,24	49,71	8,48	4,56
— Año 1982	a_{21}	$a_1 + a_3 + a_9 - a_{10} + a_{11}$	1,78	39,11	6,68	3,60
— Años 1983 a 1985	a_{22}	$a_1 + a_4 + a_9 - a_{10} + a_{11}$	3,18	71,57	12,18	6,52
— Años 1986 y siguientes	a_{23}	$a_2 + a_5 + a_9 - a_{10} + a_{11}$	3,64	82,00	13,98	7,48
B. *Sistema de Producción Piedras Blancas-Villa Hermosa*						
Quebrada La Mosca:						
— Años 1981 y 1982	b_9	$b_1 + b_2 + b_5 + b_6 - b_7 + b_8$	2,62	76,10	11,10	5,98
— Años 1983 a 1985	b_{10}	$b_1 + b_3 + b_5 + b_6 - b_7 + b_8$	4,02	108,56	16,60	8,90
— Años 1986 y siguientes	b_{11}	$b_1 + b_4 + b_5 + b_6 - b_7 + b_8$	4,48	118,99	18,40	9,86
Quebrada La Honda	b_{12}	$b_6 - b_7 + b_8$	0,40	23,72	2,36	1,32
Quebrada Piedras Blancas	b_{13}	$-b_7 + b_8$	(1,18)	(30,45)	(5,04)	(2,62)
Quebrada Santa Elena	b_{14}	b_8	0,14	—	0,13	0,13
C. *Sistema de Producción La García-Pedregal*						
Quebrada La García	c_2	c_1	0,26	—	0,26	0,26
D. *Sistema de Producción La Iguaná-San Cristóbal*						
Quebradas La Iguaná La Puerta y Tenche	d_2	d_1	0,20	—	0,19	0,19
E. *Sistema de Producción Rio Grande-Copacabana*						
Rio Grande y Río Chico	e_4	$e_1 - e_2 + e_3$	1,28	26,20	4,58	2,49

*Léanse mayúsculas en lugar de minúsculas en el código y los sumandos para este tipo de precios.
Fuente: Tablas A3, A4-a, A4-b, A5-a, y A5-b del Anexo.

---

[1]Merece destacarse la magnitud que alcanza el racionamiento durante algunos años: se inicia con un 7% en la estación seca de 1983; aumenta luego año a año hasta alcanzar el 11% en la estación seca de 1987, año en que presenta el único racionamiento en estación húmeda de todo el período (1%). A partir de la estación seca de 1988 los racionamientos desaparecen de escena.

en ese período, es el costo marginal de operación del sistema de acueducto, durante ese mismo lapso de tiempo. Estos resultados se presentan en el cuadro 5, tanto en precios de mercado como en precios frontera. Es importante observar como, ante la notoria falta en el país de estudios que den alguna luz acerca del costo del racionamiento (tanto en el servicio de acueducto como en los restantes), se optó por asignarle a esta fuente, en este trabajo, y en cada período en que se presente, un costo igual al de la fuente más cara en ese mismo período.

Cuadro 5. Costo marginal de operación del sistema de acueducto
(Pesos del 31 de diciembre de 1980)

Año	Estación	Fuente marginal	Precios de mercado C$/m³	Precios frontera C$ millones /m³/s/año	C$/m³
1981	S	Piedras-Buey	2,24	49,71	8,48
	H	Piedras-Buey	2,24	49,71	4,56
1982	S	Piedras-Buey	1,78	39,11	6,68
	H	Piedras-Buey	1,78	39,11	3,60
1983	S	Racionamiento	4,02	108,56	16,60
	H	Piedras-Buey	3,18	71,57	6,52
1984	S	Racionamiento	4,02	108,56	16,60
	H	Piedras-Buey	3,18	71,57	6,52
1985	S	Racionamiento	4,02	108,56	16,60
	H	Piedras-Buey	3,18	71,57	6,52
1986	S	Racionamiento	4,48	118,99	18,40
	H	La Mosca	4,48	118,9	99,86
1987	S	Racionamiento	4,48	118,99	18,40
	H	Racionamiento	4,48	118,99	9,86
1988[a]	S	Río Grande	1,28	26,20	4,58
	H	Río Grande	1,28	26,20	2,49
1989[a]	S	Río Grande	1,28	26,20	4,58
	H	Río Grande	1,28	26,20	2,49
1990[a]	S	Río Grande	1,28	26,20	4,58
	H	Río Grande	1,28	26,20	2,49

[a]Durante estos años y los siguientes, la zona que solamente puede ser atendida desde la planta de tratamiento de La Ayurá tiene a los ríos Piedras y Buey como planta marginal. Por lo tanto, su costo marginal de operación es diferente al del resto del sitema. En precios de mercado: C$3,64/m³ y, en precios frontera: C$82,00 x 10⁶/m³/s/año y C$13,98/m³ (estación seca) y C$7,48/m³ (estación húmeda).

En relación con el costo marginal de operación del sistema de acueducto es importante resaltar, primero, la enorme irregularidad que éste exhibe durante los tres primeros años analizados, momento a partir del cual se inicia un período de costos marginales crecientes que finaliza en 1988 con la entrada en operación del proyecto Río Grande.

Segundo, el comportamiento estacional tan diferente que éste presenta, dependiendo del tipo de precios de que se trate. Para los años en los que existen diferencias estacionales (1981-1987), el costo anual equivalente correspondiente a la estación seca excede al de la estación húmeda en un 12%, cuando ambos se expresan en precios de mercado, ensanchándose esta brecha hasta un 116% (22% en el caso de los costos de capacidad), cuando la comparación es en precios frontera.

Tercero, la existencia de por lo menos dos zonas geográficas con costos marginales de operación muy diferentes, a partir de la puesta en servicio de la planta de tratamiento de Bello (1988). La zona sur atendida desde la planta de La Ayurá, presenta un costo marginal que supera al del resto del sistema en, aproximadamente, un 200% porque su fuente marginal, los ríos Piedras y Buey, tienen costos de operación mucho mayores que los del río Grande, fuente marginal del resto del sistema.

2.4 Costos de operación y mantenimiento (O&M)

a) Costos de volumen

La estimación de los costos de O&M exigió, en primer lugar, diferenciar entre aquellos costos originados en incrementos en el caudal máximo demandado: costos de capacidad, y aquellos otros asociados en incrementos en el volumen demandado: costos de volumen. Para los procesos de bombeo, precloración y tratamiento del agua cruda, estos últimos resultan, simplemente, de multiplicar los costos unitarios envueltos en dichas etapas de la producción por los volúmenes de agua que para ellas indica la operación óptima del sistema. Costos unitarios y volúmenes que, con la excepción de los referentes al proceso de bombeo, ya se estudiaron con detalle en la sección anterior.

El costo de los bombeos de agua tratada se estimó a partir de la siguiente formulación:

$$P = dgQH/r \text{ en kW/m}^3\text{/s}$$

donde: P = potencia necesaria para elevar un caudal Q (en m³/s) a una altura de H metros.

d = densidad del agua (1.000 kg/m³)

g = gravedad (9,81 m/s²)

Q = caudal en m³/s

H = altura dinámica de bombeo en metros

r = eficiencia de la bomba (0,85)

La energía consumida durante una hora por una bomba que requiere de la potencia arriba especificada es igual a:

$$E = P \times 3.600 \text{ seg. o sea } (dgQH/r) \times (1/3.600) \text{ en kWh/m}^3$$

Se conoce el valor de todas las variables con la excepción de la altura, la cual varía de bombeo a bombeo. Como sería muy laborioso tratar de encontrar el costo de cada uno de los bombeos de manera independiente y el beneficio que arrojaría este cálculo sería mínimo, se optó por encontrar la altura promedio de los bombeos existentes actualmente, ponderada de acuerdo con su capacidad. El resultado fue una altura dinámica promedio igual a 117m.[1]

---

[1]Véase tabla A6 en el anexo.

De lo anterior se sigue que la potencia y la energía necesarias para elevar un metro cúbico de agua tratada, por un equipo de bombeo promedio, son iguales a:

$$P = 1.350,32 \text{ kW/m}^3/\text{s}$$

$$E = 0,37509 \text{ kWh/m}^3$$

Por tanto, los bombeos de agua tratada tienen un costo, en precios de mercado, igual a C$0,36/m^3 y, en precios frontera, igual a C$1,69/m^3 en la estación seca, $0,90/m^3 en la estación húmeda y C$12,41 $\times$ 10^6/m^3/s en ambas estaciones.

Los costos totales asociados con los bombeos de distribución resultan de multiplicar los anteriores costos unitarios por el volumen de agua tratada que necesita ser elevada, el cual se estima en un 16% del volumen total demandado cada año. Este resultado, conjuntamente con los demás costos totales de O&M asociados con volumen, se presenta en la tabla A7 del anexo. Su interés reside en la proyección de los estados financieros, porque los costos marginales correspondientes a ellos no son otra cosa que los costos unitarios que sirvieron de base para su cálculo.

b) Costos de capacidad

Los costos de O&M originados en incrementos en el caudal máximo demandado, denominados costos de O&M de capacidad, fueron divididos en captación, tratamiento y distribución de acuerdo con el proceso en el cual se ocasiona.

El análisis de la serie 1970-1980 permitió concluir que los costos de captación oscilan alrededor de su media, sin que sea posible establecer relación alguna entre la entrada de nuevos proyectos de este tipo y un cambio significativo en los costos. Se decidió, por lo tanto, aceptar este resultado como evidencia de costos marginales decrecientes y proyectarlos con base en el valor medio anual registrado durante el período 1970-1980: C$8.403.700 (pesos al 31 de diciembre de 1980).

El análisis de los costos de tratamiento durante el período 1975-1980, permitió concluir que éstas presentan una buena correlación con la capacidad nominal existente en las plantas, por lo que las proyecciones se elaboraron sobre la base de un costo de tratamiento de C$59,50/m^3/día de capacidad (pesos de diciembre de 1980).

Los costos de distribución presentaron una correlación aceptable con la longitud de las redes de distribución y se proyectaron a partir de ella. Estos costos, sin embargo, corresponden a un proceso que comprende las siguientes actividades: conducción del agua tratada, bombeo del agua tratada, almacenamiento en tanques de distribución, distribución a través de la red del mismo nombre y, finalmente, servicio a través de la instalación domiciliaria, siendo necesario discriminar el total de estos costos entre cada una de estas divisiones. Con este fin se optó por suponer que el costo de O&M, en cada una de estas actividades, es directamente proporcional al monto de la inversión en cada una de ellas e igual a los siguientes porcentajes:

Conducciones	1%
Bombeos	8%
Tanques	1%
Red de distribución	1%
Instalaciones domiciliarias	3%

La aplicación de estos porcentajes al monto total invertido en cada subproceso, arroja un estimativo del costo de O&M de cada una de estas actividades. La suma de estos subtotales presentó, sin embargo, una ligera desviación en relación con el estimativo general agregado, que se obtuvo mediante la regresión utilizada en la proyección. Por considerarse más confiable este último resultado, los estimativos parciales fueron deflactados utilizando un factor igual al cociente entre la suma de los estimativos parciales y el estimativo general agregado.

De los costos totales de O&M asociados con la capacidad (véase tabla A7 del Anexo) se extractaron los costos incrementales del mismo tipo (véase tabla A8 del anexo), cuyos valores al 31 de diciembre de 1980, calculados con una tasa de descuento del 12% y en millones de pesos de la misma fecha, son los que aparecen en el cuadro 6. Los costos de O&M, en precios frontera, fueron calculados mediante la aplicación, a los costos expresados en precios de mercado, de los factores de conversión que aparecen en el mismo cuadro, que son producto del análisis detallado de los insumos que configuran estos costos.

Cuadro 6. Costos incrementales de O&M:
valor al 31 de diciembre de 1980 y factores de conversión
(Millones de pesos al 31 de diciembre de 1980)

Proceso	Precios de mercado	Factor de conversión	Precios frontera
Captación	---	0,86	---
Tratamiento	17,65	0,85	15,00
Distribución	65,02	0,87	56,57
conducciones	13,39	0,86	11,51
bombeos	15,43	0,93	14,39
tanques	10,38	0,88	9,09
red	11,20	0,84	9,37
instalaciones	14,62	0,84	12,21

Fuente: tabla A8 del anexo.

2.5 Costos de administración y generales (A&G)

La contabilidad de las EE.PP. Medellín presenta separadamente los costos de administración y los costos generales. Divide los primeros en provisión para incobrables, cálculo actuarial de jubilados y otros costos de administración y subdivide estos últimos en facturación, suscriptores y otros. Para la estimación de los costos económicos de A&G, base del cálculo de los costos marginales del mismo tipo, se procedió, en primer lugar, a diferenciar estos costos entre aquellos de naturaleza económica y aquellos de naturaleza no económica. Estos últimos incluyen la provisión para incobrables, de naturaleza contable, y el cálculo actuarial de jubilados, costo futuro inevitable y por tanto carente de costo de oportunidad. Los restantes se clasificaron como costos económicos y se dividieron, a su vez, en asociados con un aumento en el número de suscriptores; —facturación y suscriptores—, y asociados con un incremento en el caudal máximo demandado: —costos generales y otros.

La proyección de unos y otros se realizó como sigue: primero, se estimaron los costos generales y los otros costos de administración con base en regresiones exponenciales, con el tiempo como variable independiente. Luego se estimaron los costos de suscriptores con base en una regresión exponencial, con el número de instalaciones como variable independiente. Después los costos de facturación se estimaron asumiendo en C$0,50 el valor de cada factura. Finalmente los otros costos se obtuvieron de restar a los otros costos de administración proyectados, los costos de facturación y suscriptores. La proyección de los costos no económicos se dejó para la sección concerniente a los ajustes financieros.

De los costos totales de A&G asociados con la demanda o costos de capacidad y de los asociados con el número de suscriptores o costos de clientela, se extrajeron los costos incrementales de uno y otro tipo (véase tabla A9 del anexo), cuyos valores presentes, al 31 de diciembre de 1980, calculados con una tasa de descuento del 12% y en millones de pesos de la misma fecha, son los que aparecen en el cuadro 7. Los costos de A&G, en precios frontera, fueron calculados mediante la aplicación, a los costos expresados en precios de mercado, de los factores de conversión que aparecen en el mismo cuadro y los cuales son producto del análisis detallado de los insumos que configuran estos costos.

Cuadro 7. Costos incrementales de A&G:
valor al 31 de diciembre de 1980 y factores de conversión
(Millones de pesos al 31 de diciembre de 1980)

Tipo de costos	Precios de mercado	Factor de conversión	Precios frontera
Capacidad	110,13	0,86	94,71
Clientela	6,67	0,85	5,67

Fuente: tabla A9 del anexo.

2.6 Costos incrementales promedio a largo plazo (CIPLP)

El concepto de costo marginal ha sido aproximado en la práctica bajo diferentes ángulos[1]. Uno de ellos tiene como objetivo fijar niveles tarifarios

---

[1]Véanse, para la confrontación de algunos de ellos: Saunders, R.J. J.J. Warford y P.C. Mann. *Alternative Concepts of Marginal Cost for Public Utility Pricing: Problems of Application in the Water Supply Sector*. World Bank Staff Working Paper, No. 259, May, 1977 y Schaefer, John. "Marginal Cost: How do Methods Compare?", *Electrical World*. February 1979.

tales que el valor actualizado de los ingresos que se perciban gracias a la ejecución de determinados proyectos sea exactamente igual al valor actualizado, a la misma fecha, del costo en que se incurre en su construcción y puesta en funcionamiento, ambos valores actualizados, calculados a lo largo del horizonte de planeación elegido para este tipo de proyectos. Este concepto se denomina costo incremental promedio a largo plazo (CIPLP) y se define como sigue:

$$CIPLP_i = \sum_{t=1}^{N} I_{it} (1 + a)^{-t} / \sum_{t=1}^{N} Q_{it} (1 + a)^{-t}$$

donde: $CIPLP_i$ =   CIPLP de los proyectos tipo i al año 1

I_{it} =   inversión (o costos) de los proyectos tipo i en el año t

Q_{it} =   demanda máxima incremental (o número incremental de suscriptores) asociada con los proyectos tipo i en el año t

a   =   tasa de descuento

N   =   horizonte de planeación escogido para los proyectos tipo i

Este costo corresponde a un servicio sostenido durante N años.

Si lo que se quiere es repartir uniformemente este costo a lo largo de la vida útil de los proyectos en cuestión, el CIPLP así debe ser dividido por el siguiente factor de anualización (f):

$$f_i = \sum_{t=1}^{M} (1 + a)^{-t}$$

donde M = vida útil de los proyectos tipo i

Se obtiene así un CIPLP anual análogo a un costo marginal de corto plazo.

El concepto de CIPLP, como aproximación práctica al concepto teórico de costo marginal, se adoptó en este estudio para el análisis de los costos marginales de largo plazo, debido a sus resultados ampliamente satisfactorios frente a otras aproximaciones mucho más elaboradas. En primer lugar, lo relativamente simple y fácil de transmitir de este método; segundo, la magnitud tan similar de los resultados que después de ajustes prácticos y aun antes, se obtiene al aplicarlo; tercero, lo importante de poder conocer de manera directa el costo total correspondiente a un determinado proyecto (conocimiento estrictamente necesario cuando, como en el caso de las EE.PP. Medellín, se exige cancelar en un número determinado de cuotas el costo de toda obra de distribución que se adelante), y, cuarto, la gran ventaja que exhibe al evitar fluctuaciones severas en los precios, inclinaron la balanza, en este caso, en favor del CIPLP.

Un punto controvertible de este enfoque, pero no patrimonio exclusivo suyo, aparece cuando se trata de definir la tasa de descuento que se debe utilizar. Un primer impulso es afirmar que se debe optar por la tasa de interés real que impere en la economía sobre la cual se trabaja, pero, lamentablemente para el analista, "en una economía mixta con imperfecciones de mercado y tasas múltiples de interés, no hay una tasa única de descuento que pueda ser tomada como una medida tanto de la preferencia intertemporal como de la productividad del capital"[1]. De acuerdo con esta afirmación Saunders, Warford y Mann arguyen que "la tasa de interés en el numerador del CIPLP debería ser igual al costo de oportunidad del capital, mientras que en el denominador debería ser igual a la tasa preferencial de consumo, reflejando el supuesto de que el consumo hoy es más valioso que el consumo en el futuro"[2]. Acogerse a este planteamiento equivaldría, sin embargo, a desviarse del cauce metodológico establecido en un principio, consistente en adelantar el cálculo de la estructura estricta de costos marginales utilizando, simultáneamente, precios de mercado y el conjunto de precios sombra que resulta de considerar únicamente el aspecto de la eficiencia económica, dejando para la sección correspondiente a los ajustes, todas las consideraciones de orden social que se juzguen pertinentes. La tasa preferencial de consumo, esto es, la tasa a la cual debería ser descontado el consumo futuro para hacerlo equivalente al consumo presente, involucra un juicio ético acerca de la importancia del bienestar de las diferentes generaciones y una opinión sobre las condiciones económicas futuras, aspectos que la califican como parámetro de naturaleza social[3].

A lo largo de este estudio y teniendo en cuenta las razones anteriores, se optó por descontar todo tipo de demandas con el 12% anual, tasa correspondiente al costo de oportunidad del capital en Colombia. No obstante, en la primera parte del capítulo dedicado al diseño de la estructura tarifaria (sección de ajustes prácticos), se analiza la incidencia que sobre la estructura tarifaria basada en costos marginales estrictos y precios de eficiencia económica, tendría la utilización de la tasa preferencial de consumo como tasa de descuento para la demanda.

Los valores actualizados al 31 de diciembre de 1980, descontados al 12% anual, de todos los proyectos que conforman el programa de inversiones, de los costos incrementales de O&M y de los costos incrementales de A&G, en precios de mercado y en precios frontera, se presentan en los cuadros 3, 6 y 7, respectivamente.

El cálculo del valor actualizado de la demanda por caudales máximos a nivel de producción y conducción a plantas se realizó, tal como se anotó en la sección 2.1, considerando el período 1981-2000 como horizonte de planeación y agregando a la demanda adicional del acueducto en el año 1988 (0,93 m³/s) un total de 5,35 m³/s, el caudal promedio que durante las estaciones húmedas de cada año podrá seguir siendo bombeado con destino al consumo en la generación de energía eléctrica[4]. Estas cifras se traducen,

[1]Feldstein, M.S. "The Social Time Preference Rate". En: Richard Layard (ed.) *Cost-Benefit Analysis*. Penguin Education, 1974, p. 246.

[2]Saunders, Warford and Mann, op.cit., p. 27.

[3]Una interesante discusión acerca de las diferencias entre el consumo presente y el consumo futuro se presenta en: I.M.D. Little y J.A. Mirrlees. *Project Appraisal and Planning for Developing Countries*. Heinemann Educational Books, London, 1974, pp. 48-52. También ver M.S. Feldstein, op. cit. pp. 245-269.

[4]Aunque el caudal promedio que puede ser bombeado durante la estación seca (3,78 m³/s) es sensiblemente inferior al que puede ser bombeado durante la estación húmeda (5,35 m³/s), se optó por trabajar con este último por cuanto las obras de infraestructura están diseñadas con base en el caudal máximo del año.

descontadas al 12% anual, en un valor de 6,30 m³/s (4,14 m³/s como producto de la demanda del sistema de acueducto y 2,16 m³/s como producto de la demanda del sistema de energía eléctrica), actualizado al 31 de diciembre de 1980.

Además, el hecho de que la nueva fuente que incorpora al sistema el proyecto Río Grande-Bello entre en calidad de fuente base, exige que el cálculo del CIPLP de los proyectos de producción y conducción a plantas se realice teniendo en cuenta el ahorro de los costos de operación que para el sistema de acueducto se sigue de su expansión. Esto significa que, tanto en precios de mercado como en precios frontera, al CIPLP que se obtenga de dividir el valor actualizado de los costos de inversión en proyectos de producción y conducción a plantas por el valor actualizado de la demanda máxima incremental a ser satisfecha con estas obras, se le debe restar el ahorro en costos de operación que resulte de la ejecución de estos proyectos, con el fin de encontrar el verdadero CIPLP, es decir, el CIPLP neto de ahorros en el valor del agua.[1]

En precios de mercado este ahorro es igual a C$0,84/m³ en la zona sur y a C$3,20/m³ en el resto del sistema; valores que ponderados de acuerdo con la demanda correspondiente a una y otra zona (37% y 63%, respectivamente), se convierten en C$2,33/m³. Este ahorro en el valor del agua se traduce en C$73,48 × 10⁶/m³/s para cada año a partir de 1988. Suponiendo que este ahorro se repita a lo largo de toda la vida útil de este proyecto, cincuenta años, equivale, descontando al 12% anual, a un valor actualizado al 31 de diciembre de 1987 de C$610,21 × 10⁶/m³/s, a un valor actualizado al 31 de diciembre de 1980 de C$276,03 × 10⁶/m³/s. Por lo tanto, teniendo en cuenta que el CIPLP bruto de producción y conducción a plantas es igual a C$260,51 × 10⁶/m³/s, el CIPLP neto de producción y conducción a plantas es nulo.

En precios frontera el ahorro neto en el valor del agua asciende, en la zona sur a C$4,42 m³ y a C$2,38/m³ en las estaciones seca y húmeda respectivamente, y en el resto del sistema, a C$13,82/m³ y a C$7,37/m³ en las estaciones seca y húmeda respectivamente. Estos valores, ponderados de acuerdo con los días comprendidos por cada estación y la demanda correspondiente a cada zona, se convierten en un ahorro igual a C$237,06 × 10⁶/m³/s para cada año a partir de 1988. Suponiendo que este ahorro se repita a lo largo de los cincuenta años de vida útil del proyecto, asciende, descontando al 12% anual, a un valor actualizado al 31 diciembre de 1980 de C$890,53 × 10⁶/m³/s. Lo

---

[1]Un análisis teórico del por qué de este descuento se presenta en: Wenders, John T. "Peak Load Pricing in the Electric Utility Industry" *The Bell Journal of Economics*. Spring 1976, pp. 232-241. Y, en una versión simplificada, en: Munasinghe, Mohan. *Electric Power Pricing Policy*. World Bank Staff Working Paper, No. 340, July 1979. Appendix.

que también hace nulo el CIPLP neto producción y conducción a plantas, en precios frontera, puesto que el CIPLP bruto es igual a C$230,81 × 10⁶/m³/s.[1]

El valor actualizado de la demanda máxima incremental a ser satisfecha en las plantas de tratamiento se calculó con base en el horizonte de planeación 1981-2000 y resultó, al 31 de diciembre de 1980 y descontada al 12% anual, en 4,14 m³/s. El valor presente de la demanda máxima incremental a ser satisfecha con los demás tipos de proyecto se calculó con base en el horizonte de planeación 1981-1990 y alcanzó, al 31 de diciembre de 1980 y descontada al 12% anual, a 3,73 m³/s.

El CIPLP de producción y conducción a plantas presenta solo una componente por concepto de capacidad, la cual resulta de sumar los CIPLP asociados con la inversión, con aquellos asociados con O&M y A&G. En relación con el correspondiente a la inversión se debe tener siempre presente que éste es neto de ahorros en el valor del agua.[2] El correspondiente a los costos de A&G se asignó en su totalidad a estos proyectos de captación, con el fin de garantizar su repartición entre todos los usuarios (incluido el sistema de energía eléctrica) proporcionalmente a la demanda.

Los CIPLP de plantas de tratamiento, conducciones de agua tratada, bombeos de agua tratada y tanques de distribución también presentan sólo el componente por concepto de capacidad, pero a diferencia del anterior, no tienen entre sus sumandos el CIPLP asociado con los gastos de A&G.

Los CIPLP de la red de distribución y de las instalaciones domiciliarias presentan tanto el componente por concepto de capacidad, como uno más por concepto de clientela. El primero con los CIPLP asociados con la O&M como sumando único; el segundo con el elemento asociado con la inversión como sumando único en el caso de la red y con los elementos asociados con

---

[1]*Nota del editor*: Munasinghe calcula el costo de capacidad así porque se trata de un conjunto termoeléctrico con una proporción "óptima" de plantas de punta y de plantas de base perfectamente adaptada al sistema de precios (op. cit. p. 28); o sea al margen, el costo del m³/s es igual a su valor en términos de ahorros operativos y racionamientos evitados (costo de capacidad). Esta condición no se cumple con las presas hidráulicas cuando las restricciones de sitio impiden que se expanda la producción de las plantas más baratas hasta el volumen económicamente deseable y *el costo de la planta es inferior al valor de los ahorros* que ella brinde. Es el caso aquí a precios de mercado (y a precios frontera aun excluyendo el valor en "capacidad").

[2]*Nota del editor*: En vista de la nota 1, es más seguro evaluar los costos de capacidad directamente a partir de la decisión más costosa que evita racionamientos pero no brinda ningún ahorro de costos operativos. (Véase Albouy, Yves, op. cit. Cap. 5, Pár. 1.3). Este parece ser el caso del ensanche de capacidad para la captación de las aguas del río Buey. El CIPLP correspondiente se estima en C$40 × 10⁶/m³/s, cifra que no es negativa ni despreciable.

En total, cada año, a partir de 1988, el proyecto Río Grande arroja un valor económico igual o superior a 40 + 237 = C$277 × 10⁶/m³/s, mientras su costo anual actualizado en 1988 alcanza tan sólo C$60 × 10⁶/m³/s.

la inversión y los gastos de A&G como sumandos en el caso de las instalaciones domiciliarias. Los costos incrementales promedio a largo plazo, agrupados tal como se describe en este párrafo se presentan en el cuadro 8, tanto en precios de mercado como en precios frontera.

Cuadro 8. Costos incrementales promedio a largo plazo
(Anualizados en Pesos al 31 de diciembre de 1980)

	Precios de mercado		Precios frontera	
	Capacidad	Clientela	Capacidad	Clientela
Tipo de proyecto	C$10⁶/m³/s	C$/Instalación	C$10⁶/m³/s	C$/Instalación
Producción y conducción a plantas	17,48	—	15,03	—
Plantas de tratamiento	16,97	—	15,41	—
Conducciones agua tratada	58,17	—	51,37	—
Bombeos agua tratada	12,22	—	11,61	—
Tanques de distribución	43,82	—	39,42	—
Red de distribución	3,00	2.153	2,51	1.850
Instalaciones domiciliarias	3,92	1.047	3,27	899

Fuente: tabla A10.

2.7 Estructura estricta de costos marginales

La estructura estricta de costos marginales presenta tres componentes: volumen, capacidad y clientela.

El criterio que se eligió para el cálculo de los costos de volumen correspondientes a cada uno de los niveles en que se divide la estructura, fue el de seleccionar el costo de volumen de la estación seca de 1981 como representativo del costo de volumen en el suministro de agua potable, en los meses secos del período 1981-1990. Además, teniendo en cuenta que para los años en los cuales existen diferencias estacionales (1981-1987), el costo anual equivalente correspondiente a la estación seca excede al de la estación húmeda en un 12%, cuando ambos se expresan en precios de mercado, y en un 116%, cuando se expresan en precios frontera, se optó por fijar el costo de volumen de la estación húmeda en uno y otro porcentaje, dependiendo de si se trata de precios de mercado o de precios frontera, respectivamente.

El costo de volumen del agua cruda con destino a la generación de energía eléctrica es igual al valor del bombeo requerido para su consecución: el bombeo de Río Piedras-Pantanillo. El del agua cruda en plantas de tratamiento es igual al costo marginal de operación de la fuente marginal en el período base del cálculo (estación seca de 1981), menos el costo del tratamiento. El del agua tratada en plantas es igual al anterior, pero sin que se le reste el costo de tratamiento. El costo de volumen de los niveles restantes se obtuvo a partir de este último, teniendo en cuenta el factor de pérdidas correspondiente a cada uno de ellos, los cuales se presentan en el cuadro 9. En el caso de los usuarios con bombeo es necesario adicionar el valor de éste, multiplicado por el factor de pérdidas respectivo.

Cuadro 9. Estructura de pérdidas

Nivel	Pérdidas/ producción (porcentaje)[a]	Factor de corrección
Agua cruda	0	1,00000
Agua tratada en plantas	0	1,00000
Agua tratada en tanques	2	1,02041
Agua tratada en contadores	32	1,47059

[a]Estas cifras significan que de cada 100 litros de agua cruda que se producen, se obtienen 100 litros de agua tratada de los cuales 2 litros se pierden entre las plantas y los tanques y 32 litros se pierden en la red de distribución. Por lo tanto, los tanques deben abastecer 100/68 = 1,47059 litros por cada litro facturado y la fuente marginal 1,02041 × 1,47059 = 1,50060 litros.

El criterio de seleccionar la estación seca de 1981 como base para el cálculo de los costos de volumen, en lugar de criterios como el costo anual equivalente correspondiente a la estación seca del período 1981-1990, el costo promedio de la misma serie o cualquier otro, obedeció a que los costos de volumen dependen, casi totalmente, del precio de los hidrocarburos. Y como es de esperar que estos últimos sigan presentando cambios bruscos en relación con el nivel general de precios, se pensó que lo más conveniente era involucrar los cambios previstos por este concepto, dentro del mecanismo de ajuste que necesariamente se debe diseñar para hacer frente a las tasas de inflación previstas.

Los costos de capacidad resultan de agregar los CIPLP asociados con ella correspondientes a todos los tipos de proyectos que se requieren para poder entregar el agua en cada uno de los niveles, teniendo en cuenta los factores de pérdidas que se representan en la tabla 9 para cada nivel. En el caso de los usuarios con bombeo y cuando se trate de precios frontera, es necesario adicionar el valor de éste, multiplicado por el factor de pérdidas respectivo.

Los costos de clientela corresponden, simplemente, a los CIPLP asociados con este concepto. Atendiendo al hecho de que una parte de estos costos, la que se origina en los gastos de A&G, es asumida enteramente por *Empresas* y otra, la que se origina en los costos de inversión, es asumida directa o indirectamente por los mismos usuarios, se decidió presentarlos por separado. En relación con estos últimos costos, es importante recordar que ellos son asumidos directamente sólo por los suscriptores que no se encuentran cobijados por los programas de habilitación, viviendas o municipios.

La estructura estricta de costos marginales que resulta de este análisis aparece en el cuadro 10. En ella se expresan los costos no sólo en precios de mercado y precios frontera, sino también en precios de eficiencia económica. La razón de ser de este último conjunto de precios está en que los resultados en precios frontera no rinden evidencia directa acerca de cuáles deben ser los precios que se cobran a los usuarios, si se desea que éstos paguen exactamente lo que la provisión de su servicio le cuesta a la economía nacional; para ello se hace necesario traducir dichos precios frontera a precios domésticos.[1] Esta traducción se consigue mediante la utilización del factor de conversión que se define como "el cociente entre el valor en precios frontera de todas las exportaciones e importaciones y su valor en precios domésticos"[1]. Para tal efecto basta con dividir todas y cada una de las tasas contenidas en la estructura expresada en términos de precio frontera, por el factor de conversión. Este último, de acuerdo con el trabajo de Schohl, se tomó como igual a 0,93.[2]

Cuadro 10. Estructura estricta de costos marginales después de ajustes por pérdidas
(Pesos de diciembre 31 de 1980)

Nivel	Costos de Volumen		Costos de Capacidad C$millones m³/s/año	Costos de Clientela	
	Estación Seca C$/m³	Estación Húmeda C$/m³		Asumidos por *Empresas* C$/Inst/año	Asumidos por Los Usuarios C$/Inst/año
Agua Cruda Aguas Abajo del Río Negro					
— Precios de Mercado	1,39	1,39	17,48	84	—
— Precios Frontera	6,49	3,46	15,03	72	—
— Precios de Eficiencia Económica	6,98	3,72	16,16	77	—
Agua Tratada y no Bombeada en Contadores					
— Precios de Mercado	3,37	3,00	214,91	84	3.116
— Precios Frontera	12,73	5,90	190,41	72	2.677
— Precios de Eficiencia Económica	13,69	6,34	204,74	77	2.878
Agua Tratada y Bombeada en Contadores					
— Precios de Mercado	3,90	3,54	233,25	84	3.116
— Precios Frontera	15,26	7,25	217,96	72	2.677
— Precios de Eficiencia Económica	16,41	7,80	234,37	77	2.878

Fuente: Tablas A-11 y A-12 del Anexo.

3. COSTOS MARGINALES DEL SISTEMA DE ALCANTARILLADO

3.1 Demanda

El análisis de la demanda por el servicio de derrame y recolección de residuos líquidos es un fiel reflejo del análisis de la demanda por agua potable, debido a la naturaleza complementaria de ambos servicios. La proyección de aguas servidas derramadas al sistema de alcantarillado se realizó asumiendo un coeficiente de retorno de 0,85 con respecto al agua potable consumida. Los volúmenes globales derramados fueron proyectados excluyendo las pérdidas físicas existentes en el sistema de acueducto, con la excepción de las originadas en deficiencias en la medición, la lectura y la facturación (14% del agua tratada producida por el acueducto), por cuanto se

---

[1]Squire, Lyn and Herman G. Van der Tak. *Economic Analysis of Projects.* The Johns Hopkins University Press, Baltimore, 1975. p. 93.

El factor de conversión modelo puede definirse también como el cociente entre la tasa de cambio oficial y la tasa de cambio sombra. De acuerdo con esta definición, la traducción de la estructura de costos marginales, de precios frontera a precios de eficiencia económica (domésticos), se puede hacer simplemente multiplicando las tasas contenidas en ella por la tasa de cambio sombra y dividiendo el resultado por la tasa de cambio oficial.

[2]Schohl, W.W. op.cit., p.10.

consideró que estas últimas se refieren a agua que finalmente es vertida al alcantarillado. El coeficiente de agua consumida neta de pérdidas, así definido (0,86), multiplicado por el coeficiente de retorno (0,85), resultó en un factor igual a 0,73, el cual se aplicó a la demanda máxima proyectada para el acueducto con el fin de obtener la demanda por caudales de agua servida derramada al sistema de alcantarillado.

El caudal máximo de la estación seca (diciembre a abril) se estimó en un 95% del caudal máximo del año, el correspondiente a la estación húmeda (mayo a noviembre); el caudal máximo incremental de una estación cualquiera en un año i es igual al caudal máximo de esa estación en el año i menos el caudal máximo de esa estación en el año (1-1); el caudal medio anual se estimó en un 87% del caudal medio anual multiplicado por los segundos que contenga cada año; el volumen total de la estación seca se estimó en un 40,5% del volumen total anual, correspondiendo el 59,5% restante a la estación húmeda; el volumen facturado anual es igual al volumen total anual dividido por 1,42857, factor que resulta de asumir un 30% de pérdidas[1]; el volumen no facturado anual (pérdidas) es igual a la diferencia entre el volumen total anual y el volumen facturado anual. Todo esto de manera análoga a lo efectuado en la proyección de la demanda por agua potable.

La demanda total por caudales y volúmenes de residuos líquidos aparece proyectada, para cada uno de los años comprendidos entre 1981 y 1990, en el cuadro 11. Este último año (1990) fue tomado como fecha límite para la proyección, dado que el horizonte de planificación elegido para el análisis de la expansión de este sistema cubre hasta esta fecha. Como consecuencia obvia de la metodología empleada para la proyección, las características que se anotaron en el caso de la demanda por agua potable, siguen siendo válidas aquí.

Cuadro 11. Demanda total proyectada: alcantarillado

| | CAUDAL | | | | | VOLUMEN | | | | |
| | Máximo | | Máximo Incremental | | Medio | Total | | | Facturado | Pérdidas |
Año	E. Seca m³/s	E. Húmeda m³/s	E. Seca m³/s	E. Húmeda m³/s	Anual m³/s	Anual Miles m³	E. Seca Miles m³	E. Húmeda Miles m³	Anual Miles m³	Anuales Miles m³
1980	5,10	5,37	—	—	4,67	147.677	59.809	87.868	103.374	44.303
1981	5,42	5,71	0,32	0,34	4,97	156.734	63.477	93.257	109.714	47.020
1982	5,74	6,04	0,32	0,33	5,25	165.564	67.053	95.511	115.895	49.669
1983	6,57	6,92	0,83	0,88	6,02	189.847	76.888	112.959	132.893	56.954
1984	7,51	7,91	0,94	0,99	6,88	217.562	88.113	129.449	152.293	65.269
1985	7,74	8,15	0,23	0,24	7,09	223.590	90.554	133.036	156.513	67.077
1986	7,97	8,39	0,23	0,24	7,30	230.213	93.236	136.977	161.149	69.064
1987	8,18	8,61	0,21	0,22	7,49	236.205	95.663	140.542	165.343	70.862
1988	8,83	9,29	0,65	0,68	8,08	255.509	103.481	152.028	178.856	76.653
1989	9,03	9,50	0,20	0,21	8,26	260.487	105.497	154.990	182.341	78.146
1990	9,25	9,74	0,22	0,24	8,47	276.710	108.423	159.287	187.397	80.313

---

[1]Este factor resulta de razonar como sigue: si las pérdidas físicas en contadores y los contrabandos ascienden a un 26% de la producción de agua potable en el sistema de acueducto, en el sistema de alcantarillado, afectado por un coeficiente de retorno de 0,85, este porcentaje es del 22%. Luego, en relación al agua derramada al alcantarillado, un 73% del agua producida por el acueducto, el porcentaje de pérdidas por estos dos conceptos se eleva al 39% (0,22/0,73).

El diagrama de la estructura de la demanda en el sistema de alcantarillado (gráfico 12) ilustra esta argumentación.

Finalmente, es importante tener presente que el diseño de las redes de alcantarillado tiene en cuenta no sólo los residuos líquidos producidos por los usuarios situados en su zona de influencia (9.400 hectáreas en la actualidad), sino también la cantidad de agua de lluvia que en un momento dado puede entrar al sistema (estimada en 1,350 m³/s) y la filtración promedio a éste (estimada en 1 m³/s)[1].

3.2 Plan de expansión

Para satisfacer el crecimiento previsto en la demanda por servicio de alcantarillado, las EE.PP. Medellín definieron un plan de expansión de su sistema físico que cubre dichas necesidades hasta el año 1990. Los proyectos contemplados en este plan comprenden la construcción de 142.821 nuevas instalaciones domiciliarias y la expansión de la red de colectores secundarios en 1.171 kms.

El costo de cada uno de los proyectos arriba reseñados fue presupuestado de manera similar a como se hizo con los de acueducto. El valor presente al 31 de diciembre de 1980 del plan de expansión se presenta en el cuadro 12, valorado en precios de mercado y precios frontera y discriminando proyecto por proyecto.

Cuadro 12. Valor del programa de inversiones del sistema de alcantarillado
al 31 de diciembre de 1980.[a]
(Millones de pesos de 31 de diciembre de 1980)

Tipo de proyecto	Precios de mercado	Precios frontera
Instalaciones domiciliarias	619,70	532,33
Red de recolección	2.804,54	2.409,08

[a]Tasa de descuento = 12%.
Fuente: tabla A13.

Paralelamente con la construcción de estas obras, los usuarios industriales emprenderán la ejecución de los proyectos necesarios para dar un tratamiento preliminar a sus residuos líquidos, a fin de que cuando éstos ingresen al sistema de alcantarillado posean características similares a las de los residuos líquidos del resto de los usuarios[2].

Finalmente, es importante recordar que todo aquello que se anotó en relación con la división de algunos tipos de proyectos en habilitación de viviendas, municipios y particulares, al estudiar el caso del sistema de acueducto, se aplica en su integridad al sistema de alcantarillado.

[1]Existen en la actualidad, dos tipos de alcantarillado en el sistema de EE.PP. Medellín. El alcantarillado de tipo separado, conformado por dos tuberías, una para aguas negras y otra para aguas de lluvia, y el alcantarillado de tipo combinado, consistente en una sola tubería que recoge las aguas negras y de lluvia.

[2]Debido a que el costo de estos proyectos difiere considerablemente de un usuario a otro y que son ellos mismos quienes asumen la totalidad de ese costo, no se presenta estimativo alguno acerca de su magnitud ni se tiene en cuenta en el análisis.

3.3 Operación futura del sistema

El sistema de alcantarillado de las EE.PP. Medellín está constituido actualmente y continuará constituido, al menos durante la década de los ochenta, por dos subsistemas que funcionarán de manera complementaria, hasta que no se materialice la separación total de las aguas de lluvia de las aguas residuales y el consiguiente tratamiento de estas últimas. El sistema físico de alcantarillado comprende, tal cual se ilustra en el gráfico 7, un conjunto de tuberías domiciliarias que recogen las aguas servidas de una red de colectores secundarios a la cual están conectadas las primeras. En caso de que las aguas de lluvia estén separadas de las aguas residuales, opera un conjunto de colectores principales a los cuales desaguan los segundos.

El agua así recogida es arrojada finalmente al río Medellín en un punto cercano al centro del valle de Aburrá, debido a la ausencia total de sistemas de tratamiento. En los otros casos, el agua transportada por los colectores secundarios es arrojada directamente a las quebradas afluentes del Medellín o al mismo río, de acuerdo con la posición relativa de esos colectores. Cabe anotar que el sistema funciona totalmente por gravedad.

a) Costos de operación y mantenimiento (O&M)

Los costos de O&M del sistema de alcantarillado se originan únicamente en los incrementos en el caudal máximo demandado y están, por lo mismo, asociados íntegramente con la capacidad. Se considera que los incrementos en el volumen máximo demandado no ocasionan costo alguno de O&M y por tanto no se presenta componente alguno asociado con este concepto.

Los costos de O&M de las redes de recolección fueron estimados sobre la base de su longitud, debido a la buena correlación que se observó entre estas dos variables. Estos costos, sin embargo, corresponden a un proceso que comprende las siguientes etapas: primero, la recolección de los residuos líquidos de cada una de las unidades atendidas a través de la instalación domiciliaria y, segundo, su transporte mediante la utilización de la red de recolección, siendo necesario discriminar el total de estos costos entre cada una de estas actividades. Con este fin se optó por suponer que el costo de O&M, en cada una de estas etapas, es directamente proporcional al monto de la inversión en cada una de ellas e igual a los siguientes porcentajes:

Instalaciones domiciliarias   3%

Red de recolección   1%

La aplicación de estos porcentajes al monto total invertido en cada subproceso, arroja un estimativo del costo de O&M de cada una de estas actividades. Como en el sistema de acueducto, la suma de estos subtotales presentó una ligera desviación en relación con el estimativo general agregado obtenido mediante la regresión utilizada en la proyección. Por ello, considerándose más confiable este último resultado, los estimativos parciales fueron deflactados utilizando un factor igual al cociente entre la suma de los estimativos parciales y el estimativo general agregado.

De los costos totales de O&M se extractaron los costos incrementales del mismo tipo (véanse unos y otros en la tabla A14 del anexo), cuyos valores actualizados al 31 de diciembre de 1980, calculados con una tasa de descuento del 12% y en millones de pesos de la misma fecha, son los que aparecen en el cuadro 13. Los costos de O&M, en precios frontera, fueron calculados mediante la aplicación, a los costos expresados en precios de mercado, de los factores de conversión que aparecen en la misma tabla, que son producto del análisis detallado de los insumos que configuran estos costos.

En relación con los costos de O&M es importante anotar, finalmente, que ellos se originan únicamente en incrementos del caudal máximo demandado y están, por lo mismo, asociados íntegramente con la capacidad. Se considera que incrementos en el volumen demandado no ocasionan costo alguno de O&M y, por tanto, no se presenta componente alguno asociado con este concepto.

Cuadro 13. Costos incrementales de O&M alcantarillado:
valor al 31 de diciembre de 1980 y factores de conversión
(Millones de pesos al 31 de diciembre de 1980)

Proceso	Precios de mercado	Factor de conversión	Precios frontera
Recolección	230,07	0,90	207,06
Instalaciones	91,70	0,90	82,54
Red	138,37	0,90	124,52

b. Costos de administración y generales (A&G)

Los costos totales de A&G asociados con la demanda o costos de capacidad y de los asociados con el número de suscriptores o costos de clientela (véase tabla A21 del Anexo), se extractaron de los costos incrementales de uno y otro tipo (véase tabla A21 del anexo), cuyos valores presentes, al 31 de diciembre de 1980, calculados con una tasa de descuento del 12% y en millones de pesos de la misma fecha, son los que aparecen en el cuadro 14. Los costos de A&G, en precios frontera, fueron calculados mediante la aplicación, a los costos expresados en precios de mercado, de los factores de conversión que aparecen en la misma tabla, que son producto del análisis detallado de los insumos que configuran estos costos.

Cuadro 14. Costos incrementales de A&G alcantarillado:
valor al 31 diciembre de 1980 y factores de conversión
(Millones de pesos de diciembre 31 de 1980)

Tipo de costos	Precios de mercado	Factor de conversión	Precios frontera
Capacidad	83,90	0,86	72,15
Clientela	1,87	0,85	1,59

Fuente: tabla A14 del Anexo.

3.4 Costos incrementales promedio a largo plazo (CIPLP)

De acuerdo con la definición presentada al estudiar el sistema de acueducto, el cálculo de los CIPLP exige el hallazgo previo de los valores actualizados de los costos y de las demandas que dichas erogaciones alcanzan a satisfacer. Los valores actualizados al 31 de diciembre de 1980, descontados al 12% anual, de todos los proyectos que conforman el programa de inversiones, de los costos incrementales de O&M y de los costos incrementales de A&G, en precios de mercado y precios frontera, se presentan en los cuadros 12, 13 y 14 respectivamente.

El valor actualizado al 31 de diciembre de 1980 de la demanda por caudales máximos, calculada a lo largo del horizonte de planeación 1981-1990 y descontada al 12% anual, es igual a 2,61 m³/s.

El CIPLP de las instalaciones domiciliarias presenta un componente por capacidad y otro por clientela. El primero resulta de sumar el CIPLP asociado con los costos de O&M con el CIPLP asociado con los costos de A&G. Este último se asignó en su totalidad a las instalaciones domiciliarias, punto de partida en el sistema de alcantarillado, con el fin de garantizar su repartición entre todos los usuarios, proporcionalmente a su demanda máxima. El CIPLP por concepto de clientela resulta de sumar el CIPLP asociado con los otros costos de inversión con el CIPLP asociado con los costos de A&G. El CIPLP de la red de recolección presenta un componente único por concepto de clientela, resultante de los costos de inversión. Estos costos, agrupados tal como se describe en este párrafo, se presentan en el cuadro 15, tanto en precios de mercado como en precios frontera.

Cuadro 15. Costos incrementales promedio a largo plazo en el sistema de alcantarillado
(Anualidades en pesos del 31 de diciembre de 1980)

	Precios de mercado		Precios frontera	
	Capacidad	Clientela	Capacidad	Clientela
Tipo de proyecto	C$10⁶/m³/s	C$/Instalación	C$10⁶/m³/s	C$/Instalación
Instalaciones	67,27	963	59,26	827
Red de distribución	53,02	4.147	47,71	3.562

Fuente: tabla A15.

3.5 Estructura estricta de costos marginales

La estructura estricta de costos marginales en el sistema de alcantarillado presenta dos componentes: capacidad y clientela.

Los costos de capacidad resultan de agregar los CIPLP asociados con ella, correspondientes a todos los tipos de proyectos que se requieren para poder entregar el agua en cada uno de los niveles, teniendo cuidado de multiplicar cada resultado por el factor de pérdidas 1,30378, válido para el agua servida derramada tanto en redes de recolección como en el río Medellín.

Los costos de clientela corresponden, simplemente, a los CIPLP asociados con este concepto. En este sistema, como en el de acueducto y por idénticas razones, estos costos se presentan divididos en asumidos por *Empresas* y por los usuarios.

La estructura estricta de costos marginales que resulta de este análisis aparece expresada en precios de mercado, precios frontera y precios de eficiencia económica, en el cuadro 16.

Cuadro 16. Estructura estricta de costos marginales después de ajustes por pérdidas
(anualidades en pesos del 31 de diciembre de 1980)

| | | Costos a la clientela | |
| | | --- | --- |
Nivel	Costos de capacidad C$10⁶/m³/s	Asumidos por las *Empresas* C$/Instalación	Asumidos por los usuarios C$/Instalación
Agua servida derramada en redes de recolección			
Precios de mercado	87,722	22	941
Precios frontera	77,26	19	808
Precios de eficiencia económica	83,08	20	869
Agua servida derramada en el río Medellín			
Precios de mercado	156,84	22	5.088
Precios frontera	139,47	19	4.373
Precios de eficiencia económica	149,97	20	4.702

Fuente: tabla A16 del anexo.

4. DISEÑO DE LA ESTRUCTURA TARIFARIA

La estructura estricta de costos marginales que se obtiene como resultado del tipo de análisis efectuado en las secciones anteriores, es de utilidad práctica tan sólo en la medida que se le introduzcan una serie de reformas, producto de ajustes de diferente tipo. El primero de ellos consiste obviamente, en una serie de modificaciones de naturaleza práctica que se traduzcan en la obtención de una estructura tarifaria administrativamente viable. Esta estructura debe luego ser analizada y ajustada a la luz de consideraciones financieras, equitativas, sociales, regionales, en una palabra, a la luz de la política tarifaria de *Empresas*.

4.1 Consideraciones prácticas

4.1.1 El sistema de acueducto

La confrontación de los niveles reseñados en la estructura estricta de costos marginales después de ajustes por pérdidas (cuadro 10) con los distintos tipos de usuarios existentes actualmente en el sistema de acueducto de las EE. PP. Medellín, cuya posición dentro de la estructura de su demanda se ilustra en el gráfico 11, permite concluir que no hay diferencias significativas, desde el punto de vista de la estructura de costos, que justifiquen la conformación de categorías tarifarias diferentes a las que resultan de ésta: agua cruda para generación de energía aguas abajo del río Negro; agua tratada y no bombeada en contadores, y agua tratada y bombeada en contadores.[1]

Gráfico 11. Estructura de la demanda en el sistema de acueducto

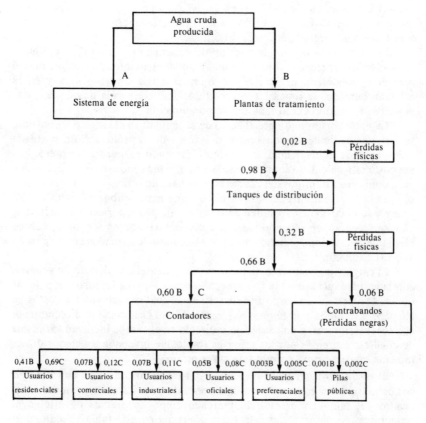

---

[1]Las únicas diferencias significativas se presentan en la red de distribución, más concretamente, en el diámetro de la tubería requerida. Sin embargo, en la medida que estas obras son adelantadas, directa o indirectamente, por los mismos usuarios, la asignación de sus costos está totalmente de acuerdo con la responsabilidad que cada uno o un grupo de ellos (v.gr. una nueva urbanización) tiene en la construcción de la obra. De aquí que el costo estimado de las redes (y de las domiciliarias) se incluya como un costo de clientela, esto es, como un costo asociado, en su integridad, con el usuario mismo.

En cuanto al tipo de cargos que se recomienda cobrar se decidió, por razones de conveniencia administrativa y claridad en la señal que se busca transmitir al suscriptor, reducirlos a dos: un cargo por consumo (resultante de los costos de capacidad y volumen) y uno fijo (igual a los costos de clientela). Además, teniendo en cuenta que, en precios de mercado, los costos de volumen entre estaciones no difieren apreciablemente (el 12% y el 10%, sin bombeo y con bombeo, respectivamente) y que a partir de 1987 dichas diferencias desaparecerán, se optó por suprimirlas. No obstante, debe tenerse muy presente que, en términos de eficiencia económica, este ajuste es del todo inconveniente. Los costos de volumen de la estación seca exceden a los de la estación húmeda en un 116% y un 110%, sin bombeo y con bombeo, respectivamente. La supresión de esta diferencia para este tipo de precios se conserva, sin embargo, con el fin de facilitar la comparación con la estructura tarifaria expresada en precios de mercado.

La parte correspondiente al costo de volumen en el cargo por consumo se obtuvo sin diferenciación estacional alguna, mediante su cálculo como el promedio ponderado del costo por volumen en la estación seca y en la estación húmeda. Los meses comprendidos dentro de cada una de las estaciones se utilizaron como factores de ponderación.

La parte correspondiente al costo de capacidad en el cargo por consumo se obtuvo mediante la conversión del costo de capacidad a un costo de volumen. Esta equivalencia se consiguió teniendo en cuenta, primero, que ese costo está calculado sobre la base del caudal máximo estimado, por lo que para ponerlo en términos del caudal medio, base de la conversión a volumen, se hizo necesario multiplicarlo por el cociente entre ambos caudales (1,15). Expresado el costo de capacidad en términos de pesos por caudal medio por año, se procedió, en segundo lugar, a convertirlo en pesos por metro cúbico mediante la división de dicho costo por el número de segundos que hay en un año (31.536.000).

El cargo fijo, resultante de los costos de clientela, se dividió de acuerdo con la entidad que asume la construcción, operación o administración de las obras. Aparece así un cargo fijo directo en el cual se incluyen los costos de clientela asumidos por *Empresas* (costos de A&G asociados directamente con los suscriptores) y un cargo fijo indirecto en el cual se incluyen los costos de clientela asumidos por los usuarios (costos de inversión asociados directamente con un grupo definido de suscriptores).

El resultado final de este ejercicio, la estructura tarifaria con base en costos marginales estrictos para el sistema de acueducto, se presenta en el cuadro 17, tanto en precios de mercado como en precios de eficiencia económica. Al observar las cifras que aparecen en esta tabla *se destaca la magnitud considerable en la cual el cargo por consumo valorizado en precios de eficiencia económica (PEE) excede a su homólogo valorizado en precios de mercado (PM)*.

Esta diferencia es igual a un 179% en el caso del agua cruda y a un 54% y un 63% en los casos del agua tratada en contadores sin y con bombeo, respectivamente. Sin embargo, cuando se trata del cargo fijo esta situación se invierte y son ahora los valores expresados en PM los que exceden a sus homólogos en PEE, aunque no en magnitudes tan apreciables como en el caso anterior. Las diferencias alcanzan al 9% para el cargo fijo directo y al 8% para el indirecto.

Cuadro 17. Estructura tarifaria sobre la base de costos marginales estrictos: acueducto
(Pesos del 31 de diciembre de 1980)

Nivel	Cargo por consumo C$/m³	Cargo fijo directo C$/Inst/año	Cargo fijo indirecto C$/Inst/año
Agua cruda aguas abajo del río Negro			
Precios de mercado	2,03	84	---
Precios de eficiencia económica	5,67	77	---
Agua tratada y no Bombeada en contadores			
Precios de mercado	10,99	84	3.116
Precios de eficiencia económica	16,87	77	2.878
Agua tratada y bombeada en contadores			
Precios de mercado	12,20	84	3.116
Precios de eficiencia económica	19,93	77	2.878

Sobresale también, en relación con el cargo por consumo, la disminución tan notable que la adición de los costos de volumen y de capacidad produce en la diferencia existente entre los primeros, cuando se les valora en PM y en PEE, respectivamente. Para los niveles de agua tratada en contadores, los costos de volumen expresados en PEE son aproximadamente tres veces mayores que los mismos en PM. La disminución ocurre al agregarlos en los costos de capacidad, que se comportan a la inversa. Todo esto revela la enorme importancia que para el país tiene el reemplazo de las fuentes más caras, aquellas que tienen la posibilidad de utilizar sus aguas para la generación de energía, por fuentes en las cuales la utilización del agua por parte de los distintos sistemas no sea excluyente sino complementaria. Esta situación pone de manifiesto la necesidad de introducir cambios profundos en la política de precios imperante en el sector de hidrocarburos de Colombia.

Finalmente, es importante anotar que si se decide incluir dentro del conjunto de precios frontera con que se trabaja, la tasa preferencial de consumo como tasa de descuento para la demanda, estimada en un 6% anual[1], el cargo

---

[1]Schohl estima la tasa preferencial de consumo para Colombia en un 5.5% anual, pero teniendo en cuenta que el mismo autor estima en el doble, es decir, en 11%, el costo de oportunidad existente en este mismo país y que en este trabajo se asumió un 12% para este último, se consideró más sensato elevar el estimativo de la tasa preferencial de consumo al 6% anual. Véase: Schohl, W.W., op.cit., pp. 91 y 92.

por consumo expresado en PEE alcanza a C$13,15/m³ y a C$15,53/m³ en los niveles de agua tratada en contadores, sin bombeo, y con bombeo, respectivamente. Estos valores superan a los expresados en PM en un 20% y un 27%, respectivamente. Esta reducción significativa que se observa en la brecha entre ambos tipos de valoraciones resulta, exclusivamente, de una reducción considerable en el componente capacidad del cargo por consumo, por cuanto el componente volumen permanece inalterado. El cargo fijo, tanto directo como indirecto, también aparece ampliamente disminuido.

El primero es igual a C$57/instalación/año y el segundo a C$2.147/Instalación/año cifras inferiores a las que se obtienen en PM en un 47% y un 45%, respectivamente. Estos resultados, originados en la inclusión de consideraciones sociales dentro del cálculo de la estructura tarifaria, justifican, en primera instancia, la utilización de un factor de ajuste que contribuya a reducir sensiblemente un posible superávit que se presente al proyectar los estados financieros y, segundo, dan una idea clara sobre la magnitud de ese factor.

4.1.2 El sistema de alcantarillado

El análisis conjunto del diagrama correspondiente a la estructura de la demanda en el sistema de alcantarillado (gráfico 12) y de su estructura estricta de costos marginales después de ajustes por pérdidas (cuadro 16), permite concluir que mientras perdure la falta de tratamiento a los residuos líquidos, no será posible establecer diferencia alguna entre los usuarios de este sistema, quienes, para los efectos tarifarios, pueden agruparse en una categoría única correspondiente al nivel agua servida derramada en el río Medellín.

Las mayores diferencias existentes actualmente entre los distintos usuarios del sistema de alcantarillado residen, primero, en la utilización que de las redes de recolección hace cada uno de ellos. Hay suscriptores que por su cercanía al río Medellín o a una de sus quebradas afluentes requieren que sus residuos sean transportados a través de trayectos muy cortos, mientras que otros, más alejados de los sitios de vertimiento, exigen transporte a través de trayectores mayores. Sin embargo, dada la configuración geográfica del valle de Aburrá, se puede suponer que, en general, y mientras no se disponga de un sistema completo con plantas de tratamiento, es válido hacer abstracción de estas diferencias.

En segundo término, la mayor diferencia existente, actualmente, entre los distintos usuarios del alcantarillado reside en las características de sus residuos líquidos; sin embargo, esta diferencia no se traduce en costos distintos para el sistema por la atención de unos y otros, por cuanto no existe tratamiento alguno[1]; además, se espera que en el futuro los usuarios más contaminantes le proporcionen un tratamiento preliminar a sus residuos líquidos, para que cuando arriben al sistema de alcantarillado lo hagan en igualdad de condiciones a las del resto de los usuarios.

[1]No obstante, si se trata de costos *sociales* en lugar de costos *económicos*, es probable que aparezcan diferencias significativas como resultado de la existencia de residuos de uno y otro tipo.

Por último, debe anotarse que dentro de las instalaciones domiciliarias mismas, sólo se presentan diferencias significativas desde el punto de vista de los costos, en el tamaño de la instalación y en el diámetro de los colectores secundarios. Obras que, al igual que en el sistema de acueducto, son adelantadas, directa o indirectamente, por los mismos usuarios, asegurando así una asignación de sus costos totalmente proporcional a la responsabilidad que cada uno o un grupo de ellos tiene en su construcción.

En cuanto hace al tipo de cargos que se recomienda cobrar se decidió, por las mismas razones señaladas para el sistema de acueducto, conservar la clasificación de la estructura estricta de costos marginales. Aparecen así dos cargos: uno por derrame (resultante de los costos de capacidad) y uno fijo (igual a los costos de clientela).

Gráfico 12. Estructura de la demanda en el sistema de alcantarillado

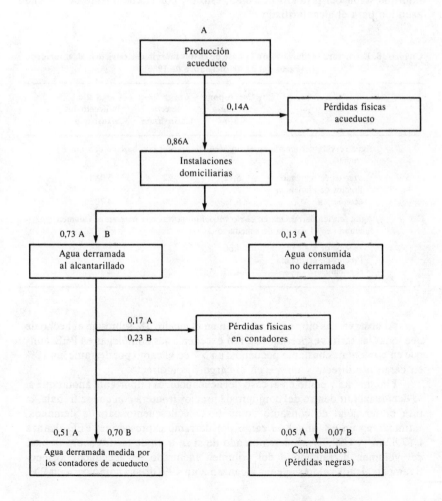

La conversión del costo de capacidad a un cargo por derrame se realizó utilizando la misma metodología empleada para traducir, en el sistema de acueducto, el costo de capacidad a un costo de volumen.

El resultado de este ejercicio, la estructura tarifaria sobre la base de costos marginales estrictos para el sistema de alcantarillado, se presenta en el cuadro 18, tanto en precios de mercado como en precios de eficiencia económica, y con tarifas fundadas en el volumen efectivamente derramado en las redes de recolección del alcantarillado y con tarifas apoyadas en el volumen facturado en el sistema de acueducto. Esta última diferenciación se debe a la necesidad de encontrar un mecanismo que permita medir la utilización del servicio de alcantarillado, sin tener que recurrir a la colocación de un medidor adicional para este uso, por cuanto el medidor de agua potable consumida puede cumplir perfectamente con este cometido. La conversión del volumen derramado, objeto de medida en el alcantarillado, al volumen facturado en el sistema de acueducto, se consigue mediante la multiplicación del primero por 0,85, esto es, por el coeficiente de retorno asumido para el alcantarillado.

Cuadro 18. Estructura tarifaria sobre la base de costos marginales estrictos: alcantarillado
(Pesos del 31 de diciembre de 1980)

Nivel	Cargo por consumo C$/m³	Cargo fijo directo C$/Inst/año	Cargo fijo indirecto C$/Inst/año
Agua servida derramada en el río Medellín: tarifas con base en el volumen derramado			
Precios de mercado	5,72	22	5.088
Precios de eficiencia económica	5,47	20	4.702
Agua servida derramada en el río Medellín: tarifas con base en el volumen facturado en el sistema de acueducto			
Precios de mercado	4,86	22	5.088
Precios de eficiencia económica	4,65	20	4.702

Al observar las cifras que aparecen en el cuadro 18, sobresale el hecho de que todas las tarifas expresadas en PM exceden a sus homólogas en PEE, aunque en porcentajes bastante pequeños: un 5% en el cargo por derrame, un 10% en cargo fijo directo y un 8% en el cargo fijo indirecto.

Finalmente y como en el caso del acueducto, es importante anotar que si se decide incluir dentro del conjunto de precios frontera con que se trabaja, la tasa preferencial de consumo como tasa de descuento para la demanda, estimada en un 6% anual, el cargo por derrame expresado en PEE alcanza C$2,82/m³ y C$2,39/m³, dependiendo de si se trata de tarifas sobre la base del volumen derramado o del volumen facturado en acueducto, respectivamente. Estos valores apenas alcanzan a un 49% de sus homólogos en PM, a diferencia de lo que ocurría en el sistema de acueducto donde, a pesar de la utilización de la tasa preferencial de consumo como tasa de descuento, las tarifas en PEE seguían siendo superiores a las tarifas en PM.

Este comportamiento diferente de las cifras en ambos sistemas, es totalmente atribuible a la política de subsidios existente en Colombia para los hidrocarburos que afecta significativamente al sistema de acueducto, pero deja inalterado el sistema de alcantarillado.

Estos resultados sugieren, además, que la correlación de fuerzas existente entre los proyectos de agua potable y recolección y el transporte de residuos líquidos, se inclina en favor de estos últimos cuando se tienen en cuenta, no solo la eficiencia económica, sino también los aspectos sociales que involucra la tasa preferencial de consumo.

4.3 Consideraciones financieras

Una vez obtenida la estructura tarifaria que refleja los costos económicos resultantes de la prestación de un servicio, se debe proceder a incorporar las nuevas tarifas dentro de las proyecciones financieras de la empresa responsable del servicio, con el ánimo de observar el comportamiento de aquéllas frente a las necesidades de ésta.

Las proyecciones financieras que se estudian en esta sección son el estado de operaciones y el estado de fuentes y uso de fondos del sistema de acueducto, del sistema de alcantarillado y del consolidado de ambos[1]. Las tasas de inflación interna y externa y de devaluación nominal utilizadas para estas proyecciones son las que figuran en la tabla A17 del anexo.

a) El sistema de acueducto

En el sistema de acueducto, los ingresos por servicios se obtuvieron sobre la base de las tarifas para agua tratada en contadores. El 84% del volumen facturado proyectado para cada año fue multiplicado por la tarifa para agua tratada en contadores con bombeo y el 16% restante por la tarifa sin bombeo[2].

Los ingresos netos por venta de agua cruda al sistema de energía eléctrica se definieron, de acuerdo con disposiciones internas de *Empresas*, como iguales al 50% de la diferencia entre el ingreso por venta de energía producida en el complejo Guatapé-Playas-San Carlos y el costo del bombeo necesario para poder disponer allí del agua necesaria para la generación[3].

---

[1]Las proyecciones de los estados financieros que se presentan en este trabajo (tablas A19 a A30 del anexo) no corresponden a las proyecciones oficiales de las EE.PP. Medellín. Ellas se prepararon con el único objeto de posibilitar la terminación de este estudio tarifario. Incluso, decisiones importantes tomadas por la administración durante su transcurso (por ejemplo, el desplazamiento de uno a tres años de algunos de los programas de inversión), no aparecen reflejadas en estas proyecciones.
[2]Estos porcentajes corresponden a la proporción de agua tratada que actualmente requiere ser y no ser bombeada. Se supone que esta división se mantendrá a lo largo de la década de los ochenta.
[3]Véase tabla A18 del anexo.

Los gastos de operación son los que aparecen en la tabla A7 del anexo. Los gastos de administración son los de la tabla A9 del anexo, más la provisión para incobrables y el cálculo actuarial de jubilados.

El análisis de estos estados financieros, en primer lugar, reafirma la gran importancia que para este sistema reviste la entrada en operación del proyecto Río Grande. Los ingresos netos por venta de agua cruda al sistema de energía y la reducción paralela en sus costos de operación, resultado de la disminución considerable del bombeo con destino a la producción de agua potable, se traducirán en un incremento apreciable de los productos de operación a partir de 1988.

En segundo término, destaca la situación coyuntural particularmente difícil por la cual atravesará el sistema de acueducto en 1981 y 1982, producto del ambicioso programa de inversiones que se planeó para ser ejecutado durante estos dos años y el cual resultó en un pico de inversión de proporciones considerables.

Este análisis sugiere, en tercer lugar, la existencia de costos económicos mayores que los costos financieros, situación que se presentaría como resultado, primero, de la no inclusión dentro de los costos financieros del valor del agua medido en términos de su costo de oportunidad, y, segundo, del esquema y condiciones de financiamiento elegidos por *Empresas*.

La magnitud del superávit que aparece año tras año, a partir de 1983, como consecuencia de la utilización de tarifas iguales al costo marginal indica, finalmente, la necesidad de proceder a su reajuste, de tal manera que los resultados financieros sean compatibles no sólo con la adecuada utilización de los recursos económicos de *Empresas*, sino también con la realidad sociopolítica de la región. Los factores de ajuste financieros requeridos para equilibrar las dos últimas exigencias podrían ser (véase tabla A21 del anexo), para el período que va de 1981 a 1983, del 90% y, para los años restantes de la década, del 70%. Estos factores presuponen que la situación coyuntural de los tres primeros años estudiados se resuelve satisfactoriamente, por lo que sólo interesa la magnitud del resultado financiero acumulado en 1983: un superávit de 154 millones de pesos de diciembre de 1980, superávit acumulado que, en pesos de la misma fecha, alcanzaría los 444 millones en 1984, para continuar con un crecimiento relativamente moderado hasta el final del período analizado.

Vale la pena tener presente, finalmente, que las tasas de inflación y el ritmo de devaluación que se prevén para los años futuros, hacen imprescindible el diseño de una cláusula de ajuste que permita a las tarifas la conservación del poder adquisitivo real que se les fije.

b) *El sistema de alcantarillado*

En el sistema de alcantarillado, los ingresos por derrame resultaron de multiplicar el volumen facturado proyectado para el acueducto por la tarifa para agua derramada, según volumen facturado en el sistema de acueducto. Los ingresos por cargo fijo se obtuvieron multiplicando la tarifa por este concepto por el número proyectado de instalaciones. Los gastos de operación son los que aparecen en la tabla A14 del anexo. Los gastos de administración son los de la misma tabla A21, más la provisión para incobrables y el cálculo actuarial de jubilados.

El análisis de estos estados financieros revela, en primer lugar, la existencia de costos crecientes. Especialmente preocupante es el comportamiento que exhiben los gastos de operación y de administración, con tasas promedio de crecimiento anual para la década, del 55% y 49%, respectivamente, las cuales aventajan de lejos las tasas de inflación interna previstas para el mismo período.

En segundo término, el sistema de alcantarillado, como el de acueducto, sugiere la existencia de costos económicos mayores que los costos financieros, al menos durante los ocho primeros años de la década, por cuanto la situación en los dos últimos es diametralmente opuesta. El comportamiento que se observa durante la primera parte tendría su explicación en el esquema y condiciones de financiamiento elegidos por *Empresas*. La explicación de lo que ocurre en la segunda parte reside, sin duda alguna, en el crecimiento desmesurado de los gastos de operación y de administración que durante estos años terminan, finalmente, por agotar los ingresos del sistema y liquidar toda ventaja fianciera que pudiera presentarse.

Finalmente, la magnitud del superávit que se presenta durante prácticamente toda la década, como consecuencia de la utilización de tarifas iguales al costo marginal, indica, de manera aún más imperiosa que en el sistema de acueducto, la necesidad de proceder a un reajuste de los niveles tarifarios, de modo que los resultados financieros sean compatibles con la realidad sociopolítica de la región. Los factores de ajustes financieros requeridos en este caso (véase tabla A21 del anexo), exceden ampliamente a los del acueducto y podrían ser, hasta el año 1988, del 50% y, para los años restantes, del 90%[1].

c) El sistema consolidado de acueducto y alcantarillado

El análisis de los estados financieros del sistema consolidado de acueducto y alcantarillado (véanse tablas A19 y A20 del anexo) revela, en primer lugar, un crecimiento de los gastos de operación y de administración por encima de la tasa promedio de inflación interna estimada para la década y aún por encima de la tasa media de crecimiento de los ingresos. Como resultado de estas tendencias, el producto de operación apenas crece a un ritmo del 20% anual, en comparación con el 28% al cual crecen los ingresos. El notable aumento que a partir de 1988 se observaba en el sistema de acueducto, en este rubro, y el cual se traduce en una tasa promedio de crecimiento del 30% anual, se ve así ampliamente contrarrestado por lo que ocurre en el sistema de alcantarillado.

---

[1]Estos últimos factores se incluyen con el único fin de presentar el ejercicio completo de ajustes financieros, por cuanto se cree con certeza que la proyección de los gastos de operación y de administración sobreestimó estos rubros, como producto de una situación coyuntural particularmente difícil, o bien la administración tomará las medidas pertinentes para conjurar el peligro que esta tendencia representa.

Señala, en segundo lugar, que el programa de inversiones previsto para el alcantarillado, más o menos creciente en términos reales a lo largo de toda la década, alcanza a compensar en algo los altibajos del plan de obras del acueducto.

Finalmente, las observaciones que para ambos sistemas se hacían en relación con la diferencia entre el monto de los costos económicos y los costos financieros y los superávit que de aquí resultan, son igualmente válidas cuando estos dos sistemas se presentan agregados.

La tarifa media sobre la base de costos marginales que para el acueducto resulta en este estudio (C$11,18/m³), excede en un 36% a la tarifa vigente actualmente.

La que resulta para el alcantarillado (C$4,86/m³), excede la actual en un 97%.

Esto se traduce, primero, en una tarifa combinada de C$16,04/m³ que es un 50% mayor que la actual y, segundo, en proporciones diferentes a la que hoy existen entre la tarifa de acueducto y la de alcantarillado. De un 30% que representa hoy día la tarifa del último con respecto a la del primero, se pasa a un 43%.

Sin embargo, si se tienen en cuenta los factores de ajuste propuestos para los primeros años, se tiene que el precio de un metro cúbico de agua potable (C$10,06) apenas excede al actual en un 22% y el precio del servicio de alcantarillado ($2.43/m³) es incluso menor que el actual.

La utilización de los factores de ajustes sugeridos (90% para el acueducto y 50% para el alcantarillado) significaría, primero, una tarifa combinada de C$12,49/m³ que sólo superaría a la actual en un 17% y segundo, un precio para el servicio de recolección y transporte de los residuos líquidos apenas igual al 24% del precio del servicio de suministro de agua potable.

Estas últimas cifras dan una idea de la medida en que es necesario proceder a reajustar las tarifas actuales, si se espera cumplir satisfactoriamente con los programas de expansión previstos en las metas físicas de los sistemas de acueducto y alcantarillado e, incluso, reforzar estos últimos a partir de 1984[1].

4.4 Consideraciones sociales

El mero empleo de la herramienta convencional de la política fiscal (impuestos y subsidios), en la lucha por mejorar la distribución del ingreso y de la riqueza en los países en vía de desarrollo, no logra, generalmente, resultados satisfactorios. Obstáculos administrativos, institucionales y políticos debilitan el sistema impositivo e impiden que éste se convierta en la herramienta que pueda reducir significativamente las desigualdades existentes. Enfrentado a un problema de tal magnitud, el estado debe apelar al

---

[1]Nótese que en ninguna parte, a lo largo del análisis de los estados financieros de cualquiera de estos sistemas o del sistema consolidado, se adelantó cálculo alguno de relación con la tasa de rentabilidad financiera del sistema en cuestión. Esta omisión fue consciente por cuanto se cree que la utilización de este indicador no consigue por sí sola un eficiente manejo de la empresa ni un adecuado flujo de fondos para las necesidades de financiamiento y expansión, pero sí crea distorsiones económicas en el consumo, la producción y la inversión.

empleo de todas las armas que estén a su alcance en la batalla por combatir la desigualdad social. Las políticas de precios y de inversión de las empresas de servicio público ocupan un lugar destacado en el armamento a disposición del estado, ya que proveen a éste de un eficaz instrumento de intervención que, debido a la importancia que los servicios tienen para los estratos más pobres de la población, puede llegar a ser un excelente mecanismo de redistribución.

En Colombia, esta concepción intervencionista del estado está consagrada en el decreto-ley que creó la *Junta Nacional de Tarifas de Servicios Públicos*, como la entidad encargada de aprobar las tarifas de todas las empresas de este tipo. Este decreto-ley hace explícito que la Junta deberá tener como uno de sus criterios básicos para el desarrollo de sus funciones, que la estructura y niveles de las tarifas aprobadas contemplen la capacidad de pago de los diferentes sectores sociales.

Las EE.PP. Medellín, trabajando guiadas por esta filosofía general y conscientes de la realidad social en la cual están inmersas[1], han adoptado una política tarifaria guiada por ella. En líneas generales, la estructura tarifaria (véase cuadro 1) está construida de tal manera que los usuarios industriales y comerciales contribuyen por igual a subsidiar a las familias; los usuarios oficiales y preferenciales no reciben subsidios ni recargos y, entre los usuarios residenciales, las familias con mayores ingresos contribuyen al subsidio de las familias de menores recursos. La magnitud de estos subsidios está calculada en relación con el costo contable, como la diferencia porcentual entre la tarifa media del tipo de usuario considerado y la tarifa media general (o media residencial, si se trata de subsidios interresidenciales).[2]

Dado que la estructura de costos marginales resulta en un costo del servicio más alto y aproximadamente igual para todos los usuarios, los subsidios en términos económicos alcanzan porcentajes más elevados que los calculados en terminos monetarios.

Una vez establecido el marco de referencia que se ha presentado en los párrafos anteriores, se puede pasar al análisis de algunas modificaciones que se pueden introducir a la estructura tarifaria actual, en la búsqueda de la combinación óptima entre los diferentes objetivos que persiguen *Empresas:* eficiencia en la asignación de sus recursos; ingresos suficientes para la prestación diaria de sus servicios y para la expansión de su sistema; equidad en el cobro; desarrollo armónico de las regiones donde operan y de los individuos que las habitan, y contribución al logro de los objetivos macroeconómicos que se ha propuesto el gobierno.

Mirando el problema desde una perspectiva intersectorial sobresale el hecho de que ningún tipo de usuario paga, actualmente, una tarifa que exceda el costo marginal estricto que resulta de la prestación de los servicios de acueducto y alcantarillado (C\$16,04/m^3), aunque la diferencia entre este

---

[1]El 20% de la población recibe menos del 5% de los ingresos (véase Vélez Giraldo, Carlos "El Sector de Energía Eléctrica y la Distribución del Ingreso". *Revista Antioqueña de Economía*. No. 3, 3er trimestre, 1981, p. 52).
[2]Véase tablas A22 y A23 del anexo.

costo y las distintas tarifas varía considerablemente de un usuario a otro.[1] Sin embargo, en relación con el costo marginal ajustado de acuerdo con el factor que surgió del análisis de los estados financieros preparados sobre la base del costo marginal como tarifa (C$12,67/m³), se encuentra que este costo es apenas igual al 85% de la tarifa comercial-industrial, aunque alcanza a ser mayor que todas las demás, incluyendo la tarifa media general existente actualmente, a la cual excede en un 18%. Si se considera, por lo tanto, que *Empresas* deben buscar un incremento en su tarifa media general que les permita, al menos, igualar el costo marginal ajustado, se tendría que las posibilidades de aumentar las tarifas varían de un sector a otro. El monto del costo marginal estricto impone, tanto por razones de equidad como de eficiencia en la asignación de sus recursos, un límite superior al precio que se quiera cobrar por estos servicios, de donde surge que la tarifa comercial-industrial no debería ser incrementada en más de un 7%.

Además, si se piensa que la política de mantener el sector oficial-preferencial con una tarifa igual a la tarifa media general debe continuar, lo indicado es entonces un aumento del 18% para estos usuarios.

Y, si desde el punto de vista de las pilas públicas se considera que, tanto por tener un consumo despreciable en relación al consumo total como por constituir el grupo social donde la política de subsidio es más importante, su tarifa no debe sufrir incremento alguno; no queda otro camino que ajustar el precio de venta al sector residencial en la medida necesaria para poder alcanzar el aumento promedio general del 18%. Dada la participación de los distintos sectores en el consumo total, el aumento a las residencias debería ascender al 22%.

Una vez analizado el problema desde un punto de vista intersectorial, queda por resolver que hacer desde la perspectiva interresidencial. La política tarifaria vigente actualmente en *Empresas* (véase cuadro 1) divide los suscriptores residenciales en ocho categorías de acuerdo con el monto del avalúo catastral de la propiedad en la cual habitan, variable que se considera representativa del nivel de ingreso de las familias, y cobra a cada una de ellas un cargo fijo que varía de acuerdo con el valor de la propiedad habitada (a mayor avalúo catastral mayor cargo fijo y viceversa), con lo cual confiere un carácter redistributivo a la política tarifaria. Existe, además, un cargo por consumo que no sólo aumenta con el avalúo sino que también lo hace de acuerdo con la utilización del servicio. La aplicación de las tasas marginales crecientes obedece a un doble propósito: contribuir a la redistribución del ingreso, aprovechando el hecho de que son las familias con mayores recursos las que más agua potable consumen, y racionalizar el uso de esta última al fijarle al usuario un costo mayor a medida que aumenta su consumo.

La observación aparente de que el consumo por instalación crece a medida que crece el avalúo catastral de las propiedades, esto es, a medida que aumenta el ingreso de las familias, unida a la comprobación de este mismo fenómeno en el servicio de energía eléctrica, ha sido la causa de que se empiecen a introducir tarifas con bloques crecientes en el servicio de acueducto

---

[1]Véase tabla A24 del anexo.

y alcantarillado. Sin embargo, apoyarse con fuerza en este mecanismo, especialmente si se trabaja con él como herramienta redistributiva, es erróneo.

Un análisis más cuidadoso del consumo de agua potable en relación con el nivel de ingreso, señala que si bien es cierto que el consumo promedio por instalación aumenta proporcionalmente con el consumo, no es menos cierto que la desviación tipo de ese consumo medio no solo es de magnitud apreciable, sino que también aumenta con el nivel de ingreso. Si se supone, por ejemplo, que el consumo medio de las familias que se encuentran clasificadas dentro de cada una de las categorías existentes, se distribuye normalmente, se tendría que para el caso de las familias de menores recursos (avalúos catastrales entre C$1 y C$10.000), más de un 25% tendría consumos superiores a 50 m³/mes; no obstante, aparece esta categoría con un consumo promedio de sólo 28,9 m³/ mes. Estos resultados ponen de manifiesto la fragilidad del argumento del diseño tarifario sobre la base de bloques crecientes, como elemento redistributivo en el caso de los servicios de acueducto y alcantarillado.

Es por esto que la utilización de variables tales como el avalúo catastral es imprescindible si se desea contribuir de manera efectiva a la redistribución del ingreso. Otro mecanismo de naturaleza similar al avalúo catastral, pero sin algunos de los problemas imputables a éste (la fácil distorsión de la estructura catastral en épocas inflacionarias y lo estático de la misma), es el de la estratificación detallada de la ciudad y el cobro del servicio de acuerdo con ella. El fundamento de este instrumento, que empieza a ser utilizado con éxito en algunas ciudades de Colombia, reside en la homogeneidad (incluido el aspecto ingreso) que presentan los barrios.

De regreso a las tarifas que actualmente se cobran a los suscriptores residenciales puede verse (tabla A24 del anexo), en primer lugar, que éstas varían ampliamente, pasando de C$4,07/m³ en la categoría de menores avalúos a C$15,07/m³ en la de mayores avalúos, tarifa que sigue por debajo del costo marginal estricto correspondiente a la prestación de estos servicios. No ocurre lo mismo con el costo marginal ajustado, el cual es superado por las tarifas correspondientes a las cuatro categorías con avalúos mayores. Llama la atención, en segundo lugar, el hecho de que la mayoría de los suscriptores se encuentre concentrado en las primeras categorías (véase tabla A23 del anexo). Esto dificulta enormemente el diseño tarifario por cuanto, de un lado, las sumas elevadas que se cobran a las familias clasificadas en las categorías más altas, apenas si se traducen en algunos miles de pesos, dado lo exiguo de su consumo agregado y, de otro lado, la política de subsidios amplios a los usuarios de menores recursos no puede practicarse con la precisión deseada.

Una reclasificación de los suscriptores residenciales para darle mayor juego a esta agrupación por categorías y una nivelación con el costo marginal estricto, de la tarifa correspondiente al grupo de usuarios que clasifique en la categoría donde se agrupen las familias de mayores ingresos, surgen como reformas convenientes a la estructura tarifaria vigente. El manejo de la relación entre cargo fijo y cargo por consumo y la determinación de los nuevos niveles tarifarios dependerá fundamentalmente, de la meta que se fijen las *Empresas* en lo que hace referencia al aumento de la tarifa media residencial, incremento que, como se vio anteriormente no debe ser menor del 22%.

Finalmente, no puede darse por terminada esta sección sin algunos comentarios acerca de lo que significa para las familias el acceso al servicio de acueducto y alcantarillado. Limitar el análisis social de la política tarifaria a su incidencia sobre los usuarios que actualmente gozan del servicio, equivale a olvidarse de las familias más necesitadas de la asistencia del estado. Selowsky, en un excelente estudio sobre el gasto público en Colombia[1], puso en evidencia la estrecha relación que existe entre el nivel de ingreso de las familias y el acceso a los servicios públicos. En el caso del suministro de agua potable y de la recolección y transporte de los residuos líquidos, los resultados señalan la existencia de un campo con un gran potencial redistributivo. La evidencia empírica que aporta este estudio (véase tabla A25 del anexo) es concluyente al indicar que la cobertura crece en relación directa con el ingreso y con la densidad del área poblada.

Entre las causas que explican estos resultados sobresale, en primer lugar, la capacidad de pago de las familias. Aquellas de menores recursos son incapaces, en muchos casos, de conseguir el dinero necesario para sufragar los costos de conexión al servicio. Este problema se agrava en algunas regiones del país por el hecho de que las empresas encargadas de prestar estos servicios cobran altos derechos de conexión, con lo cual limitan la demanda a los usuarios con un cierto nivel de recursos económicos. Un segundo factor es la posibilidad de un sesgo político en la asignación de los escasos recursos públicos en favor de la población con ingresos más elevados.

La evidencia empírica sugiere que el acceso a los servicios provee a las familias de un "excedente del consumidor" de tal magnitud, que éste puede superar fácilmente las ganancias netas derivadas de niveles altos de cantidad o de calidad del servicio. El costo de no tener uno o más servicios es elevado. La valorización del número de horas que la familia debe dedicar a la consecución de sustitutos bastante imperfectos, arroja cifras de proporciones considerables. *Ante la disyuntiva de garantizar tarifas bajas a los hogares que actualmente gozan del servicio o de exigirles un esfuerzo tarifario mayor con el propósito de poder conectar un número más alto de familias al servicio, la opción por esta última no parece dejar lugar a duda alguna.*

5. ALGUNOS RESULTADOS Y CONCLUSIONES

La demanda tanto por agua potable como por facilidades para la erradicación de los residuos líquidos, crece mes a mes de manera más o menos continua y no presenta estacionalidad alguna. La tasa anual de crecimiento prevista para el período 1981-2000 es igual al 3,8%; es, sin embargo, mucho mayor en la primera década (1981-1990), en la cual crece a un ritmo

---

[1]Selowsky, Marcelo. *Who Benefits from Government Expenditure? A Case Study of Colombia.* Oxford University Press, 1979.

del 6,1% anual, que en la segunda (1991-2000), en la cual el crecimiento promedio sólo alcanza el 1,5% anual.

Los costos marginales de operación de cada una de las fuentes presentan una gran dispersión, variando, en precios de mercado, desde un costo negativo (un beneficio) de C$1,18/m³ para la quebrada Piedras Blancas hasta un costo de C$4,48/m³ para la quebrada La Mosca. En precios frontera el rango es aún más amplio, tanto para la estación húmeda como para la estación seca. Esta gran dispersión se debe a la forma tan variada en que, total o parcialmente, se combinan los costos de oportunidad que presenta cada una de las fuentes, con los beneficios de la generación hidroeléctrica, los costos de bombeo y los costos de tratamiento del agua.

A partir de la estación seca de 1983 hasta la estación húmeda de 1987, se prevé la necesidad de apelar al racionamiento en cantidades que van desde un 7% en 1983, hasta un 11% en la estación seca de 1987, año a partir del cual se espera que no sea necesario tener que recurrir nuevamente a acciones de este tipo. Esto en cuanto a los racionamientos originados en la escasa disponibilidad del recurso agua, ya que los cuellos de botella que se presentan en el sistema de conducciones y los cuales sólo se espera superar definitivamente en 1984, impiden el acceso al servicio a los pobladores de ciertas zonas, incrementando así el racionamiento real que se presenta en el sistema.

El costo marginal de operación del sistema de acueducto exhibe una enorme irregularidad en 1981, 1982 y 1983, año que marca el inicio de un período de costos marginales crecientes que finaliza en 1988 con la entrada en operación del proyecto Río Grande. Además, el comportamiento estacional de este costo es bien distinto valorizado en precios de mercado y en precios frontera. Y, lo que es más importante, a partir de 1988 se distinguen dos zonas geográficas en el sistema de acueducto con costos marginales de operación muy diferentes. La zona sur, atendida desde la planta de La Ayurá, presenta un costo marginal que supera al del resto del sistema en un 200%, aproximadamente.

La construcción y puesta en marcha del proyecto Río Grande debe ser acelerada al máximo posible. La entrada en operación de esta obra permitirá liberar un caudal considerable del agua disponible en las cuencas de los ríos Piedras y Buey, para que a partir de ese momento pueda ser utilizada en la generación de energía, el abastecimiento de otros acueductos del Oriente Antioqueño o en otros proyectos. Permitirá, además, ahorrar en el valor del agua C$2,33/m³, en precios de mercado, por la operación de este proyecto como fuente "base" del sistema de acueducto.

El área interconectada del sistema de acueducto, como producto del plan de expansión que se ha definido, se ampliará considerablemente, incrementándose de esta manera el nivel de confiabilidad en la prestación del servicio. Sería muy interesante, sin embargo, profundizar aún más en el estudio de los costos y beneficios que producirá un esfuerzo de interconexión aún más ambicioso, tanto más que con la entrada en operación del proyecto Río Grande el sistema presentará una disponibilidad de agua barata que excederá los usos que ahora se le asignan.

El cálculo que se hizo de los costos de O&M y A&G para ambos sistemas, señala la importancia de proceder a su análisis detallado, antes que a la aplicación simple de coeficientes que suponen prácticas determinadas de acción o a la aplicación de simples regresiones con tiempo como variable independiente. Particularmente preocupantes aparecen los resultados de la proyección que se hizo de los costos de O&M para el sistema de alcantarillado.

La necesidad de establecer diferencias estacionales no aparece muy clara cuando se trata con precios de mercado. Sin embargo, en precios frontera, la importancia de esta diferenciación es notable: el costo marginal de la estación seca excede al de la estación húmeda en un 110% y en un 116%, dependiendo de si el bombeo se incluye o no.

La estructura de costos que resulta tanto para el acueducto como para el alcantarillado, es bastante simple e indica que los subsidios o recargos que se calculan en términos monetarios son también válidos en términos económicos, por cuanto al nivel de los usuarios finales no hay diferencia alguna, desde el punto de vista de los costos que éstos imponen a *Empresas*. Este es un resultado bien diferente al que se obtiene en una empresa de energía eléctrica que suministra servicios a varios niveles de voltaje.

La diferenciación entre precios de mercado y precios de eficiencia económica es, tanto para el acueducto como para el alcantarillado, de gran importancia cuando se trata de costos de volumen y despreciable cuando se trata de costos de capacidad. El manejo de la política de precios del sector de hidrocarburos en Colombia, es la causa de este resultado.

Aunque se presenta una diferencia entre los costos originados en los suscriptores que requieren del bombeo del agua tratada y aquellos que no lo necesitan (11% en precios de mercado y 18% en precios de eficiencia económica), lo relativamente pequeño de esta cifra y el hecho de que la mayoría de los usuarios que necesitan de los bombeos sean precisamente los de menores recursos económicos, hace impracticable el establecimiento de diferencias tarifarias de este tipo.

La tarifa correspondiente al agua cruda que el sistema de acueducto puede facilitar al sistema de energía (C$2,03/m³ en precios de mercado), se compara de manera satisfactoria con la tarifa equivalente por la que actualmente se hacen estas transacciones (C$1,70/m³). Parece conducente, sin embargo, pensar en un cobro al sistema de energía de acuerdo con el costo marginal estricto, dado el carácter prioritario del servicio de acueducto y las ventajas que arroja el ajuste de la estructura tarifaria a partir de los usuarios más significativos.

La tarifa que sobre la base del análisis marginalista resulta para el alcantarillado es igual al 43% de la que resulta para el acueducto. Sin embargo, se se tienen en cuenta los factores de ajuste que se sugieren en el texto, la proporción sería del 22%. El porcentaje que se utiliza actualmente para el cobro de estos dos servicios, el 30%, aparece coincidentemente en el medio de estas dos cifras. Parece conveniente entonces mantener esta proporción.

El programa de inversiones que se trazó en el sistema de acueducto para los años de 1981 y 1982 desborda la capacidad financiera del sistema y exige un replanteamiento, conducente al aplazamiento de algunas de las obras menos urgentes.

En ambos sistemas, acueducto y alcantarillado, los costos económicos son mayores que los costos financieros como consecuencia probable del esquema y de las condiciones de financiamiento elegidos por *Empresas*. En el caso del acueducto, esta situación se ve reforzada por la no inclusión dentro de los costos financieros del valor del agua, medido en términos de su costo de oportunidad.

Como consecuencia de esta diferencia, en ambos sistemas aparecen superávit apreciables que exigen la utilización de factores de ajuste que hagan compatibles los resultados financieros, no sólo con la adecuada utilización de los recursos económicos de *Empresas*, sino también con la realidad sociopolítica de la región a la cual sirven. El factor de ajuste que se sugiere para la tarifa consolidada es el 79%. La aplicación de este porcentaje significa una reducción de la diferencia que existe entre la tarifa media consolidada que se cobra actualmente y la que resulta del ejercicio marginalista, del 50% al 18%.

La estructura tarifaria que finalmente se propone está diseñada de tal manera que las familias de menores recursos de la población reciba un subsidio a costa de las familias de mayores ingresos y de los usuarios industriales y comerciales. En términos económicos estos últimos usuarios no pagarían más que el costo marginal ajustado del servicio.

La aplicación de tarifas residenciales diseñadas sobre la base de bloques crecientes de consumo no garantiza, para el servicio de acueducto y alcantarillado, una redistribución efectiva del ingreso.

Finalmente, dada la estrecha relación que existe entre el nivel de ingreso de las familias y el acceso a los servicios públicos, no queda duda alguna que entre la disyuntiva de garantizar unas tarifas más bajas a los hogares que actualmente gozan del servicio o exigirles un esfuerzo tarifario mayor con el propósito de poder conectar un número más alto de familias al servicio, esta última opción debe ser la elegida.

ANEXO ESTADISTICO

Tabla A1. Factores de conversión para la obtención de los precios frontera

Insumo	Factor de conversión[1]
Mano de obra calificada	0,94
Mano de obra semicalificada	0,81
Mano de obra no calificada	0,66
Equipos y maquinaria	0,86
Materiales	0,87
Transporte (fletas y seguros)	0,96
Administración y utilidades	0,94
Terrenos, servidumbres e indemnizaciones	1,00
Imprevistos físicos[2]	
Ingeniería y administración	0,94

[1]De las dos opciones disponibles en el trabajo de Schohl se eligió aquella que corresponde a la hipótesis de que para 1982 los subsidios al petróleo crudo y a la gasolina serán reducidos a una tercera parte de lo que fueron sus niveles al final de 1977.
[2]Promedio ponderado de los insumos que lo anteceden para cada caso en particular.

Tabla A2. Factores de conversión en las centrales hidroeléctricas

Central Hidroeléctrica	Factor de Conversión		Existentes	Proyectadas	Fecha de Entrada en Operación	
	kWh/m³	kW/m³/s*			Año	Estación
Guatapé	1,915	6,894	x		En Operación	
Playas	0,433	1,559		x	1986	Seca
San Carlos	1,347	4,849		x	1983	Seca**
Ayurá	0,440	1,584		x	1982	Seca
Piedras Blancas	1,264	4,550	x		En Operación	
Mocorongo	0,672	2,419	x		En Operación	
Río Grande	2,146	7,726		x	1988	Seca
Guasimalito	1,059	3,812		x	1988	Seca
Fabricato (La García)	1,510	5,436	x		En Operación	

*(kWh/m³) × 3600
**Primera etapa.

Tabla A.3. Programa de inversiones: precios de mercado
(Millones de pesos de diciembre 31 de 1980)

Tipo de Proyecto	1981	1982	1983	1984	1985	1986	1987	1988	1989	1990	Valor Presente a XII-31-80*
Producción y Conducción a Plantas	448,77	714,34	140,29	366,27	268,31	83,99	85,36	109,57	88,30	89,85	1.641,22
Plantas de Tratamiento	72,44	31,38	31,38	18,09	—	168,18	504,54	—	—	—	436,96
Conducciones Agua Tratada	551,37	547,07	132,77	—	194,99	247,56	247,56	247,56	247,56	247,56	1.639,93
Bombeos Agua Tratada	16,86	134,19	12,87	—	40,21	40,21	40,21	40,21	40,21	40,21	236,25
Tanques de Distribución	944,36	156,42	—	—	—	169,68	113,11	169,68	169,68	113,11	1.271,14
Red de Distribución											1.371,78
— Habilitación Viviendas	31,89	28,03	—	31,58	32,72	33,90	35,14	36,40	37,73	39,10	163,42
— Municipios	114,31	223,12	308,90	42,63	44,17	45,78	47,43	49,16	50,94	52,78	651,90
— Particulares	138,56	142,47	171,59	55,25	57,26	59,30	61,49	63,71	66,03	68,42	556,46
Instalaciones Domiciliarias:											597,29
— Habilitación Viviendas	25,16	12,77	—	14,09	14,10	14,03	14,04	14,02	14,05	14,04	78,31
— Municipios	—	36,82	67,72	17,56	18,99	20,63	22,21	23,91	25,72	27,66	147,83
— Particulares	103,79	130,35	92,75	28,91	30,53	32,25	34,04	35,95	37,97	40,09	371,15

*Tasa de descuento = 12%.

Tabla A4-a. Costos marginales de operación en los sistemas La Fe-La Ayurá y Piedras Blancas-Villa Hermosa: Componentes en precios de mercado (Pesos de diciembre 31 de 1980)

	Código	Costos de Energía			Costos de Materiales			Costos Totales C$/m³
		kWh/m³	C$/kWh	C$/m³	kg/m³	C$/kg	C$/m³	
A. Sistemas de Producción								
La Fe-La Ayurá								
Bombeo Río Piedras-Pantanillo:								
— Años 1981 y 1982	a_1	1,44	0,965	1,39				1,39
— Años 1983 y siguientes	a_2	1,50	0,965	1,45				1,45
Costo de Oportunidad en Río Piedras:*								
— Años 1981 y 1982	a_3	—	—	0,62				0,62
— Años 1983 a 1985	a_4	—	—	1,96				1,96
— Años 1986 y siguientes	a_5	—	—	2,42				2,42
Costo de Oportunidad en Pantanillo y La Fe:								
— Años 1981 y 1982	a_6	1,92	1,045	2,01				2,01
— Años 1983 a 1985	a_7	3,26	1,045	3,41				3,41
— Años 1986 y siguientes	a_8	3,70	1,045	3,87				3,87
— Bombeo Pantanillo-La Fe	a_9	0,11	0,965	0,11				0,11
— Generación en La Ayurá	a_{10}	0,44	1,045	0,46				0,46

	Símbolo						
Costos de Tratamiento:	a_{11}					0,12	0,12
— Alumbre	a_{111}			0,01088	6,57	0,07	
— Cal	a_{112}			0,00199	3,20	0,01	
— Cloro	a_{113}			0,00125	23,82	0,03	
— Flúor	a_{114}			0,00043	25,83	0,01	
B. Sistema de Producción *Piedras Blancas-Villa Hermosa:*							
Precloración La Mosca	b_1			0,00109	23,82	0,03	0,03
Costo de Oportunidad en La Mosca:							
— Años 1981 y 1982	b_2	1,92	1,045	2,01			2,01
— Años 1983 a 1985	b_3	3,26	1,045	3,41			3,41
— Años 1986 y siguientes	b_4	3,70	1,045	3,87			3,87
— Bombeo La Mosca La Honda	b_5	0,19	0,965	0,18			0,18
— Bombeo La Honda-Piedras Blancas	b_6	1,64	0,965	1,58			1,58
— Generación en Piedras Blancas	b_7	1,26	1,045	1,32			1,32
Costos de Tratamiento:	b_8					0,14	0,14
— Alumbre	b_{81}			0,01535	6,57	0,10	
— Cal	b_{82}			0,00139	3,20	0,00	
— Cloro	b_{83}			0,00084	23,82	0,02	
— Flúor	b_{84}			0,00080	25,83	0,02	

*Es igual al costo de oportunidad en el Pantanillo y La Fe menos el costo de bombeo ese sitio.

Tabla A4-b. Costos Marginales de operación en los sistemas La García-Pedregal, La Iguaná-San Cristóbal y Río Grande-Bello: Componentes en precios de mercado. (Pesos de diciembre 31 de 1980)

	Código	Costos de Energía			Costos de Materiales			Costos Totales C$/m³
		kWh/m³	C$/kWh	C$/m³	kg/m³	C$/kg	C$/m³	
C. Sistema de Producción La García-Pedregal								
Costos de Tratamiento:	c_1						0,26	0,26
— Alumbre	c_{11}				0,02954	6,57	0,19	
— Cal	c_{12}				0,00700	3,20	0,02	
— Cloro	c_{13}				0,00130	23,82	0,03	
— Flúor	c_{14}				0,00075	25,83	0,02	
D. Sistema de Producción La Iguaná-San Cristóbal								
Costos de Tratamiento:	d_1						0,20	0,20
— Alumbre	d_{11}				0,02250	6,57	0,15	
— Cal	d_{12}				0,00411	3,20	0,01	
— Cloro	d_{13}				0,00092	23,82	0,02	
— Flúor	d_{14}				0,00084	25,83	0,02	
E. Sistema de Producción Río Grande-Bello								
Costo de Oportunidad en Río Grande	e_1	2,15	1,045	2,27				2,27
Generación en Guasimalito	e_2	1,06	1,045	1,11				1,11
Costos de tratamiento	e_3						0,12	0,12

Tabla A5-a. Costos marginales de operación en los sistemas La Fe-La Ayurá y Piedras Blancas-Villa Hermosa: Componentes en precios frontera
(Pesos de diciembre 31 de 1980)

Código	Costos de Potencia kW/m³/s	C$/kW/Año	C$millones m³/s/Año	Costos de Energía kWh/m³	Estación Seca C$/kWh	Estación Seca C$/m³	Estación Húmeda C$/kWh	Estación Húmeda C$/m³	Costos de Materiales kg/m³	C$/kg	C$/m³	Capacidad C$millones m³/s/año	Costos Totales Volumen E. Seca C$/m³	E. Húmeda C$/m³
A. Sistemas de Producción La Fe														
La Ayurá														
Bombeo Río Piedras-Pantanillo:														
A_1 Años 1981 y 1982	5,170	9,192	47.52	1.44	4.51	6.49	2.40	3.46	—	—	—	47.52	6.49	3.46
A_2 Años 1983 y siguientes	5,390	9,192	49.54	1.50	4.51	6.77	2.40	3.60	—	—	—	49.54	6.77	3.60
Costo de Oportunidad en Río Piedras*:														
A_3 Años 1981 y 1982	—	—	(1.38)	—	—	1.38	—	0.73	—	—	—	(1.38)	1.38	0.73
A_4 Años 1983 a 1985	—	—	29.06	—	—	6.60	—	3.51	—	—	—	29.06	6.60	3.51
A_5 Años 1986 y siguientes	—	—	39.49	—	—	8.40	—	4.47	—	—	—	39.49	8.40	4.47
Costo de Oportunidad en Pantanillo y La Fe:														
A_6 Años 1981 y 1982	6,894	6,693	46.14	1.92	4.10	7.87	2.18	4.19	—	—	—	46.14	7.87	4.19
A_7 Años 1983 a 1985	11,743	6,693	78.60	3.26	4.10	13.37	2.18	7.11	—	—	—	78.60	13.37	7.11
A_8 Años 1986 y siguientes	13,302	6,693	89.03	3.70	4.10	15.17	2.18	8.07	—	—	—	89.03	15.17	8.07
A_9 Bombeo Pantanillo La Fe	388	9,192	3.57	0.11	4.51	0.50	2.40	0.26	—	—	—	3.57	0.50	0.26
A_{10} Generación en La Ayurá	1,584	6,693	10.60	0.44	4.10	1.80	2.18	0.96	—	—	—	10.60	1.80	0.96
Costos de Tratamiento:														
A_{111} Alumbre	—	—	—	—	—	—	—	—	0.01088	7.28	0.11	—	0.11	0.11
A_{112} Cal	—	—	—	—	—	—	—	—	0.00199	2.85	0.08	—	—	—
A_{113} Cloro	—	—	—	—	—	—	—	—	0.00125	10.69	0.01	—	—	—
A_{114} Flúor	—	—	—	—	—	—	—	—	0.00043	15.81	0.01	—	—	—
B. Sistema de Producción Piedras Blancas-Villa Hermosa														
B_1 Precloración La Mosca	—	—	—	—	—	—	—	—	0.00109	10.69	0.01	—	0.01	0.01
Costo de Oportunidad La Mosca:														
B_2 Años 1981 y 1982	6,894	6,693	46.14	1.92	4.10	7.87	2.18	4.19	—	—	—	46.14	7.87	4.19
B_3 Años 1983 a 1985	11,743	6,693	78.60	3.26	4.10	13.37	2.18	7.11	—	—	—	78.60	13.37	7.11
B_4 Años 1986 y siguientes	13,302	6,693	89.03	3.70	4.10	15.17	2.18	8.07	—	—	—	89.03	15.17	8.07
B_5 Bombeo La Mosca-La Honda	679	9,192	6.24	0.19	4.51	0.86	2.40	0.46	—	—	—	6.24	0.86	0.46
B_6 Bombeo La Honda-Piedras Blancas	5,893	9,192	54.17	1.64	4.51	7.40	2.40	3.94	—	—	—	54.17	7.40	3.94
B_7 Generación en Piedras Blancas	4,550	6,693	30.45	1.26	4.10	5.17	2.18	2.75	—	—	—	30.45	5.17	2.75
Costos de Tratamiento:														
B_{81} Alumbre	—	—	—	—	—	—	—	—	0.01535	7.28	0.13	—	0.13	0.13
B_{82} Cal	—	—	—	—	—	—	—	—	0.00139	2.85	0.11	—	—	—
B_{83} Cloro	—	—	—	—	—	—	—	—	0.00084	10.69	0.00	—	—	—
B_{84} Flúor	—	—	—	—	—	—	—	—	0.00080	15.81	0.01	—	—	—

*Es igual al costo de oportunidad en Pantanillo y La Fe menos el costo de bombeo hasta ese sitio.

Tabla A5-b. Costos marginales de operación en los sistemas La García-Pedregal, La Iguaná-San Cristóbal y Río Grande-Bello: Componentes en precios frontera
(Pesos de diciembre 31 de 1980)

| Código | Costos de Potencia | | | Costos de Energía | | | | | Costos de Materiales | | | Capacidad | Costos Totales Volumen | |
	kW/m³/s	C$/kW/Año	C$millones m³/s/Año	Estación Seca kWh/m³	C$/kWh	C$/m³	Estación Húmeda C$/kWh	C$/m³	kg/m³	C$/kg	C$/m³	$millones m³/s/año	E. Seca C$m³	E. Húmeda C$/m³
C. Sistemas de Producción La García-Pedregal														
Costos de Tratamiento: C_1	—	—	—	—	—	—	—	—	—	—	0,26	—	0,26	0,26
— Alumbre C_{11}	—	—	—	—	—	—	—	—	0,02954	7,28	0,22	—	—	—
— Cal C_{12}	—	—	—	—	—	—	—	—	0,00700	2,85	0,02	—	—	—
— Cloro C_{13}	—	—	—	—	—	—	—	—	0,00130	10,69	0,01	—	—	—
— Flúor C_{14}	—	—	—	—	—	—	—	—	0,00075	15,81	0,01	—	—	—
D. Sistemas de Producción La Iguaná-San Cristóbal														
Costos de Tratamiento: D_1	—	—	—	—	—	—	—	—	—	—	0,19	—	0,19	0,19
— Alumbre D_{11}	—	—	—	—	—	—	—	—	0,02250	7,28	0,16	—	—	—
— Cal D_{12}	—	—	—	—	—	—	—	—	0,00411	2,85	0,01	—	—	—
— Cloro D_{13}	—	—	—	—	—	—	—	—	0,00092	10,69	0,01	—	—	—
— Flúor D_{14}	—	—	—	—	—	—	—	—	0,00084	15,81	0,01	—	—	—
E. Sistemas de Producción Río Grande-Bello														
Costo de Oportunidad en Río Grande E_1	7,726	6.693	51,71	2,15	4,10	8,82	2,18	4,69	—	—	—	51,71	8,82	4,69
Generación en Guasimalito E_2	3,812	6.693	25,51	1,06	4,10	4,35	2,18	2,31	—	—	—	25,51	4,35	2,31
Costos de Tratamiento E_3	—	—	—	—	—	—	—	—	—	—	0,11	—	0,11	0,11

Tabla A6. Bombeos de agua tratada existente actualmente

Bombeo	Altura (m)	Capacidad (m³/s)
Villa Hermosa—Versalles	148,0	0,350
Pedregal—Picacho	149,0	0,337
América—Belencito	83,0	0,208
Limoncito—Santa Elena	63,5	0,231
Los Parras—El Tesoro	119,0	0,150
Berlín—Moscú	158,0	0,360
Volador—Robledo	97,0	0,360
Picacho—Doce de Octubre	84,0	0,154
Castilla—Pedregal	97,5	0,400
Niquia	143,0	0,015

Tabla A7. Costos de operación y mantenimiento
(Precios de mercado de diciembre 31 de 1980: Miles de pesos)

Año	COSTOS DE CAPACIDAD				COSTOS DE VOLUMEN					Costos Totales
	Captación	Trata-miento	Distribu-ción	Total	Producción Bombeos	Preclo-ración	Tratamiento	Distribución Bombeos	Total	
1980	8.403,7	39.270,0	218.141,7	265.815,4	97.740,0	—	28.359,5	12.352,0	138.451,5	417.671,2
1981	8.403,7	39.270,0	231.546,0	279.219,7	116.188,5	—	29.835,4	13.060,4	159.084,3	450.701,6
1982	8.403,7	39.270,0	243.943,6	291.617,3	148.226,3	145,0	33.012,8	14.967,7	196.351,8	497.462,3
1983	8.403,7	39.270,0	253.436,8	301.110,5	217.704,1	145,9	38.031,7	17.176,3	273.058,0	583.066,6
1984	8.403,7	39.270,0	262.334,9	310.008,6	224.531,4	145,0	38.514,6	17.637,8	280.828,8	601.542,4
1985	8.403,7	39.270,0	273.039,9	320.713,6	226.306,5	284,6	39.238,1	18.146,5	283.975,7	616.127,2
1986	8.403,7	39.270,0	284.487,8	332.151,5	226.894,2	382,5	39.695,2	18.636,8	285.608,7	629.517,1
1987	8.403,7	39.270,0	296.234,7	343.908,4	63.430,7	—	44.637,4	20.163,6	128.231,7	501.934,9
1988	8.403,7	56.918,4	308.381,1	373.703,2	69.443,1	—	45.426,8	20.544,5	135.414,4	521.629,6
1989	8.403,7	56.918,4	320.893,1	386.215,2	75.634,8	—	46.524,3	21.071,2	143.230,3	542.347,1
1990	8.403,7	56.918,4	333.794,7	399.116,8						

Tabla A8. Costos incrementales de operación y mantenimiento: Costos de capacidad
(Precios de mercado de diciembre 31 de 1980: Millones de pesos)

Proceso	1981	1982	1983	1984	1985	1986	1987	1988	1989	1990	Valor Presente a XII-31-80*
Captación	—	—	—	—	—	—	—	—	—	—	—
Tratamiento	—	—	—	—	—	—	—	43,70	—	—	17,65
Distribución	13,40	12,40	9,49	8,90	10,71	11,44	11,76	12,15	12,51	12,90	65,02

*Tasa de descuento = 12%.

Tabla A9. Costos de administración y generales
(Precios de mercado de diciembre 31 de 1980: Millones de pesos)

	1980	1981	1982	1983	1984	1985	1986	1987	1988	1989	1990	Valor Presente a XII-31-80*
Costos de Capacidad												
Totales	133,33	146,82	161,22	177,11	194,67	214,07	235,53	259,28	285,56	314,69	346,96	
Incrementales		13,49	14,40	15,89	17,56	19,40	21,46	23,75	26,29	29,12	32,27	110,13
Costos de Clientela:												
Totales	14,59	14,96	15,81	16,78	17,87	19,09	20,47	22,02	23,79	25,80	28,11	
Incrementales		0,35	0,87	0,97	1,09	1,22	1,38	1,55	1,77	2,01	2,31	6,67
Costos totales de A&G	147,91	161,75	177,03	193,89	212,54	233,16	256,00	281,30	309,35	340,49	375,06	

*Tasa de descuento = 12%.

Tabla A10. Costos incrementales promedio a largo plazo: Precios de mercado
(Pesos de diciembre 31 de 1980)

| | CAPACIDAD (C$ × 10⁶) | | | | | CLIENTELA (C$) | | | |
| | Inversión | | | | | Inversión | | | |
Tipo de Proyecto	Sin Anualizar /m³/s	Anuali- zada* /m³/s/año	O&M /m³/s/año	A&G /m³/s/año	Total /m³/s/año	Sin Anualizar /Inst.	Anuali- zada* /Inst/año	A&G /Inst/año	Total /Inst/año
Producción y Conducción a Plantas	—	—	—	17,48	17,48	—	—	—	—
Plantas de Tratamiento	105,55	12,71	4,26	—	16,97	—	—	—	—
Conducciones Agua Tratada	439,66	54,58	3,59	—	58,17	—	—	—	—
Bombeos Agua Tratada	63,34	8,08	4,14	—	12,22	—	—	—	—
Tanques de Distribución	340,79	41,04	2,78	—	43,82	—	—	—	—
Red de Distribución	—	—	3,00	—	3,00	17.343	2.153	—	2.153
— Habilitación Viviendas	—	—	3,00	—	3,00	10.881	1.351	—	1.351
— Municipios	—	—	3,00	—	3,00	33.494	4.158	—	4.158
— Particulares	—	—	3,00	—	3,00	12.472	1.548	—	1.548
Instalaciones Domiciliarias	—	—	3,92	—	3,92	7.551	963	84	1.047
— Habilitación Viviendas	—	—	3,92	—	3,92	5.214	665	84	749
— Municipios	—	—	3,92	—	3,92	7.595	968	84	1.052
— Particulares	—	—	3,92	—	3,92	8.319	1.061	84	1.145

*El número de años sobre los cuales se anualizó cada uno de estos proyectos es el correspondiente a la vida útil contemplada para los mismos. Así, producción y conducción a plantas, plantas y tanques se anualizaron sobre 50 años; conducciones y red sobre 30 años, y bombeos e instalaciones sobre 25 años.

Tabla A11. Estructura estricta de costos marginales después de ajustes por pérdidas: Precios de mercado
(Pesos de diciembre 31 de 1980)

Nivel	COSTOS DE VOLUMEN		COSTOS DE CAPACIDAD	COSTOS DE CLIENTELA	
	Estación Seca C\$/m³	Estación Húmeda C\$/m³	Ambas Estaciones C\$10⁶/m³/s/año	Asumidos por Las Empresas C\$/Inst/año	Asumidos por los Usuarios C\$/Inst/año
Agua Cruda					
— Para Generación de Energía aguas abajo del Río Negro	1,39	1,39	17,48	84	—
— En Plantas de Tratamiento	2,12	1,88	17,48	84	—
Agua Tratada en Plantas	2,24	2,00	34,45	84	—
Agua Tratada en Tanques de Distribución					
— Sin Bombeo	2,29	2,04	139,22	84	—
— Con Bombeo	2,65	2,41	151,69	84	—
Agua Tratada en Contadores					
— Sin Bombeo					
Usuarios Habilitación Viviendas	3,37	3,00	214,91	84	3.116
Usuarios Municipios	3,37	3,00	214,91	84	2.016
Resto de Usuarios	3,37	3,00	214,91	84	5.126
	3,37	3,00	214,91	84	2.609
— Con Bombeo					
Usuarios Habilitación Viviendas	3,90	3,54	233,25	84	3.116
Usuarios Municipios	3,90	3,54	233,25	84	2.016
Resto de Usuarios	3,90	3,54	233,25	84	5.126
	3,90	3,54	233,25	84	2.609

Tabla A12. Estructura estricta de costos marginales después de ajustes por pérdidas: Precios frontera
(Pesos de diciembre 31 de 1980)

Nivel	COSTOS DE VOLUMEN		COSTOS DE CAPACIDAD	COSTOS DE CLIENTELA	
	Estación Seca C$/m³	Estación Húmeda C$/m³	Ambas Estaciones C$10⁶/m³/s/año	Asumidos por Las Empresas C$/Inst/año	Asumidos por los Usuarios C$/Inst/año
Agua Cruda					
— Para Generación de Energía aguas abajo del Río Negro	6,49	3,46	15,03	72	—
— En Plantas de Tratamiento	8,37	3,82	15,03	72	—
Agua Tratada en Plantas	8,48	3,93	30,44	72	—
Agua Tratada en Tanques de Distribución					
— Sin Bombeo	8,65	4,01	123,70	72	—
— Con Bombeo	10,38	4,93	148,21	72	—
Agua Tratada en Contadores					
— Sin bombeo					
Usuarios Habilitación Viviendas	12,73	5,90	190,41	72	2.677
Usuarios Municipios	12,73	5,90	190,41	72	1.732
Restos de Usuarios	12,73	5,90	190,41	72	4.405
	12,73	5,90	190,41	72	2.241
— Con bombeo					
Usuarios Habilitación Viviendas	15,26	7,25	217,96	72	2.677
Usuarios Municipios	15,26	7,25	217,96	72	1.732
Restos de Usuarios	15,26	7,25	217,96	72	4.405
	15,26	7,25	217,96	72	2.241

Tabla A13. Programa de inversiones alcantarillado: Precios de mercado
(Millones de pesos de diciembre 31 de 1980)

Tipo de Proyecto	1981	1982	1983	1984	1985	1986	1987	1988	1989	1990	Valor Presente a XII-31-80*
Instalaciones Domiciliarias:											619,70
— Habilitación Viviendas	9,13	82,55	—	—	8,52	10,34	10,34	10,34	10,34	10,34	99,94
— Municipios	11,89	48,19	61,72	—	34,12	33,40	37,17	38,60	41,44	44,42	190,90
— Particulares	52,58	46,66	46,66	46,66	62,46	64,52	69,82	71,83	75,85	80,05	328,86
Redes de Recolección:											2.804,54
— Habilitación Viviendas	49,83	12,94	—	114,30	120,36	126,43	132,92	139,42	146,77	153,70	478,65
— Municipios	50,61	162,39	150,79	181,39	190,06	199,73	209,92	220,63	231,33	243,55	952,19
— Particulares	285,85	10,70	334,75	235,40	247,12	259,85	273,11	286,86	301,63	316,92	1.373,70

*Tasa de descuento = 12%.

Tabla A14. Costos de operación y mantenimiento y de administración y generales alcantarillado: Precios de mercado
(Millones de pesos de diciembre 31 de 1980)

Proceso	1980	1981	1982	1983	1984	1985	1986	1987	1988	1989	1990	Valor Presente a XII-31-80*
Operación y Mantenimiento												
— Costos Totales	58,82	60,98	74,95	93,12	116,97	148,61	191,12	248,98	328,70	440,18	598,13	
— Costos Incrementales		2,16	13,98	18,17	23,85	31,64	42,51	57,86	79,72	111,48	157,95	230,07
Administración y Generales												
• Costos de Capacidad												
— Costos totales	33,22	35,07	40,79	47,99	57,15	68,97	84,52	105,22	133,29	172,04	226,34	
— Costos Incrementales		1,85	5,72	7,20	9,16	11,82	15,55	20,70	28,07	38,75	54,30	83,90
• Costos de Clientela												
— Costos Totales	3,96	4,07	4,32	4,60	4,91	5,21	5,62	6,06	6,55	7,10	7,73	
— Costos Incrementales		0,11	0,25	0,28	0,31	0,34	0,37	0,44	0,49	0,55	0,63	1,87
• Costos Totales A&G	37,18	39,14	45,11	52,59	62,06	74,22	90,14	111,28	139,84	179,14	234,07	

*Tasa de descuento = 12%.

Tabla A15. Costos incrementales promedio a largo plazo: Precios de mercado
(Pesos de diciembre 31 de 1980)

Tipo de Proyecto	CAPACIDAD (C$ × 10⁶)					CLIENTELA (C$)			
	Inversión		O&M /m³/s/año	A&G /m³/s/año	Total /m³/s/año	Inversión		A&G /Inst/año	Total /Inst/año
	Sin Anualizar /m³/s	Anualizada* /m³/s/año				Sin Anualizar /Inst.	Anualizada* /Inst/año		
Instalaciones Domiciliarias	—	—	35,13	32,15	67,28	7.381	941	22	963
— Habilitación Viviendas	—	—	35,13	32,15	67,28	6.239	795	22	817
— Municipios	—	—	35,13	32,15	67,28	7.637	974	22	996
— Particulares	—	—	35,13	32,15	67,28	7.658	976	22	998
Red de Recolección	—	—	53,02	—	53,02	33.402	4.147	—	4.147
— Habilitación Viviendas	—	—	53,02	—	53,02	29.880	3.709	—	3.709
— Municipios	—	—	53,02	—	53,02	38.091	4.729	—	4.729
— Particulares	—	—	53,02	—	53,02	31.987	3.971	—	3.971

*El número de años sobre los cuales se anualizó cada uno de estos proyectos es el correspondiente a la vida útil contemplada para los mismos. Así, las instalaciones se anualizaron sobre 25 años y la red de recolección sobre 30 años.

Tabla A16. Estructura estricta de costos marginales después de ajustes por pérdidas
(Pesos de diciembre 31 de 1980)

| | CAPACIDAD (C$ × 10⁶) | | | CLIENTELA (C$) | | | | | |
| | | | | Asumido por *Las Empresas* | | | Asumido por Los Usuarios | | |
Nivel	Precios Mercado m³/s/año	Precios Frontera m³/s/año	Precios Eficiencia Económica m³/s/año	Precios Mercado /Inst/año	Precios Frontera /Inst/año	Precios Eficiencia Económica /Inst/año	Precios Mercado /Inst/año	Precios Frontera /Inst/año	Precios Eficiencia Económica /Inst/año
Agua Servida Derramada en Redes de Recolección	87,72	77,26	83,08	22	19	20	941	808	869
— Usuarios Habilitación Viviendas	87,72	77,26	83,08	22	19	20	795	683	734
— Usuarios Municipios	87,72	77,26	83,08	22	19	20	974	836	899
— Resto de Usuarios	87,72	77,26	83,08	22	19	20	976	839	902
Agua Servida Derramada en el Río Medellín	156,84	139,47	149,97	22	19	20	5.088	4.373	4.702
— Usuarios Habilitación Viviendas	156,84	139,47	149,97	22	19	20	4.504	3.869	4.160
— Usuarios Municipios	156,84	139,47	149,97	22	19	20	5.703	4.898	5.267
— Resto de Usuarios	156,84	139,47	149,97	22	19	20	4.947	4.250	4.570

Tabla A17. Bases para las proyecciones

Año	Inflación (%) interna	Inflación (%) externa	Devaluación nominal (%)
1981	27,0	9,0	16,3
1982	25,0	8,5	16,6
1983	23,0	7,5	15,0
1984	22,0	7,5	14,4
1985	20,0	7,5	13,1
1986	18,0	6,0	12,0
1987	18,0	6,0	12,0
1988	18,0	6,0	12,0
1989	18,0	6,0	12,0
1990	18,0	6,0	12,0

Tabla A18. Ingresos por concepto de generación en el complejo Guatapé-Playas-San Carlos (Miles de pesos de diciembre 31 de 1980)

Año	Estación	Volumen Máximo Aprovechable Miles m³	Volumen Para Acueducto Miles m³	Volumen Para Generación Miles m³	Costo del Bombeo Unitario C$/m³	Costo del Bombeo Total Miles C$	Ingreso de Generación Unitario C$/m³	Ingreso de Generación Total Miles C$	Beneficio Neto Total Miles C$	Participación Acueducto* Miles C$
1981	S	33.921	27.863	6.058	1,39	8.421	2,01	12.177	3.756	1.878
	H	55.469	18.754	36.715	1,39	51.034	2,01	73.797	22.763	11.382
1982	S	33.921	32.844	1.077	1,39	1.497	2,01	2.165	668	334
	H	55.469	26.072	29.397	1,39	40.862	2,01	59.088	18.226	9.113
1983	S	33.921	33.981	—	1,45	—	3,41	—	—	—
	H	73.958	45.774	28.184	1,45	40.867	3,41	96.107	55.240	27.620
1984	S	52.531	52.531	—	1,45	—	3,41	—	—	—
	H	73.958	68.587	5.371	1,45	7.788	3,41	18.315	10.527	5.264
1985	S	52.186	52.186	—	1,45	—	3,41	—	—	—
	H	73.958	73.357	601	1,45	871	3,41	2.049	1.178	589
1986	S	52.186	52.186	—	1,45	—	3,87	—	—	—
	H	73.958	73.958	—	1,45	—	3,87	—	—	—
1987	S	52.186	52.186	—	1,45	—	3,87	—	—	—
	H	73.958	73.958	—	1,45	—	3,87	—	—	—
1988	S	52.531	10.768	41.763	1,45	60.556	3,87	161.623	101.067	50.534
	H	73.958	12.018	61.940	1,45	89.813	3,87	239.708	149.895	74.948
1989	S	52.186	12.264	39.922	1,45	57.887	3,87	154.498	96.611	48.306
	H	73.958	14.421	59.537	1,45	86.329	3,87	230.408	144.079	72.040
1990	S	52.186	13.829	38.357	1,45	55.618	3,87	148.442	92.824	46.412
	H	73.958	16.825	57.133	1,45	82.843	3,87	221.105	138.261	69.131

*Disposiciones internas de las Empresas Públicas de Medellin establecen que esta participación sea igual al 50% del beneficio neto total.

Tabla A19. Estado de operaciones: Sistema de acueducto y alcantarillado consolidado
(Millones de pesos corrientes)

		1981	1982	1983	1984	1985	1986	1987	1988	1989	1990
I	Ingresos										
A	Acueducto	1.657,08	2.201,11	3.154,82	4.373,35	5.423,13	6.633,47	8.042,64	10.788,56	12.959,96	15.643,13
B	Alcantarillado	606,09	807,18	1.146,99	1.608,57	2.000,72	2.449,54	2.966,71	3.785,88	4.555,82	5.526,24
	TOTAL INGRESOS	2.263,17	3.008,29	4.301,81	5.981,92	7.423,85	9.083,01	11.009,35	14.574,44	17.515,78	21.169,37
II	GASTOS										
A	Operación	539,44	746,43	1.040,01	1.509,97	1.956,56	2.504,89	3.217,05	3.589,17	4.904,27	6.862,25
B	Administración	438,52	606,97	837,51	1.162,76	1.551,69	2.040,28	2.724,21	3.712,55	4.891,31	6.515,21
C	Depreciación	145,56	190,51	248,40	529,35	631,28	742,15	934,07	1.162,64	1.461,54	1.842,78
	TOTAL GASTOS	1.123,52	1.543,91	2.125,92	3.202,08	4.139,53	5.287,32	6.875,33	8.464,36	11.257,12	15.220,24
III	PRODUCTO DE OPERACION	1.139,65	1.464,38	2.175,89	2.779,84	3.284,32	3.795,69	4.134,02	6.110,08	6.258,66	5.949,13
IV	OTROS PRODUCTOS NO OPERATIVOS	75,90	85,44	183,89	353,66	592,03	739,97	882,08	1.059,42	1.211,18	1.464,26
V	UTILIDAD ANTES DE APORTES	1.215,55	1.549,82	2.359,78	3.133,50	3.876,35	4.535,66	5.016,10	7.169,50	7.469,84	7.413,39
VI	APORTES AL MUNICIPIO	49,31	65,26	92,92	129,07	159,85	195,45	237,98	314,44	377,68	458,52
VII	AUMENTO PATRIMONIAL	1.166,24	1.484,56	2.266,86	3.004,43	3.716,50	4.340,21	4.778,12	6.855,06	7.092,16	6.954,87

Tabla A20. Estado de fuentes y usos de fondos: Sistemas de acueducto y alcantarillado consolidado
(Millones de pesos corrientes)

	1981	1982	1983	1984	1985	1986	1987	1988	1989	1990
I FUENTES										
A Generación Interna Neta de Fondos										
1. Generación Interna de Fondos	2.224,60	2.604,43	4.342,81	5.146,13	6.404,61	7.611,94	8.505,64	11.344,34	12.508,54	13.527,94
2. Menos: Servicio de la Deuda	246,00	264,00	324,44	614,67	845,38	859,92	912,12	1.911,41	2.077,41	2.147,68
Total Generación Interna Neta de Fondos	1.978,60	2.340,43	4.018,37	4.531,46	5.559,23	6.752,02	7.593,01	9.432,93	10.431,13	11.380,26
B Préstamos	1.594,78	1.791,99	1.429,02	1.271,83	1.806,94	2.540,15	3.600,64	3.435,82	4.003,85	4.838,03
TOTAL FUENTES	3.573,38	4.132,42	5.447,39	5.803,29	7.366,17	9.292,17	11.193,65	12.868,75	14.434,98	16.218,29
II USOS										
A Inversiones	3.291,55	3.697,78	2.827,93	2.485,14	3.559,83	4.995,15	7.098,46	6.731,47	8.084,72	9.457,52
B Interes es de Construcción	137,79	153,14	198,31	191,93	246,48	375,18	539,89	504,07	604,36	704,37
C Incrementos en Capital de Trabajo	(85,74)	53,54	164,62	238,63	200,55	201,19	243,34	459,60	559,50	505,08
TOTAL USOS	3.343,60	3.904,46	3.190,86	2.915,70	4.006,86	5.571,52	7.881,69	2.695,14	9.248,58	10.666,97
III SUPERAVIT ANUAL	229,78	227,96	2.256,53	2.887,59	3.359,31	3.720,65	3.311,96	5.173,61	5.186,40	5.551,32
IV SUPERAVIT ACUMULADO	229,78	457,74	2.714,27	5.601,86	8.961,17	12.681,82	15.993,78	21.167,39	26.353,79	31.905,11

Tabla A21. Resultados financieros después de ajustes
(Millones de pesos corrientes)

Año	ACUEDUCTO Factor de Ajuste	ACUEDUCTO SUPERAVIT (0 DEFICIT) Anual	ACUEDUCTO SUPERAVIT (0 DEFICIT) Acumulado	ALCANTARILLADO Factor de Ajuste	ALCANTARILLADO SUPERAVIT (0 DEFICIT) Anual	ALCANTARILLADO SUPERAVIT (0 DEFICIT) Acumulado	ACUEDUCTO Y ALCANTARILLADO Factor de Ajuste	ACUEDUCTO Y ALCANTARILLADO SUPERAVIT (0 DEFICIT) Anual	ACUEDUCTO Y ALCANTARILLADO SUPERAVIT (0 DEFICIT) Acumulado
1981	0,90	(443,79)	(443,79)	0,50	294,96	294,96	0,79	(148,83)	(148,83)
1982	0,90	(314,24)	(758,03)	0,50	(39,96)	255,00	0,79	(354,20)	(503,03)
1983	0,90	1.059,39	301,36	0,50	377,03	632,03	0,79	1.436,42	933,39
1984	0,70	757,36	1.058,72	0,50	268,18	900,21	0,65	1.025,54	1.958,93
1985	0,70	530,33	1.589,05	0,50	345,04	1.245,25	0,65	875,37	2.834,30
1986	0,70	323,16	1.912,21	0,50	350,72	1.595,97	0,65	673,88	3.508,18
1987	0,70	(307,83)	1.604,38	0,50	(77,91)	1.518,06	0,65	(385,74)	3.122,44
1988	0,70	1.149,19	2.753,57	0,50	(660,13)	857,93	0,65	489,06	3.611,50
1989	0,70	1.161,59	3.915,16	0,90	(184,80)	673,13	0,75	976,79	4.588,29
1990	0,70	1.972,06	5.842,22	0,90	(1.163,15)	(490,02)	0,75	763,91	5.352,20

Tabla A22. Instalaciones, consumos, tarifas y subsidios
por tipo de usuarios en el sistema de acueducto
(Base: enero 1981)

Tipo de Usuario	INSTALACIONES Cantidad	INSTALACIONES %	CONSUMO MENSUAL Miles m³	CONSUMO MENSUAL %	m³/Insta-lación	TARIFA MEDIA C$/m³	SUBSIDIO (RECARGO) %
Residencial	195.820	92,7	6.925	68,7	35	7,17	13,0
Comercial	13.479	6,4	1.263	12,5	94	11,50	(39,6)
Industrial	1.020	0,5	1.040	10,3	1.020	11,50	(39,6)
Oficial	745	0,4	757	7,5	1.016	8,50	(3,2)
Preferencial	180	0,1	57	0,6	317	8,50	(3,2)
Pilas Públicas	94	—	33	0,3	351	1,09	86,8
Total	211.338	100,1	10.075	99,9	48	8,24	—

Tabla A23. Instalaciones, consumos, tarifas y subsidios en el sector residencial del sistema de acueducto
(Base: enero 1982)

| Categorias Según Avalúo Catastral (C$) | INSTALACIONES | | | CONSUMO MENSUAL | | | CONSUMO MENSUAL POR INSTALACION | | TARIFA MEDIA | SUBSIDIO (RECARGO) | |
	Cantidad	%	Acumu-lado %	Miles m³	%	Acumu-lado %	m³	%	C$/m³	Interre-sidencial %	Intersec-torial %
1– 30.000	30.744	15,7	15,7	890	12,9	12,9	28,9	81,6	3,13	56,3	62,0
30.001– 75.000	51.109	26,1	41,8	1.643	23,7	36,6	32,1	90,7	4,32	39,7	47,6
75.001– 150.000	43.276	22,1	63,9	1.473	21,3	57,9	34,0	96,0	6,82	4,9	17,2
150.001– 300.000	29.373	15,0	78,9	1.070	15,5	73,4	36,4	102,8	8,76	(22,2)	(6,3)
300.001– 600.000	22.323	11,4	90,3	880	12,7	86,1	39,4	111,3	9,94	(38,6)	(20,6)
600.001–1.000.000	10.378	5,3	95,6	434	6,3	92,4	41,8	118,1	11,06	(54,3)	(34,2)
1.000.001–3.000.000	8.029	4,1	99,7	396	5,7	98,1	49,3	139,3	11,30	(57,6)	(37,1)
3.000.001 en adelante	588	0,3	100,0	139	2,0	100,1	236,4	667,8	11,59	(61,6)	(40,7)
Total Sector Residencial	195.820	100,0	—	6.925	100,1	—	35,4	100,0	7,17	—	13,0

Tabla A-24. Relación entre la tarifa actual, el costo marginal y el costo marginal ajustado* en el sistema consolidado de acueducto y alcantarillado

Tipo de Usuario	Tarifa Actual C$/m³ (1)	Costo Marginal C$/m³ (2)	Costo Marginal Ajustado C$/m³ (3)	(2)/(1) (4)	(3)/(1) (5)
Residencial: 1– 30.000	4,07	16,04	12,67	3,94	3,11
Residencial: 30.001– 75.000	5,62	16,04	12,67	2,85	2,25
Residencial: 75.001– 150.000	8,87	16,04	12,67	1,81	1,43
Residencial: 150.001– 300.000	11,39	16,04	12,67	1,41	1,11
Residencial: 300.001– 600.000	12,92	16,04	12,67	1,24	0,98
Residencial: 600.001– 1.000.000	14,38	16,04	12,67	1,12	0,88
Residencial: 1.000.001– 3.000.000	14,69	16,04	12,67	1,09	0,86
Residencial: 3.000.001– en adelante	15,07	16,04	12,67	1,06	0,84
Residencial Promedio	9,32	16,04	12,67	1,72	1,36
Comercial e Industrial	14,95	16,04	12,67	1,07	0,85
Oficial y Preferencial	11,05	16,04	12,67	1,45	1,15
Pilas Públicas	1,42	16,04	12,67	11,30	8,92
Total Clientela	10,71	16,04	12,67	1,50	1,18

*El costo marginal ajustado es igual al costo marginal multiplicado por 0,79. Factor, este último, que surgió del análisis de los estados financieros preparados con base en el costo marginal como tarifa.

Tabla A25. Porcentaje de familias con servicios de acueducto y alcantarillado por nivel de ingreso: Colombia 1974

Quintiles de Ingreso (Más Pobre a Más Rico)	SERVICIO DE ACUEDUCTO						SERVICIO DE ALCANTARILLADO					
	Ciudades Grandes	Ciudades Intermedias	Ciudades Pequeñas	Promedio Urbano	Zonas Rurales	Promedio Nacional	Ciudades Grandes	Ciudades Intermedias	Ciudades Pequeñas	Promedio Urbano	Zonas Rurales	Promedio Nacional
1	87,1	81,3	62,6	77,0	15,3	44,0	80,0	59,7	40,0	58,4	2,1	27,6
2	92,3	85,5	78,7	85,8	17,2	49,5	88,5	73,3	54,4	73,5	3,1	36,6
3	97,3	90,3	79,7	90,9	18,1	62,2	92,1	74,6	60,8	81,7	6,4	48,2
4	99,4	96,1	84,2	96,8	25,8	71,8	96,0	87,2	69,2	90,6	6,9	61,4
5	100,0	96,9	92,7	98,6	23,3	89,0	98,7	90,7	83,9	94,3	7,1	83,3
Promedio Nacional	95,1	90,1	79,8	89,8	19,9	63,2	90,9	77,2	61,9	79,8	5,1	51,3

Fuente: SELOWSKY, Marcelo. *Who Benefits from Government Expenditure? A Case Study of Colombia*. Oxford University Press, 1979. pp. 171 y 173, tablas SA-29 y SA-31.

NOTAS